CB039795

Amor & Gelato

Jenna Evans Welch

Tradução de Joana Faro

Publicado originalmente pela Simon Pulse, um selo da Simon & Schuster Children's Publishing Division.

TÍTULO ORIGINAL
Love & Gelato

PREPARAÇÃO
Cristiane Pacanowski
Isis Batista Pinto

REVISÃO
Marina Góes
Laís Curvão

DIAGRAMAÇÃO
Ilustrarte Design e Produção Editorial

ARTE DE CAPA
Karina Granda

ADAPTAÇÃO DE CAPA
ô de casa

CIP-BRASIL. CATALOGAÇÃO NA PUBLICAÇÃO
SINDICATO NACIONAL DOS EDITORES DE LIVROS, RJ

W471a
Welch, Jenna Evans
Amor & gelato / Jenna Evans Welch ; tradução Joana Faro. — 1. ed. — Rio de Janeiro : Intrínseca, 2017.
320 p. : il ; 21 cm.

Tradução de: Love & gelato
ISBN: 978-85-510-0234-6

1. Ficção juvenil americana. 2. Diários — Ficção. I. Faro, Joana. II. Título.

17-42295 CDD: 813
CDU: 821.111(73)-3

[2017]

EDITORA INTRÍNSECA LTDA.
Av. das Américas, 500, bloco 12, sala 303
22640-904 – Barra da Tijuca
Rio de Janeiro – RJ
Tel./Fax: (21) 3206-7400
www.intrinseca.com.br

1ª edição
JULHO DE 2017
reimpressão
MAIO DE 2025
impressão
BARTIRA
papel de miolo
PÓLEN NATURAL 70 G/M²
papel de capa
CARTÃO SUPREMO ALTA ALVURA 250 G/M²
tipografia
ADOBE CASLON PRO

Para David,
Por ser minha história de amor

Prólogo

VOCÊ JÁ TEVE DIAS RUINS, NÃO É? SABE AQUELES EM QUE o alarme não toca, o pão praticamente pega fogo na torradeira e você lembra tarde demais que todas as suas roupas estão encharcadas, esquecidas na máquina de lavar? Aí você entra correndo na escola, quinze minutos atrasada, *rezando* para ninguém notar que seu cabelo está igual ao da noiva do Frankenstein, mas bem na hora em que senta no seu lugar, o professor berra um "Atrasada hoje, Lina?" e todo mundo olha para você.

Aposto que você já teve dias assim. Todos nós temos. Mas e quanto aos dias péssimos? Aqueles tão tensos e horríveis que trituram as coisas de que você gosta só pelo prazer de cuspi-las na sua cara?

O dia em que minha mãe me contou sobre Howard se encaixa perfeitamente na categoria dos *péssimos*, mas, na época, isso era a menor das minhas preocupações.

Eu tinha começado o segundo ano do ensino médio duas semanas antes e estava voltando com minha mãe de uma consulta médica dela. O silêncio reinava dentro do carro, exceto pelo comercial no rádio com as vozes de dois imitadores do Arnold Schwarzenegger, e, embora fosse um dia quente, minhas pernas estavam arrepiadas. Naquela manhã, eu havia chegado em segundo lugar na minha primeira maratona estudantil e não conseguia acreditar em como aquilo se tornara insignificante.

Minha mãe desligou o rádio.

— Como está se sentindo, Lina?

Sua voz estava calma, mas quando olhei para ela comecei a chorar de novo. Ela estava muito pálida e magra. Como eu não tinha notado que ela emagrecera *tanto*?

— Não sei — respondi, tentando manter a voz calma. — Acho que estou em choque.

Ela assentiu, parando no sinal. O sol fazia de tudo para nos ofuscar, e eu olhei diretamente para ele, mesmo com os olhos ardendo. *Este é o dia em que tudo vai mudar*, pensei. *De agora em diante, haverá o* antes *e o* depois *de hoje*.

Minha mãe pigarreou e se empertigou como se tivesse algo importante a me dizer.

— Lina, já contei sobre a vez em que me desafiaram a nadar num chafariz?

Eu me virei para ela.

— O quê?

— Lembra que contei que passei um ano estudando em Florença? Eu tinha saído para tirar fotos com um pessoal da minha turma, e o dia estava tão quente que achei que fosse derreter. Um amigo meu, Howard, me desafiou a entrar num chafariz.

Não se esqueçam de que tínhamos acabado de receber a pior notícia do mundo. A *pior*.

— ... Eu assustei um grupo de turistas alemães. Eles estavam posando para uma foto, e quando saí da água um deles perdeu o equilíbrio e quase caiu no chafariz comigo. Eles ficaram furiosos, então Howard gritou que eu estava me afogando e pulou na minha direção.

Ela olhou para mim e deu um sorrisinho.

— Hã... mãe? É engraçado e tal, mas por que você está me contando isso agora?

— Eu só queria falar do Howard. Ele era muito divertido.

O sinal abriu, e ela pisou no acelerador.

O quê?, pensei. *O quê? O quê? O quê?*

A princípio, achei que a história do chafariz fosse um mecanismo de defesa, como se talvez ela achasse que falar sobre um velho amigo pudesse nos fazer esquecer aqueles dois blocos de concreto que pendiam sobre nossa cabeça. *Inoperável. Incurável.* Mas então ela me contou outra história. E mais uma depois dessa. E chegou ao ponto em que ela começava a falar e, depois de três palavras, eu sabia que ia mencionar o tal de Howard. E quando finalmente me contou o porquê de todas aquelas histórias sobre o amigo, bem... Digamos apenas que a ignorância é uma bênção.

— Lina, eu quero que você vá para a Itália.

Estávamos no meio de novembro, e eu havia me sentado diante da cama de hospital dela com uma pilha de revistas velhas de beleza que roubara da sala de espera. Eu tinha passado os últimos dez minutos fazendo um quiz chamado "Numa escala de frio a fervente: quão sexy você é?", e fiz sete pontos num total de dez.

— Itália? — perguntei, meio distraída.

A pessoa que fizera o quiz antes de mim gabaritou, e eu estava tentando descobrir como isso era possível.

— Falei que quero que você vá morar na Itália. Depois.

Aquilo chamou minha atenção. Para começar, eu não acreditava no *depois*. Sim, o câncer da minha mãe estava progredindo exatamente do jeito que os médicos explicaram que aconteceria, mas eles não sabiam de tudo. Naquela manhã mesmo, eu tinha salvado nos meus favoritos uma matéria sobre uma mulher que subira o Monte Kilimanjaro depois de vencer um câncer. E tem outra coisa: *Itália*?

— Mas por quê? — perguntei, sem ser grosseira.

Era importante não contrariar minha mãe. Evitar estresse ajuda na recuperação.

— Quero que você fique com o Howard. O ano que passei na Itália significou muito para mim, e quero que você viva a mesma experiência.

Olhei o botão para chamar as enfermeiras. *Ficar com Howard na Itália?* Será que tinham dado morfina demais a ela?

— Lina, olhe para mim. — Ela usou seu tom autoritário que dizia "Mocinha, eu sou sua mãe".

— Howard? O cara de quem você não para de falar?

— Sim. Ele é o melhor homem que já conheci. Vai mantê-la a salvo.

— A salvo *de quê*?

Eu olhei para ela, e de repente comecei a ficar ofegante. Minha mãe estava falando sério. Será que tinha algum saco de papel por ali?

Ela balançou a cabeça, com os olhos brilhando.

— Vai ser… difícil. Não precisamos falar disso agora, mas queria que você ouvisse de mim mesma sobre essa decisão. Você vai precisar de alguém. Depois. E acho que ele é a melhor pessoa.

— Mãe, isso nem faz sentido. Por que eu iria morar com um desconhecido?

Eu me levantei e comecei a vasculhar as gavetas na mesinha de cabeceira dela. Devia ter um saco de papel em *algum lugar*.

— Lina, sente-se.

— Mas, mãe…

— Sente-se. Você vai ficar bem. Você vai conseguir. Sua vida vai seguir em frente e vai ser maravilhosa.

— Não. *Você* vai conseguir. Às vezes as pessoas se recuperam.

— Lina, Howard é um amigo maravilhoso. Você vai amá-lo.

— Duvido. E se ele é um amigo tão bom assim, por que nunca o conheci?

Desisti de encontrar um saco, então me joguei de novo na cadeira e coloquei a cabeça entre os joelhos.

Ela se sentou com dificuldade, depois estendeu a mão, tocando as minhas costas.

— As coisas eram meio complicadas entre nós, mas ele quer conhecê-la. E disse que adoraria que você ficasse com ele. Prometa que vai tentar. Pelo menos por alguns meses.

Bateram à porta. Nós duas erguemos o rosto e vimos uma enfermeira com um uniforme azul-bebê.

— Só vim checar como vocês estão — disse ela, cantarolando.

Ou estava ignorando ou não percebeu minha expressão.

Numa Escala de Tranquilo a Tenso, o quarto estava mais ou menos 100 para 10.

— Bom dia. Eu estava dizendo à minha filha que ela deve ir para a Itália.

— Itália — repetiu a enfermeira, com um suspiro. — Passei minha lua de mel lá. Gelato, a Torre de Pisa, as gôndolas de Veneza... Você vai adorar.

Minha mãe abriu um sorriso triunfante para mim.

— Mãe, *não*. Eu não vou pra Itália de jeito nenhum.

— Mas, querida, você precisa ir — insistiu a enfermeira. — Vai ser uma experiência única.

No fim das contas, a enfermeira estava certa sobre uma coisa: eu precisava ir. Mas ninguém me deu nenhuma pista do que eu encontraria quando chegasse lá.

Capítulo 1

A CASA SE DESTACAVA AO LONGE COMO UM FAROL NUM mar de lápides. *Não é possível que aquela fosse a casa dele!* Provavelmente, só estávamos seguindo algum costume italiano. *Sempre dê uma passada no cemitério com os recém-chegados. Para dar uma noção da cultura local.* É, só podia ser isso.

Entrelacei os dedos no colo e meu estômago gelou conforme nos aproximávamos da casa. Era como ver o tubarão saindo das profundezas do oceano e vindo na minha direção. *Taaan tan.* Só que eu não estava num filme. Aquilo era real. E me esperava a uma curva de distância. *Não entra em pânico. Não pode ser. Sua mãe não teria mandado você morar num cemitério. Ela teria avisado. Ela teria...*

Ele ligou a seta, e eu perdi o fôlego. *Ela simplesmente não me contou.*

— Você está bem?

Howard, a quem eu talvez devesse chamar de pai, me olhava com uma expressão preocupada. Provavelmente porque eu tinha acabado de soltar um chiado.

— É aqui que você...? — Fiquei sem palavras, então tive que apontar.

— Bem, é, sim. — Ele hesitou por um instante, depois apontou para a janela. — Lina, você não sabia? Sobre tudo isso?

"Tudo isso" não chegava nem perto de descrever o imenso cemitério iluminado pelo luar.

— Minha avó disse que eu ficaria na propriedade de um americano. Ela contou que você administra um memorial da Segunda Guerra. Eu não achei que...

O pânico escorria sobre mim como calda quente. Além disso, eu não conseguia concluir uma única frase. *Respira, Lina. Você já sobreviveu ao pior. Pode sobreviver a isto também.*

Ele apontou para a extremidade do terreno.

— O memorial é aquele prédio lá, mas no resto da propriedade ficam os túmulos dos soldados americanos mortos na Itália durante a guerra.

— Mas esta não é sua *casa* de verdade, é? É só seu local de trabalho.

Em vez de responder, ele parou na entrada e senti minha última esperança se apagar junto com os faróis do carro. Não era apenas uma casa. Era um *lar*. Gerânios vermelhos ladeavam o caminho da entrada, e um balanço rangia na varanda, como se alguém tivesse acabado de se levantar. Tirando as cruzes que cobriam os gramados ao redor, era uma casa normal num bairro como outro qualquer. Só que não era um bairro como outro qualquer. E não parecia que aquelas cruzes sairiam dali. Nunca.

— Eles preferem que um administrador fique aqui em tempo integral, por isso construíram esta casa nos anos 1960. — Howard tirou a chave da ignição, depois tamborilou os dedos no volante, nervoso. — Sinto muito, Lina. Achei que você soubesse. Não posso nem imaginar o que está se passando pela sua cabeça agora.

— É um cemitério. — Minha voz estava fraca como chá aguado.

Ele se virou para mim sem me olhar nos olhos.

— Eu sei. E a última coisa de que você precisa é um lembrete de tudo pelo que passou este ano. Mas acho que vai acabar gostando. É bem tranquilo e tem uma história muito interessante. Sua mãe amava este lugar. E depois de passar quase dezessete anos aqui, não consigo me imaginar morando em nenhum outro.

A voz dele era esperançosa, mas eu afundei no banco, com um monte de perguntas surgindo na cabeça. *Se ela amava tanto este lugar, por que nunca me falou dele? Por que nunca me falou de você até ficar doente? E, por tudo o que é mais sagrado, por que ela se esqueceu deste pequeno detalhe: contar que você é meu PAI?*

Howard absorveu meu silêncio por um instante, depois abriu a porta do carro.

— Vamos entrar. Deixa que eu pego sua mala.

Com seu um metro e noventa e cinco de altura, ele contornou a traseira do carro, e eu me estiquei para a frente para observá-lo pelo retrovisor. Quem preenchera as lacunas fora minha avó. *Ele é seu pai; é por isso que sua mãe quis que você fosse morar lá.* Eu deveria ter imaginado, mas a verdadeira identidade do bom e velho Howard era algo que minha mãe deveria pelo menos ter *mencionado*.

Howard fechou o porta-malas, e eu me recompus e comecei a mexer na mochila, ganhando mais alguns segundos. *Coloca essa cabeça pra funcionar, Lina. Você está sozinha em outro país, um verdadeiro gigante acabou de assumir que é seu pai e sua nova casa poderia ser o cenário de um filme de apocalipse zumbi. Faz alguma coisa.*

Mas o quê? A não ser que eu arrancasse as chaves do carro das mãos do Howard, não conseguia pensar em nenhum jeito de escapar daquela casa. Finalmente, soltei o cinto de segurança e o segui até lá.

A casa era rigorosamente normal, como se para compensar a localização. Howard deixou minha mala ao lado da porta e fomos para a sala, onde havia duas poltronas e um sofá de couro. Vários pôsteres de viagem antigos estavam pendurados nas paredes, e o lugar inteiro cheirava a alho e cebola, mas de um jeito bom, é claro.

— Bem-vinda ao lar — disse Howard, acendendo a luz. Um novo pânico me atingiu em cheio, e ele estremeceu ao ver minha expressão. — Quer dizer, bem-vinda à Itália. Estou muito feliz por você estar aqui.

— Howard.

— Oi, Sonia.

Uma mulher alta com postura de gazela entrou na sala. Ela devia ser alguns anos mais velha que Howard, tinha a pele cor de café e ostentava várias pulseiras douradas nos braços. Estava deslumbrante. E também surpresa.

— Lina — disse ela, enunciando meu nome cuidadosamente. — Você chegou. Como foram os voos?

Fiquei um pouco sem jeito. Será que ninguém ia fazer a gentileza de nos apresentar?

— Bons. Mas o último foi muito longo.

— Estamos muito felizes por você estar aqui.

Ela sorriu para mim, e um silêncio pesado se instalou.

Finalmente, eu dei um passo à frente.

— Então… você é a esposa do Howard?

Howard e Sonia se entreolharam e quase tiveram um ataque de riso.

Lina Emerson, gênio da comédia.

Howard só conseguiu parar de rir alguns segundos depois.

— Lina, esta é Sonia. Ela é a superintendente-assistente do cemitério. E trabalha aqui há mais tempo do que eu.

— Só alguns meses a mais — explicou Sonia, enxugando os olhos. — Howard sempre me faz parecer um dinossauro. Minha casa também fica nesta propriedade, um pouco mais perto do memorial.

— Quantas pessoas moram aqui?

— Só nós dois. Agora nós três — respondeu ele.

— E uns quatro mil soldados — acrescentou Sonia, sorrindo. Ela estreitou os olhos para Howard, e eu olhei para trás bem a tempo de vê-lo passar o indicador freneticamente sobre a garganta. Comunicação não verbal. Ótimo.

O sorriso da Sonia desapareceu.

— Lina, você está com fome? Eu fiz lasanha.

Então era *daí* que vinha o cheiro.

— Estou morrendo de fome — admiti.

E não estava exagerando.

— Que bom. Lasanha com pão de alho cheio de alho é minha especialidade.

— Boa! — exclamou Howard, dando um soco no ar, exageradamente triunfante. — Nada como ser mimado por Sonia.

— É uma noite especial, então achei que deveria caprichar. Lina, acho que você vai querer lavar as mãos, certo? Vou pôr a mesa, nos encontre na sala de jantar.

Howard apontou para o outro lado da sala.

— O banheiro fica ali.

Eu assenti, depois coloquei a mochila na poltrona mais próxima e praticamente fugi para o banheiro. O cômodo era minúsculo, mal tinha espaço para um vaso sanitário e uma pia. Deixei a água ficar o mais quente que consegui aguentar e esfreguei as mãos com um pedaço de sabonete que estava na borda da pia, para me livrar de qualquer vestígio da viagem.

Enquanto me lavava, tive um vislumbre de mim mesma no espelho e soltei um gemido. Eu parecia alguém que foi arrastada por três fusos horários. O que, para ser sincera, tinha de fato acontecido. Além das olheiras, minha pele, em geral bronzeada, estava pálida e amarelada. Meu *cabelo* enfim tinha conseguido desafiar as leis da física. Molhei as mãos e tentei domar os cachos, mas isso só serviu para deixá-los ainda mais desgrenhados. Acabei desistindo. E daí que eu estava parecendo um porco-espinho que tinha acabado de tomar Red Bull? Pais devem aceitar os filhos como eles são, não é?

Do lado de fora do banheiro, uma música começou a tocar e a chama que era meu nervosismo se transformou numa fogueira. Será que eu precisava mesmo jantar? Talvez pudesse me esconder em algum quarto enquanto caía a ficha daquela coisa toda de cemitério. Ou não. Mas meu estômago roncou em protesto e aiii... Sim, eu precisava mesmo jantar.

— Aí está ela — disse Howard, levantando-se.

A mesa estava posta com uma toalha xadrez vermelha, e um rock das antigas, que eu já tinha ouvido em algum lugar, tocava num iPod perto da entrada da sala. Eu me sentei, num lugar diante deles, e Howard fez o mesmo.

— Espero que você esteja com fome. Sonia cozinha muito bem. Acho que essa é a verdadeira vocação dela.

Agora que não estávamos mais sozinhos, ele parecia muito mais relaxado.

Sonia sorriu.

— Nem pensar. O meu destino era morar no memorial.

— Está com uma cara boa. — E com "boa" eu queria dizer *deliciosa*.

Havia uma travessa fumegante de lasanha ao lado de uma cesta de fatias grossas de pão de alho e uma tigela de salada cheia de tomates e alfaces crocantes. Precisei de toda a minha força de vontade para não atacar a comida.

Sonia cortou a lasanha e colocou um grande pedaço com queijo escorrendo no meio do meu prato.

— Fique à vontade para se servir de pão e salada. *Buon appetito*.

— *Buon appetito* — repetiu Howard.

— *Buon appe*... sei lá o quê — murmurei.

Assim que todos foram servidos, peguei o garfo e comecei a devorar a lasanha. Eu sabia que devia estar parecendo um animal selvagem, mas depois de um dia inteiro à base de comida de avião, não consegui me controlar. As refeições do voo pareciam vir em porções *miniaturas*. Quando finalmente fiz uma pausa para respirar, Sonia e Howard estavam me olhando, e ele parecia ligeiramente horrorizado.

— Então, Lina, o que você gosta de fazer? — perguntou Sonia.

Eu peguei um guardanapo.

— Além de assustar as pessoas com meus modos à mesa?

Howard soltou uma risadinha.

— Sua avó me contou que você adora correr. Ela disse que você faz uma média de sessenta e cinco quilômetros por semana e que pretende praticar corrida na faculdade.

— Bem, isso explica o apetite. — Sonia fez menção de me servir mais um pedaço e eu ergui o prato, agradecida. — Você corre na escola?

— Corria. Eu era da equipe principal, mas perdi a vaga depois que descobrimos.

Os dois ficaram me olhando sem dizer nada.

— ... depois que descobrimos o câncer. Os treinos me tomavam muito tempo, e eu não queria ficar saindo sempre da cidade e coisas do tipo.

Howard assentiu.

— Acho o cemitério um ótimo lugar para uma corredora. Tem muito espaço e ruas planas. Eu costumava correr aqui, antes de ficar gordo e preguiçoso.

Sonia revirou os olhos.

— Ah, por favor. Você não conseguiria ficar gordo nem se tentasse. — Ela empurrou a cesta de pão de alho na minha direção. — Você sabia que eu e sua mãe éramos amigas? Ela era encantadora. Muito talentosa e alegre.

Não, ela também não me contou isso. Será que eu tinha sido vítima de um elaborado esquema de sequestro? Será que sequestradores me dariam dois pedaços da melhor lasanha que eu já tinha comido na vida? E se eu implorasse, será que me passariam a receita?

Howard pigarreou, e isso me fez voltar a prestar atenção na conversa.

— Desculpem. Humm, não. Ela nunca falou de você.

Sonia assentiu, com o rosto indecifrável, e Howard olhou para ela, depois para mim.

— Você deve estar exausta. Quer ligar para alguém? Eu mandei uma mensagem para sua avó quando você chegou, mas fique à vontade para ligar para ela. Tenho um plano de chamadas internacionais no celular.

— Posso ligar para a Addie?

— É aquela amiga com quem você estava morando?

— É. Mas eu trouxe o laptop. Em vez de ligar, posso fazer um FaceTime.

— Talvez não funcione hoje. A tecnologia aqui na Itália não é das melhores, e nossa conexão de internet ficou lenta o dia inteiro. Chamei alguém para dar uma olhada amanhã, mas nesse meio-tempo você pode usar meu celular.

— Obrigada.

Ele se levantou da mesa.

— Alguém quer vinho?

— Sim, por favor — disse Sonia.

— Lina?

— Humm... eu meio que ainda não tenho idade pra beber.

Ele sorriu.

— Na Itália não tem idade mínima para beber, então acho que aqui é meio diferente, mas fique à vontade.

— Bem, fica pra próxima.

— Já volto. — Ele foi até a cozinha.

A sala ficou em silêncio por uns dez segundos, depois Sonia pousou o garfo no prato.

— Estou muito feliz por você estar aqui, Lina. E quero que saiba que, se precisar de qualquer coisa, é só gritar. Literalmente.

— Obrigada.

Fixei o olhar num ponto logo acima do ombro esquerdo dela. Adultos sempre se esforçavam demais comigo. Eles achavam que se fossem muito legais conseguiriam compensar a perda da minha mãe. Isso era fofo e horrível ao mesmo tempo.

Sonia se virou para a cozinha e baixou a voz.

— Você se incomodaria de passar na minha casa amanhã? Quero lhe dar uma coisa.

— O quê?

— Falamos disso lá. Aproveite esta noite para se ambientar.

Eu me limitei a balançar a cabeça. Ia me ambientar o mínimo possível. Não ia nem desfazer a mala.

Depois do jantar, Howard fez questão de carregar minhas coisas para o segundo andar.

— Espero que goste do seu quarto. Tem umas semanas que pintei e redecorei, e acho que ficou bem bonito. Mantenho a maioria das janelas abertas no verão, assim fica mais fresco, mas pode fechar quando quiser. — Ele deixou minha mala perto da porta, e falava rápido, como se tivesse passado a tarde inteira ensaiando seu discurso de boas-vindas.

— O banheiro é do outro lado do corredor, e coloquei um sabonete novo e xampu lá. Avise se precisar de mais alguma coisa que compro amanhã, está bem?

— Ok.

— E, como falei, a internet anda bem irregular, mas se resolver tentar, o wi-fi é "cemitério americano".

Claro.

— E qual é a senha?

— Muro dos desaparecidos. Tudo junto.

— Muro dos desaparecidos — repeti. — O que isso significa?

— É uma parte do memorial. São várias placas de pedra com uma lista de nomes dos soldados cujos corpos nunca foram encontrados. Posso lhe mostrar amanhã se você quiser.

Nããão, obrigada.

— Bem, estou bem cansada, então... — Eu me aproximei da porta.

Entendendo a indireta, ele me entregou o celular e um pedaço de papel.

— Anotei as instruções para ligar para os Estados Unidos. Você precisa colocar o código do país e o código de área. Avise se tiver algum problema.

— Obrigada. — Coloquei o papel no bolso.

— Boa noite, Lina.

— Boa noite.

Ele deu as costas e saiu pelo corredor, e eu arrastei minha mala para dentro, sentindo os ombros relaxarem de alívio por finalmente estar sozinha. *Bem, você está mesmo aqui*, pensei, *você e seus quatro mil novos amigos*. Havia uma chave na porta, e fiquei satisfeita ao ouvir o clique quando a tranquei. Então me virei devagar, me preparando para o que quer que Howard quisesse dizer com "bem bonito", mas meu coração quase parou de bater, porque *nossa*...

O quarto era perfeito. Uma luz suave emanava do lindo abajur dourado na mesa de cabeceira, e a cama, cheia de almofadas, parecia ser do século passado. Uma escrivaninha e uma cômoda pintadas ficavam uma de cada lado do quarto, e havia um grande espelho oval pendurado na parede ao lado da porta. Vários porta-retratos vazios ocupavam a mesa de cabeceira e a cômoda, como se esperando que eu os preenchesse.

Fiquei ali observando tudo por um minuto. Era tão *eu*. Como era possível alguém que nem me conhecia ter montado o quarto dos meus sonhos? Talvez nem tudo estivesse perdido...

E então uma rajada de vento soprou para dentro do quarto, chamando minha atenção para a grande janela aberta. Eu tinha ignorado minha própria regra: *Se parecer bom demais para ser verdade, provavelmente é mentira.* Fui até lá e espiei pela janela. As lápides brilhavam sob o luar como dentes num sorriso sombrio e estranhamente silencioso. Nenhuma beleza poderia compensar uma vista como aquela.

Saí da janela e tirei o papel do bolso. Era hora de começar a planejar minha fuga.

Capítulo 2

SADIE DANES PODE ATÉ SER UMA DAS PIORES PESSOAS DO planeta, mas sempre ocupará um lugar especial no meu coração. Afinal de contas, devo a ela minha melhor amiga.

Eu estava começando o sétimo ano. Addie tinha acabado de se mudar de Los Angeles para Seattle, e um dia, depois da aula de educação física, ouviu Sadie comentar que algumas meninas da turma não precisavam usar sutiã. Só que, na boa... estávamos no sétimo ano... Só um por cento da sala precisava usar sutiã. E eu, no caso, precisava *menos* ainda, então todo mundo sabia que ela estava falando mim. Tudo o que fiz foi ignorar Sadie (em outras palavras, enfiei minha cabeça pré-adolescente no armário, piscando para conter as lágrimas), já Addie empurrou a garota na saída do vestiário. Desde então, ela nunca mais parou de me defender.

— Sai. Pode ser a Lina. — A voz da Addie estava distante, como se ela estivesse segurando o celular afastado do rosto. — Alô?

— Addie, sou eu.

— Lina! IAN, SAI DE PERTO DE MIM.

Ouvi gritos abafados e depois o que pareceu uma briga de facas entre ela e o irmão. Addie tinha três irmãos mais velhos, mas não tinha nada de irmãzinha mais nova mimada. Na verdade, eles pareciam mais ter feito um pacto para tratá-la como um garoto. Isso explicava muito sobre a personalidade dela.

— Desculpa — disse ela quando finalmente voltou a falar comigo. — O Ian é um idiota. Passaram com o carro por cima do celular dele e agora meus pais querem que a gente divida o meu. Não me interessa o que aconteceu. Não vou dar meu número para os amigos trogloditas dele.

— Ah, qual é, eles não são *tão* ruins assim.

— Nem vem. Você sabe que são. Hoje de manhã peguei um deles comendo o nosso cereal. Ele tinha despejado uma caixa inteira numa tigela e estava comendo com uma concha de sopa. Acho que o Ian nem estava em casa.

Eu sorri e fechei os olhos por um instante. Se Addie fosse uma super-heroína, seu poder seria a capacidade de fazer sua melhor amiga se sentir normal. Naquelas primeiras semanas sombrias depois do enterro, era ela quem me tirava de casa para correr e insistia que eu fizesse coisas como comer e tomar banho. Aquele tipo de amiga que a gente sabe que não merece.

— Espera um pouco. Por que estamos perdendo tempo falando dos amigos do Ian? Você já deve ter conhecido o Howard.

Abri os olhos.

— Meu pai, você quer dizer?

— Eu me recuso a chamar de seu pai. Nem sabíamos que ele existia até dois meses atrás.

— Menos até.

— Lina, estou morrendo de curiosidade. Como ele *é*?

Olhei para a porta do quarto. Ainda dava para ouvir a música lá de baixo, mas mesmo assim baixei a voz.

— Digamos apenas que preciso sair daqui. Imediatamente.

— Como assim? Ele é bizarro?

— Não. Na verdade, ele até que é legal. É, tipo, alto que nem um jogador da NBA, o que me surpreende. Mas essa não é a parte ruim. — Respirei fundo. Addie precisava daquela pausa dramática. — Ele é administrador de um cemitério. Ou seja, eu tenho que morar num cemitério.

— O QUÊ?

Eu já estava segurando o celular a uns bons dez centímetros da orelha, esperando sua reação.

— Você está morando num *cemitério*? Ele é *coveiro ou coisa do tipo*? — Ela sussurrou a última parte.

— Acho que não enterram mais ninguém aqui. Todos os túmulos são da Segunda Guerra Mundial.

— Como se isso melhorasse as coisas! Lina, precisamos tirar você daí. Não é justo. Primeiro você perde a mãe, e agora tem que se mudar pro outro lado do mundo e morar com um cara que de repente diz ser seu pai? E a casa dele é num *cemitério*? Fala sério, isso já passou dos limites.

Eu me sentei à escrivaninha, virando a cadeira de costas para a janela.

— Juro, se eu imaginasse no que estava me metendo, teria resistido mais ainda. Este lugar é *estranho*. Tem lápides por todo lado, e parece que estamos muito longe da civilização. No caminho até aqui vi algumas casas pela estrada, mas fora isso parece que ao redor do cemitério não tem nada além de mato.

— Não acredito. Vou buscar você. Quanto custa uma passagem de avião? Mais de trezentos dólares? Porque é tudo o que eu tenho depois do nosso probleminha com o hidrante.

— Você nem bateu com tanta força!

— Diz isso pro mecânico. Pelo visto, ele teve que trocar o para-choque inteiro. E a culpa é toda sua. Se você não estivesse dançando que nem uma louca, provavelmente eu não teria sido obrigada a dançar também.

Eu sorri e cruzei as pernas na cadeira.

— Se você não consegue se controlar quando toca um clássico da Britney no rádio *não* é culpa minha. Mas você precisa de ajuda pra pagar? Meus avós estão tomando conta do meu dinheiro, mas tenho mesada.

— Não, claro que não. Você vai precisar do dinheiro pra ir embora da Itália. E acho mesmo que meus pais vão adorar se você voltar a morar aqui. Minha mãe acha você uma boa influência. Ela ficou um mês comentando que você coloca os pratos na lava-louças.

— Pois é, *sou* extraordinária.

— Não me diga. Tudo bem, vou conversar com eles em breve. Só preciso esperar minha mãe se acalmar. Ela está cuidando de um evento beneficente de futebol americano pro Ian, mas parece que está organizando um baile de debutantes. Sério, ela está *superestressada*. Surtou completamente ontem à noite porque nenhum de nós comeu o macarrão gratinado que ela fez.

— Poxa, eu gosto do macarrão gratinado dela. Aquele com atum, né?

— Eca, duvido. Você devia ter acabado de correr cento e cinquenta quilômetros e estar morrendo de fome quando comeu. Sem falar que você não recusa comida nenhuma.

— Isso é verdade — admiti. — Mas, Addie, não se esquece de que é minha avó quem precisamos convencer. Ela está adorando que eu more aqui.

— O que não faz o menor sentido. Por que ela mandou você pro outro lado do mundo para ficar com um desconhecido? Ela nem conhece o cara.

— Acho que ela não sabia mais o que fazer. A caminho do aeroporto ela me disse que estava pensando em ir morar com meu avô num lar pra idosos. Cuidar dele está sendo pesado pra ela.

— E é por isso que você deve morar com *a gente*. — Addie bufou. — Não esquenta. Deixa comigo. Vou levar a vó Rachelle pra comprar aquelas balas de caramelo que os velhinhos gostam e aproveito pra falar que a casa dos Bennet é a melhor opção pra você.

— Obrigada, Addie.

Ambas paramos de falar, e o som dos insetos e da música do Howard preencheu o breve silêncio entre nós. Eu queria entrar pelo celular e voltar para Seattle. Como ia sobreviver sem minha melhor amiga?

— Por que você está tão quieta? O Coveiro está aí?

— Estou no meu quarto, mas tenho a sensação de que o som se propaga nesta casa. Não sei se ele consegue me ouvir ou não.

— Que ótimo. Então você não pode nem falar com privacidade. Seria melhor criarmos um código pra eu saber se você está bem. Diga "azulão" se estiver sendo mantida como refém.

— Azulão? Não deveria ser uma palavra mais comum?

— Droga. Agora fiquei confusa. Você disse a palavra, mas não sei se estava falando sério. Você está ou não sendo mantida como refém?

— Não, Addie. Não estou sendo mantida como refém. — Eu suspirei. — Talvez eu seja refém apenas da promessa que fiz pra minha mãe.

— É, mas será que as promessas valem mesmo se forem feitas com base numa mentira? Sem querer ofender, mas sua mãe não foi exatamente honesta sobre por que queria que você fosse para a Itália.

— Eu sei. — Respirei fundo. — Espero que haja um motivo pra isso.

— Talvez.

Eu me virei para trás e olhei pela janela. A lua tocava a copa escura das árvores, e se eu não soubesse onde estava, teria achado a vista deslumbrante.

— Preciso desligar. Estou usando o celular dele e devo ter gastado uma fortuna.

— Tudo bem. Liga de novo assim que puder. E, sério, não se preocupa. Tiraremos você daí logo logo.

— Obrigada, Addie. Espero conseguir falar com você pelo FaceTime amanhã.

— Vou esperar ao lado do computador. Como as pessoas se despedem na Itália? "Chou"? "Chau"?

— Não faço a menor ideia.

— Mentirosa. Era você que sempre falava em viajar pelo mundo.

— Eles cumprimentam e se despedem com "ciao".

— Eu sabia. *Ciao*, Lina.

— *Ciao*.

Nossa ligação terminou e coloquei o celular na escrivaninha, sentindo um nó na garganta. Eu já estava com saudade dela.

— Lina?

Howard! Quase caí da cadeira. Será que ele estava escutando a conversa?

Eu me levantei às pressas e abri uma fresta da porta. Howard estava parado no corredor segurando várias toalhas brancas dobradas, empilhadas como um bolo de casamento.

— Espero não ter interrompido — disse rapidamente. — Só lembrei que precisava lhe entregar isto.

Eu observei seu rosto, mas estava inexpressivo como água parada. Ao que parecia, o parentesco não significava nada. Eu não sabia se ele tinha ouvido minha conversa com Addie.

Hesitei por um segundo, depois abri a porta um pouco mais e peguei as toalhas.

— Obrigada. E aqui está seu celular. — Eu o peguei na escrivaninha e entreguei a ele.

— Então... o que você acha?

Eu enrubesci.

— Sobre...?

— Sobre seu quarto.

— Ah. Ficou ótimo. Lindo.

Um grande sorriso de alívio se abriu no rosto dele. Sem dúvida era o primeiro sorriso genuíno da noite, e ele pareceu uns cinquenta quilos mais leve. Além disso, seu sorriso era meio assimétrico.

— Que bom. — Ele se apoiou no batente da porta. — Sei que meu gosto não é dos melhores, mas queria que ficasse bonito. Uma amiga me ajudou a pintar a escrivaninha e a cômoda, e Sonia e eu encontramos o espelho numa feira de antiguidades.

Putz. Comecei a imaginar Howard passeando pela Itália à procura de objetos que achava que eu ia gostar. Por que o interesse repentino? Até onde eu sabia, ele nunca tinha enviado nem um cartão de aniversário.

— Não precisava ter se incomodado.

— Não foi incômodo nenhum. Sério.

Ele sorriu outra vez, e houve um momento de silêncio longo e desconfortável. A noite inteira parecera um encontro às cegas com alguém com quem eu não tinha nada em comum. Não, era ainda pior. Porque nós *tínhamos* algo em comum. Só não estávamos tocando no assunto. *Quando vamos tocar nesse assunto?*

Tomara que nunca.

Howard balançou a cabeça.

— Bem, boa noite, Lina.

— Boa noite.

Seus passos desapareceram pelo corredor e eu tranquei novamente a porta. Minhas dezenove horas de viagem tinham me atingido bem no meio da testa, e eu estava com uma dor de cabeça insana. Já era hora de aquele dia terminar.

Coloquei as toalhas em cima da cômoda, tirei os sapatos e pulei na cama, jogando as almofadas para todos os lados. *Finalmente*. O colchão era tão macio quanto parecia, e os lençóis tinham um cheiro maravilhoso, o mesmo cheiro de quando minha mãe pendurava os nossos na corda para secar. Eu me enfiei embaixo das cobertas e desliguei o abajur.

Uma gargalhada veio lá de baixo. A música continuava alta e, ou eles estavam lavando pratos ou jogando uma partida barulhenta de críquete na sala. Mas não importa. Depois do dia que tive, eu poderia dormir em qualquer lugar.

Eu havia acabado de cair naquela fase nebulosa, apenas ligeiramente adormecida, quando a voz do Howard me trouxe de volta à consciência.

— Ela é muito quieta.

Meus olhos se abriram de repente.

— É compreensível, considerando as circunstâncias — disse Sonia.

Não movi um músculo. Ao que parecia, Howard não achava que o som viajasse pelas janelas abertas.

Ele baixou a voz.

— Claro. Foi meio que uma surpresa. Hadley era tão...

— Cheia de vida? Era mesmo, mas Lina pode surpreender você. Eu não ficaria nem um pouco surpresa se ela acabasse demonstrando um pouco do vigor da mãe.

Ele soltou uma risada baixa.

— Vigor. É uma definição interessante.

— Dê um tempinho a ela.

— Claro. Obrigado outra vez pelo jantar... Estava delicioso.

— O prazer foi todo meu. Estou planejando ficar no centro de visitantes amanhã de manhã. Você vai estar no escritório?

— Só vou dar uma passada. Queria sair cedo para levar Lina à cidade.

— Ótima ideia. Boa noite, chefe.

Os passos da Sonia ressoaram no cascalho da entrada para carros, e logo depois a porta da frente se abriu e se fechou de novo.

Eu me obriguei a fechar os olhos, mas parecia que tinha refrigerante correndo por minhas veias. O que Howard esperava? Que eu ficasse radiante por me mudar para a casa de alguém que não conhecia? Que ficasse animada por morar num cemitério? Ninguém sabia que eu não queria ir para a Itália. Eu só concordei quando minha avó apelou para "Você prometeu à sua mãe".

E por que ele tinha que dizer que eu era "quieta"? Eu *detestava* ser chamada assim. As pessoas sempre diziam isso como se fosse algum tipo de deficiência, como se só porque eu não contava minha vida toda logo de cara eu fosse antipática e arrogante. Minha mãe me entendia. "Você pode até demorar para se soltar, mas quando se solta emana alegria."

Meus olhos se encheram de lágrimas e eu me virei, enfiando o rosto no travesseiro. Já fazia mais de seis meses, e às vezes eu conseguia passar horas fingindo que estava bem sem ela, mas isso nunca durava muito. No fim das contas, a realidade era tão dura e implacável quanto aquele hidrante no qual eu e Addie tínhamos batido.

E eu teria que passar o resto da vida sem ela. Teria mesmo.

Capítulo 3

— OLHE, AQUELA JANELA ESTÁ ABERTA. DEVE TER ALGUÉM por ali.

A voz estava praticamente no meu ouvido, e me sentei de repente. Onde eu estava? Ah, sim. No cemitério. Só que agora a luz do sol tinha invadido o lugar, e dentro do quarto fazia um calor de oitocentos e noventa graus, mais ou menos.

— Não acha que deveria ter placas informando para onde ir? — Era a voz de uma mulher, com um sotaque tão forte quanto molho barbecue.

Um homem respondeu:

— Gloria, isto aqui parece uma residência. Acho que não deveríamos estar bisbilhotando…

— Iuu-huuu! Olá? Tem alguém em casa?

Tirei as cobertas e saí da cama, tropeçando em um monte de almofadas. Eu nem havia trocado de roupa antes de dormir. Estava tão cansada que nem sequer cogitei colocar o pijama.

— Ol-ááá — gorjeou outra vez a mulher. — Tem alguém aí?

Fiz um coque para não assustar ninguém, depois fui até a janela e vi duas pessoas que combinavam *perfeitamente* com suas vozes. A mulher tinha um cabelo vermelho-bombeiro e vestia uma bermuda de cintura alta, e o homem usava chapéu de pescaria e carregava uma câmera enorme pendurada no pescoço. Eles estavam até de pochete. Segurei uma risadinha. Uma vez, eu e Addie ganhamos um concurso de fantasias vestidas como Turistas Cafonas. Aqueles dois poderiam ter sido nossa inspiração.

— Olá-á — disse lentamente a Turista Cafona da Vida Real. Ela apontou para mim. — Você fala inglês?

— Eu também sou americana.

— Graças aos céus! Estamos procurando Howard Mercer, o superintendente. Onde podemos encontrá-lo?

— Não sei. Eu sou... nova aqui.

A vista chamou minha atenção e olhei para cima. As árvores do lado de fora da minha janela eram de um verde denso e aveludado, e o céu talvez fosse o mais azul que eu já tinha visto. Mesmo assim, eu continuava num cemitério. Repito: continuava. Em. Um. Cemitério.

A Turista Cafona olhou para o homem, depois outra vez para mim, colocando as mãos na cintura como quem diz: "Você não vai se livrar de mim assim tão fácil."

— Vou ver se ele está em casa.

— Ah, isso aí — disse ela. — Vamos esperar lá na frente.

Abri a mala e vesti uma regata e um short de corrida, encontrei meus tênis e desci. O térreo era bem pequeno e, fora o quarto do Howard, o único cômodo que eu não tinha visto era o escritório. Bati na porta só por precaução antes de entrar. As paredes eram cobertas por discos dos Beatles e fotos emolduradas. Parei para observar uma do Howard junto com algumas pessoas jogando baldes de água num elefante enorme e lindo. Ele estava de bermuda cargo e chapéu de safári e parecia o astro de algum programa de aventuras na natureza. *Howard dá banho em animais selvagens*. Era óbvio que ele não tinha passado os últimos dezesseis anos sentado com saudade da minha mãe e de mim.

Desculpem, Turistas Cafonas. Nem sinal do Howard.

Fui até a entrada, pronta para dizer aos Cafonas que não podia ajudá-los, mas quando entrei na sala, dei um pulo como se tivesse pisado num fio desencapado. A mulher não apenas estava me esperando na frente, como tinha imprensado o rosto na janela e me olhava como um inseto enorme.

— Aqui. Aqui! — murmurou ela, apontando para a porta da frente.

— Você só pode estar brincando.

Coloquei a mão no peito. Meu coração batia um milhão de vezes por minuto. Eu imaginava que a vida num cemitério fosse muito mais… morta. *Ba dum tss*! Minha primeira piada oficial de cemitério. E o primeiro revirar de olhos oficial por causa da própria piada de cemitério.

Abri a porta e a mulher recuou alguns passos.

— Desculpe, querida. Assustei você? Parecia que seus olhos iam saltar.

Ela usava uma daquelas etiquetas de identificação. OLÁ, MEU NOME É GLORIA.

— Eu não esperava que você estivesse… olhando aqui pra dentro. — Balancei a cabeça. — Sinto muito, mas Howard não está. Ele comentou que tem um escritório por aqui. Talvez vocês possam procurar lá.

Gloria assentiu.

— Aham. Aham. Bem, o problema é o seguinte, florzinha. Daqui a apenas três horas o ônibus vai voltar para nos pegar, e queremos conhecer tudo. Acho que não temos tempo para ficar andando por aí à procura do sr. Mercer.

— Vocês foram ao centro de visitantes? A mulher que trabalha lá deve saber onde ele está.

— Eu falei que devíamos ter feito isso — disse o homem. — Isto aqui é uma *residência*.

— Qual é o centro de visitantes? — perguntou Gloria. — Era aquele prédio perto da entrada?

— Desculpe, eu não sei mesmo.

Talvez porque na noite anterior eu estivesse apavorada demais para notar qualquer coisa além do exército de lápides me encarando.

A mulher ergueu uma das sobrancelhas.

— Olha, detesto incomodá-la, *querida*, mas tenho certeza de que você conhece este lugar melhor que um casal de turistas do Alabama.

— Para ser sincera, não.

— O quê?

Eu suspirei, lançando mais um olhar esperançoso para dentro de casa, mas o lugar estava silencioso como um túmulo. (*Credo!* Segunda piada de cemitério.) Parecia que eu ia ter que entrar de cabeça naquela coisa toda de morar num memorial. Então fui para a varanda e fechei a porta.

— Eu realmente não sei onde ficam as coisas por aqui, mas vou tentar ajudar.

Gloria abriu um sorriso extasiado.

— *Gratziei.*

Desci a escada, e os dois me seguiram.

— Cuidam muito bem deste lugar — observou Gloria. — Muito bem.

Ela estava certa. Os gramados eram tão verdes que pareciam pintados com tinta spray, e em praticamente todos os cantos havia um arranjo com as bandeiras italiana e americana cercadas de flores que pareciam saídas de *O mágico de Oz*. As lápides eram brancas e reluzentes, um pouco menos sinistras durante o dia. Mas não me entenda mal: elas continuavam sendo sinistras.

— Vamos por aqui. — Fui em direção à rua pela qual Howard e eu tínhamos chegado.

Gloria me cutucou com o cotovelo.

— Eu e Hank nos conhecemos num cruzeiro.

Ah, não. Gloria ia me contar a história deles? Dei uma olhada rápida para ela, que abriu um sorriso simpático. Claro que ia.

— Ele tinha acabado de perder a esposa, Anna Maria. Ela era uma boa mulher, mas muito peculiar na forma de manter a casa... Uma daquelas pessoas que forram toda a mobília com plástico. Meu marido, Clint, tinha morrido alguns anos antes, então era por isso que eu e Hank estávamos no cruzeiro para solteiros. A comida era ótima... Montanhas de camarão e sorvete à vontade. Você se lembra daquele camarão, Hank?

Ele não parecia estar ouvindo. Eu apertei o passo, e Gloria fez o mesmo.

— Havia um monte de velhos tarados no barco, uns caras nojentos, mas por sorte eu e Hank fomos colocados na mesma mesa no jantar. O navio nem tinha atracado e ele já tinha me pedido em casamento de tão decidido que estava. Nós nos casamos apenas dois meses depois. Eu já estava instalada na casa dele, obviamente, mas apressamos as coisas porque não queríamos ficar, sabe... — Ela fez uma pausa, me olhando como se eu entendesse tudo.

— O quê? — perguntei, hesitante.

— Vivendo em pecado — disse ela, baixinho.

Olhei em volta, desesperada. Eu precisava encontrar Howard ou algum lugar para vomitar. Talvez os dois.

— A primeira coisa que fiz foi arrancar todo o plástico da mobília. Não dá para viver com o traseiro colado na droga do sofá. Não é, Hank?

O homem emitiu um som gutural.

— Esta viagem é como uma segunda lua de mel para nós. Passei a vida inteira querendo visitar a Itália, e consegui realizar meu sonho. Você é muito sortuda por morar aqui.

Muito!, pensei.

Fizemos uma curva e demos de cara com um pequeno prédio. Ficava ao lado da entrada principal e nele havia uma placa gigantesca dizendo VISITANTES, REGISTREM-SE AQUI. Fácil de confundir com VISITANTES, ENCONTREM A CASA MAIS PRÓXIMA E GRITEM PARA QUEM ESTIVER LÁ DENTRO.

— Acho que é aqui — falei.

— Eu falei! — exclamou Hank para Gloria.

— Você não falou nada. — Gloria bufou. — Só ficou me seguindo que nem um vira-lata.

Eu praticamente corri para a entrada do prédio, mas antes que conseguisse tocar a maçaneta, Howard abriu a porta e saiu. Ele usava bermuda e chinelo, como se planejasse pegar um voo para o Taiti mais tarde.

— Lina. Não achei que você já estivesse acordada.

— Estes dois foram procurar você na casa.

Gloria deu um passo à frente.

— Sr. Mercer? Somos os Jorgansen, de Mobile, Alabama. Você deve se lembrar do e-mail que mandei. Somos aqueles que queriam um tour particular *especial* pelo cemitério. Sabe, meu marido, Hank, tem verdadeiro amor pela história da Segunda Guerra Mundial. Conte a eles, Hank.

— Verdadeiro amor — repetiu Hank.

Howard assentiu atenciosamente, mas os cantos de sua boca se curvaram.

— Bem, só existe um tour, mas tenho certeza de que Sonia ficaria feliz em guiá-los por aqui. Por que não entram para que ela comece?

Gloria bateu palmas.

— Sr. Mercer, estou vendo que você também é do Sul. De onde? Do Tennessee?

— Da Carolina do Sul.

— Foi o que eu quis dizer. Carolina do Sul. E quem é esta linda jovem que veio em nosso auxílio? Sua filha?

Ele não disse nem fez nada por um nanossegundo. Mas foi o suficiente para que eu percebesse.

— Sim. Esta é Lina.

E nos conhecemos ontem à noite.

Gloria balançou a cabeça.

— Deus me perdoe. Acho que nunca vi um pai e uma filha tão diferentes. Mas às vezes é assim. Eu puxei este cabelo vermelho da minha tia-avó materna. Às vezes os genes simplesmente pulam algumas gerações.

Tanto eu quanto Howard olhamos para ela com ceticismo. Aquele cabelo vermelho não podia ter vindo de nenhum outro lugar que não uma caixa de tinta, mas tínhamos que admirar seu empenho.

Ela estreitou os olhos para mim, depois se virou para Howard.

— Sua esposa é italiana? — Ela pronunciou "italhana".

— A mãe dela é americana. Lina se parece muito com ela.

Lancei um olhar grato a ele. Falar no presente complicava menos as coisas, mas então me lembrei do que Howard falou para Sonia na varanda, e me virei, recolhendo minha gratidão.

Gloria colocou as mãos na cintura.

— Bem, Lina, você se encaixa muito bem aqui, não é? Veja só esses olhos escuros e todo esse cabelo deslumbrante. Aposto que todo mundo pensa que você é da região.

— Eu não sou daqui. Só estou visitando.

Hank finalmente recuperou a voz.

— Gloria, vamos andando. Se continuarmos nessa conversa, não vamos conseguir ver o maldito cemitério.

— Tudo bem, tudo *bem*. Não precisa falar assim comigo. Vamos, Hank. — Ela nos lançou um olhar conspiratório, como se o marido fosse um irmão mais novo com quem todos nós estivéssemos sendo forçados a andar, e depois abriu a porta. — Vocês dois tenham um bom-dia, está bem? *Arrivedente!*

— Nossa — disse Howard quando a porta se fechou.

— Pois é.

Cruzei os braços.

— Desculpe por isso. As pessoas não costumam ir até a casa. E em geral são um pouco menos… — Ele hesitou, como se achasse que podia pensar numa palavra educada para descrever os Jorgansen, mas se limitou a balançar a cabeça. — Parece que você ia sair para correr.

Olhei para minhas roupas. Era um hábito tão forte me vestir daquela forma que nem tinha reparado.

— Normalmente é a primeira coisa que faço.

— Como falei, fique à vontade para correr pelo cemitério, mas se quiser sair e explorar, é só atravessar aqueles portões. Só existe uma estrada, então acho que você não vai se perder.

A porta do centro de visitantes se abriu e Gloria enfiou a cabeça para fora.

— Sr. Mercer? Esta *mulher* aqui está dizendo que o tour só dura meia hora. Eu solicitei especificamente duas horas ou mais.

— Já estou indo aí. — Ele olhou para mim. — Boa corrida.

Quando Howard se afastou, impulsivamente dei um passo à frente para poder ver os reflexos de nós dois na porta de vidro. Gloria podia ser ridícula, mas não tivera receio de dizer o óbvio. Howard tinha mais de um metro e oitenta, cabelo louro-avermelhado e olhos azuis. Eu era morena e tinha que comprar todas as minhas roupas na seção infantil. Às vezes os genes pulam algumas gerações.

Não é mesmo?

Saí pelos portões da frente e comecei a correr, cruzando o estacionamento de visitantes. Para que lado ir? Não importava. Eu só precisava me afastar do cemitério por um tempo. *Esquerda. Não, direita.*

A estrada que passava pelo memorial tinha apenas duas pistas, e me mantive na faixa de grama lateral, acelerando cada vez mais. Em geral, eu corria até esquecer os pensamentos que me perturbavam, mas aquele era muito difícil de tirar da cabeça. *Por que eu não me pareço em nada com Howard?*

Devia ser uma daquelas coisas sem explicação, quer dizer, muita gente não se parece em nada com os pais. Addie era a única loura da família, e eu conhecia um garoto que, quando estava no sexto ano, já era mais alto que o pai e a mãe. Mesmo assim. Será que eu e Howard não deveríamos ser pelo menos um *pouquinho* parecidos?

Continuei olhando para o chão. *Você vai se adaptar bem rápido. Ele é um sujeito muito legal.* Eram palavras da minha avó, que até onde eu sabia não conhecia Howard. Pelo menos não pessoalmente.

Um enorme ônibus azul passou em alta velocidade, lançando uma rajada de ar quente no meu rosto, e quando olhei para cima, perdi o fôlego. *Que droga é...?* Eu estava correndo pelo cenário do cardápio de um restaurante italiano? Era tão *idílico*. A estrada era ladeada por árvores e serpenteava levemente entre casas e prédios rústicos, pintados em cores suaves. Colinas em vários tons surgiam ao longe e havia vinhedos de verdade atrás de metade das casas. Então *aquela* era a Itália da qual as pessoas falavam. Dava para entender por que o lugar encantava tanta gente.

Outro veículo apareceu correndo atrás de mim, buzinando alto e me arrancando do meu momento de admiração da beleza italiana. Eu me afastei da rua e me virei para olhar para trás. Era um carrinho vermelho que parecia estar se esforçando muito para parecer mais caro do que na verdade era e que diminuiu a velocidade quando se aproximou de mim. O motorista e o passageiro tinham cabelo escuro e uns vinte e poucos anos. Quando nos encaramos, o motorista sorriu e começou a buzinar outra vez.

— *Ei, calma.* Eu nem estou no seu caminho — murmurei.

Então ele pisou no freio com força, como se tivesse conseguido me ouvir, depois parou bem no meio da estrada. O outro cara, talvez um ou dois anos mais velho, abriu a janela do banco de trás com um grande sorriso no rosto.

— *Ciao, bella! Cosa fai stasera*?

Balancei a cabeça e voltei a correr, mas o motorista avançou alguns metros, parando ao meu lado na estrada.

Que ótimo. Depois de quatro anos de corrida, eu conhecia muito bem aquele tipo de cara. Não sei quem disse a eles que "sair para correr sozinha" era um código para "quero ouvir cantadas". Eu tinha aprendido que falar "não estou interessada" não bastava. Eles simplesmente achavam que eu estava me fazendo de difícil.

Atravessei a estrada e me virei na direção do cemitério, parando um segundo para apertar os cadarços. Depois, respirei fundo e ouvi o tiro imaginário de uma pistola dando a largada. *Corre!*

Eles soltaram um grito de surpresa.

— *Dove vai?*

Nem olhei para trás. Com a motivação certa, eu conseguia correr mais rápido que qualquer um, mesmo homens italianos em latas-velhas vermelhas. Eu até escalaria uma cerca se fosse preciso.

Quando cheguei ao cemitério, os caras tinham passado por mim mais duas vezes e depois desistiram, e eu tinha quase certeza de que até minhas pálpebras estavam suando. Howard e Sonia, de costas para o portão, se viraram depressa quando me ouviram, provavelmente porque eu parecia um lobisomem asmático.

— Você voltou rápido. Está tudo bem? — perguntou Howard.

— Eu... fui... perseguida.

— Por quem?

— Um carro... cheio de caras.

— Ah, eles só devem ter se apaixonado — disse Sonia.

— Calma aí. Um carro cheio de caras *perseguiu* você? Como eles eram?

Howard contraiu o maxilar e olhou para a estrada como se estivesse pensando em ir até lá com um taco de beisebol ou coisa do tipo. Aquilo meio que compensou o "Ela é muito quieta" da noite anterior.

Balancei a cabeça, enfim recuperando o fôlego.

— Não foi nada de mais. Da próxima vez, fico dentro do cemitério.

— Ou pode correr atrás do cemitério — sugeriu Sonia. — Há um portão que dá para os fundos do terreno. Deve ser ótimo se exercitar naquelas colinas, e a paisagem é linda. Além disso, não haveria carros para persegui-la.

Howard ainda parecia furioso, então mudei de assunto.

— Onde estão os Jorgansen?

Sonia sorriu.

— Houve um pequeno... conflito. Eles optaram por fazer o tour sozinhos. — Ela apontou para o outro lado do cemitério, onde Gloria caminhava com Hank por uma fileira de lápides. — Seu pai estava me dizendo que quer levá-la para jantar em Florença hoje à noite.

Howard assentiu, finalmente relaxando o rosto.

— Achei que podíamos ver o Duomo e depois comer uma pizza.

Será que eu deveria saber o que era aquilo? Fiquei meio sem jeito. Se eu dissesse sim, estaria concordando com o que sem dúvida seria um jantar constrangedor só com Howard. Se dissesse não, provavelmente ficaria presa ali no mesmo cenário. Pelo menos daquele jeito eu teria oportunidade de ver a cidade. E o Duomo. Seja lá o que isso fosse.

— Tudo bem.

— Ótimo. — Ele parecia animado, como se eu tivesse falado que queria *muito* ir. — Assim vamos ter a chance de conversar. Sobre as coisas.

Eu me contraí. Será que eu não merecia uma espécie de prazo de carência antes de ter que lidar com qualquer que fosse a grande explicação que Howard me reservara? Só estar ali já era demais para mim.

Eu me virei para limpar o suor da testa, torcendo para que não percebessem como eu estava contrariada.

— Vou voltar pra casa.

Comecei a me afastar, mas Sonia correu atrás de mim.

— Você se importaria de passar lá em casa antes? Tenho uma coisa que era da sua mãe e eu gostaria de lhe entregar.

Dei um passo para o lado, colocando mais uns quinze centímetros entre nós.

— Desculpa, mas preciso muito tomar um banho. Pode ficar pra outra hora?

— Ah. — Ela franziu as sobrancelhas. — Claro. Avise quando tiver um minuto. Na verdade, eu poderia…

— Obrigada. A gente se vê.

Comecei num trote, sentindo o olhar da Sonia em mim quando me virei de costas. Eu não queria ser grosseira, mas também não queria *de jeito nenhum* o que ela tinha para me entregar. As pessoas estavam sempre me dando coisas que haviam pertencido a minha mãe, sobretudo fotos, e eu nunca sabia o que fazer com elas. Eram como lembranças da minha vida anterior.

Olhei para o cemitério e suspirei. Eu não precisava de mais nenhum lembrete de que as coisas tinham mudado.

Capítulo 4

ASSIM QUE ENTREI, FUI DIRETO PARA A COZINHA. ACHEI que se eu perguntasse, Howard faria o discurso *mi casa, su casa*, provavelmente em italiano, então em vez de perguntar, ataquei a geladeira.

As duas primeiras prateleiras estavam cheias de coisas como azeitonas e mostardas gourmet, que dão um sabor a mais, mas não são a comida em si, então olhei as gavetas, finalmente encontrando um pote que parecia iogurte de coco e um pão massudo. Fiquei arrasada por não encontrar nenhuma sobra da lasanha.

Depois de devorar metade do pão e quase lamber o fundo do pote de iogurte (de longe o melhor que já tinha tomado), vasculhei os armários até encontrar uma caixa de granola cujo rótulo dizia CIOCCOLATO. Bingo. Eu identificava a palavra chocolate em qualquer língua.

Comi uma tigela enorme de granola, depois limpei a cozinha como se fosse a cena de um crime. *E agora?* Bem, em Seattle, eu provavelmente estaria me arrumando para ir à piscina com Addie ou talvez pegando a bicicleta na garagem e exigindo que fôssemos tomar um daqueles milk-shakes triplos de chocolate que praticamente me mantinham em pé. Mas ali? Eu não tinha nem internet.

— Banho — falei, em voz alta.

Era algo para fazer. E, além disso, eu estava mesmo precisando.

Subi, peguei a pilha de toalhas no meu quarto e fui para o banheiro. Era muito limpo, como se Howard o esfregasse toda semana com água sanitária. Talvez fosse por isso que ele e minha mãe não tinham dado certo. Ela era incrivelmente bagunceira. Uma vez encontrei na mesa dela um pote de macarrão tão velho que tinha ficado azul. *Azul.*

Fechei a cortina do box, mas não tinha a menor ideia do que fazer em seguida. O chuveiro era pequeno e parecia frágil, e sob ele havia duas torneiras com as letras C e F.

— Calor e frio? Congelante e fervente?

Eu liguei o F e deixei a água jorrar por alguns instantes, mas quando coloquei a mão sob o jato, estava gelada. *Ok. Talvez o C*?

Exatamente o mesmo resultado, ou meio grau mais quente. Soltei um gemido. Será que aquele probleminha com a tecnologia aqui na Itália incluía chuveiros gélidos? E que escolha eu tinha? Depois de viajar um dia inteiro e de fazer um dos treinos de velocidade mais difíceis da minha vida, eu *precisava* muito tomar um banho.

— Quando em Roma... — Trinquei os dentes e entrei. — Frio! Frio! Ahh!

Peguei um frasco de alguma coisa na borda da banheira e esfreguei no cabelo e no corpo, enxaguando e saindo de lá o mais depressa possível. Depois peguei a pilha inteira de toalhas e comecei a me enrolar como uma múmia.

Bateram à porta e eu congelei. De novo.

— Quem é?

— Sou eu, Sonia. Você está... bem aí dentro?

Fiz uma careta.

— Hum, estou. Só tive uns problemas com a água. Não tem água quente aqui?

— Tem, só que demora um pouco. Na minha casa, às vezes preciso deixar o chuveiro ligado por uns bons dez minutos antes de ficar numa temperatura boa. C significa "*caldo*", ou seja, "quente".

Balancei a cabeça.

— Bom saber.

— Olhe, desculpe incomodá-la de novo, mas eu só queria dizer que deixei o diário na sua cama.

Fiquei paralisada. O *diário*? Espera, eu devia ter ouvido mal. Talvez ela só tivesse dito "o aquário". Um aquário seria um presente muito gentil. E se eu fosse dar um aquário para alguém, sem dúvida o colocaria na…

— Lina… Está me ouvindo? Eu trouxe o diário que…

— Só um minuto — gritei.

Tudo bem, ela claramente dissera "diário", mas não significava que era algum diário em especial. As pessoas dão diários para as outras o tempo todo. Eu me enxuguei e me vesti depressa. Quando abri a porta, Sonia estava no corredor segurando um vaso com flores.

— Você me deu um diário *novo*? — perguntei, esperançosa.

— Bem, na verdade é velho. É um caderno que pertencia a sua mãe.

Eu me apoiei no batente da porta.

— Está falando de um caderno grande de couro cheio de fotos e coisas escritas?

— Sim. Exatamente ele. — Ela franziu a testa. — Você já viu antes?

Ignorei a pergunta.

— Achei que você só ia me dar uma das fotos dela ou coisa do tipo.

— Na verdade, eu tenho uma foto, mas está pendurada na parede do quarto de hóspedes e não quero me desfazer dela. É um close do Muro dos desaparecidos. É linda. Você deveria passar lá para ver.

Ao que parecia, o Muro dos desaparecidos era muito importante por ali.

— Por que você ficou com um dos diários dela?

Minha pergunta soou como um interrogatório policial, mas ela apenas assentiu.

— Ela o enviou para o cemitério em setembro. Não havia nenhum bilhete, e o pacote não estava endereçado a ninguém, mas quando o abri, reconheci na hora. Quando morava no cemitério, ela levava aquele diário para todo canto.

Morava no cemitério?

— Enfim, pensei em entregar para o seu pai, mas sua mãe sempre foi uma espécie de tabu. Sempre que eu tocava no nome dela, ele ficava...

— O quê?

Ela suspirou.

— Foi difícil para ele quando ela foi embora. Muito difícil. E mesmo depois de todos esses anos, eu tive medo de trazer o assunto à tona. Enfim, enrolei por uns dias e depois seu pai me contou o plano de você vir para cá. Foi quando entendi por que sua mãe tinha enviado o diário.

Ela me lançou um olhar esquisito e de repente percebi que tinha me aproximado lentamente. Estávamos a apenas quinze centímetros uma da outra. Ops. Recuei às pressas, e perguntas começaram a sair da minha boca.

— Minha mãe morou no cemitério? Por quanto tempo?

— Não muito. Acho que por um mês mais ou menos. Foi logo depois que seu pai arrumou o emprego. Ele mal tinha se mudado para esta casa.

— Então eles estavam, tipo, *juntos* pra valer? Não foi um lance de uma noite entre amigos ou coisa do tipo? — Essa era a teoria da Addie.

Sonia estremeceu.

— Humm... não. Acho que não foi... isso. Eles pareciam muito apaixonados. Seu pai a adorava.

— Então por que ela foi embora? Porque estava grávida? Howard não estava pronto pra ser pai?

— Não. Howard teria sido um ótimo pai... Eu achava... — Ela ergueu as mãos. — Espere um minuto. Não conversaram com você sobre o que aconteceu? Sua mãe não contou?

Eu baixei a cabeça.

— Não sei de nada. Só soube que Howard era meu pai depois que minha mãe morreu.

Que ótimo. Agora eu ia chorar. Perder minha mãe tinha me transformado numa torneira humana. Do tipo comum com quente/frio.

— Ah, Lina. Eu não sabia. Sinto muito. Achei que tivessem conversado com você sobre o que aconteceu. Para ser sincera, nem *eu* sei o que deu errado. Parece que o relacionamento deles terminou muito de repente e seu pai nunca mais quis falar sobre o assunto.

— Ele já tinha falado de mim? Antes?

Ela balançou a cabeça e seus longos brincos pendentes oscilaram de um lado para outro.

— Não. Eu fiquei muito surpresa quando soube da sua vinda, mas você precisa mesmo falar com Howard. Tenho certeza de que ele vai responder a todas as suas perguntas. E talvez o diário também responda. — Ela me entregou um vaso de flores. — Fui à cidade hoje de manhã e seu pai pediu que eu comprasse isto para você. Ele disse que estavam faltando flores no seu quarto, e que violetas eram as preferidas da sua mãe.

Eu o peguei das mãos dela e o avaliei com atenção. As flores eram bem roxas e exalavam um cheiro suave. Eu tinha noventa por cento de certeza de que minha mãe não sentia nada de especial por violetas.

— Prefere que eu fique com o diário por um tempo? Pelo que parece, é muita informação de uma vez para você assimilar. Talvez você devesse conversar com seu pai antes.

Eu balancei a cabeça. A princípio devagar, e depois com mais ímpeto.

— Não, quero ficar com o diário.

Tecnicamente, era mentira. Eu tinha encaixotado os outros diários da minha mãe havia meses, quando vi que não conseguiria ler aquilo tudo sem desmoronar, mas aquele eu tinha que ler. Minha mãe o enviara para mim.

Pisquei algumas vezes, depois abri meu sorriso de "está tudo sob controle" para Sonia, que me olhava com a expressão de uma pobre coitada presa num corredor com uma adolescente emocionalmente instável. E era exatamente isso que estava acontecendo.

Eu pigarreei.

— Vai ser legal. Saber o que ela fez enquanto esteve na Itália.

A expressão da Sonia se amenizou.

— Sim, pois é. Tenho certeza de que foi por isso que ela o enviou. Você vai vivenciar Florença exatamente como ela, e talvez seja uma bela conexão.

— É, talvez.

Se eu conseguisse passar da primeira página sem desmoronar.

— Lina, é maravilhoso ter você aqui. E passe na minha casa quando quiser para ver a foto da sua mãe. — Ela foi até o patamar da escada e olhou para trás. — As violetas devem estar precisando de um pouco de água, mas aviso que é melhor regar por baixo. É só encher um prato de água e colocar o vaso dentro. Assim você não exagera.

— Obrigada, Sonia. E eu, humm… Desculpa por todas aquelas perguntas.

— Eu entendo. Eu adorava sua mãe. Ela era muito especial.

— É. Era mesmo. — Hesitei. — Você se importaria de não mencionar essa conversa pro Howard? Não quero que ele pense que estou… humm… zangada com ele ou coisa assim.

Nem quero instigar qualquer conversa constrangedora que não seja estritamente necessária.

Ela assentiu.

— Minha boca é um túmulo. Só prometa que vai conversar com Howard. Ele é um cara ótimo, e tenho certeza de que vai esclarecer qualquer dúvida que você tiver.

— Ok.

Desviei o olhar e houve longos segundos de silêncio.

— Tenha um bom-dia, Lina.

Ela desceu a escada e saiu pela porta da frente, mas fiquei ali parada olhando para a porta do quarto. Estava quase piscando como uma advertência: hora de entrar em pânico.

É apenas um dos diários dela. Você consegue. Você consegue. Enfim, comecei a atravessar o corredor, mas no último instante me desviei para a escada, tombando perigosamente o vaso com as violetas.

Segundo Sonia, as flores estavam sedentas. Eu tinha que cuidar delas primeiro. Desci a escada correndo, depois olhei duas vezes os armários antes de encontrar um prato raso e grande o suficiente para o vaso.

— Pronto, meninas.

Enchi o prato com dois centímetros de água da pia (F) e coloquei o vaso sobre ele. Minhas violetas não pareciam muito interessadas em ter companhia, mas me sentei à mesa da cozinha e fiquei olhando para elas assim mesmo.

Eu não estava enrolando. Imagina.

Capítulo 5

ESCREVER DIÁRIOS ERA MEIO QUE UM HÁBITO DA MINHA mãe. Bem, muitas coisas eram meio que um hábito dela, que também gostava de hot yoga, food trucks e reality shows horríveis, e certa vez desenvolveu um interesse repentino por fazer cosméticos em casa. Passamos basicamente um mês inteiro com o rosto lambuzado de óleo de coco e purê de abacate.

Mas os diários... eram uma constante. Algumas vezes por ano ela gastava uma grana na nossa livraria preferida no centro de Seattle com um daqueles cadernos grossos para desenho. Depois, passava meses preenchendo-o com sua vida: fotos, textos, listas de compras, ideias para sessões de fotos, sachês de ketchup velhos... tudo o que você pudesse imaginar.

E o estranho era o seguinte: ela deixava outras pessoas lerem. E mais estranho ainda era que todos adoravam. Talvez porque os diários fossem criativos e hilários, e depois que se lia um, a pessoa sentia que tinha acabado de fazer uma viagem pelo País das Maravilhas.

Fui para o quarto e fiquei parada ao pé da cama. Sonia deixara o diário bem no meio do travesseiro, como se temesse que eu não fosse percebê-lo, e ele afundava o colchão como se fosse uma pilha de tijolos.

— Pronta? — falei, em voz alta.

Eu não estava nada pronta, mas mesmo assim me aproximei e segurei o caderno. A capa era de couro macio, e havia uma grande flor-de-lis dourada no centro. Não parecia nem um pouco com os diários que tínhamos em casa.

Respirei fundo e o abri, meio que esperando uma chuva de confetes, mas apenas panfletos e canhotos de tíquetes caíram no chão, e senti um cheiro meio bolorento. Catei todos os papéis e comecei a folheá-lo, ignorando o texto e me concentrando nas fotos.

Lá estava minha mãe na entrada de uma igreja antiga com a câmera pendurada no ombro. E depois ela sorrindo diante de uma enorme tigela de macarrão. E então... *Howard.* Eu quase deixei o diário cair. Certo, *claro* que ele estaria no diário dela. Eu não tinha surgido do nada, mas mesmo assim. Minha mente resistia com todas as forças a pensar nos dois juntos.

Analisei a imagem. Sim, sem dúvida era ele. Mais jovem, com o cabelo mais longo (aquilo no braço era uma *tatuagem*?), mas sem dúvida era Howard. Ele e minha mãe estavam sentados em degraus de pedra, e ela estava de cabelo curto, batom estilo filme antigo e cara de apaixonada.

Eu afundei na cama. Por que ela mesma não tinha me contado sua história com Howard? Será que achou que o diário faria isso melhor? Teve medo de que eu não estivesse pronta para ouvir?

Hesitei por um instante, depois enfiei o diário na gaveta da mesa de cabeceira e a fechei com um baque alto. Bem, eu não estava pronta.

Ainda não.

O alarme de um carro disparou em algum lugar do cemitério, e o som reverberou na minha cabeça. *Esta dor de cabeça é um oferecimento de Jet Lag & Estresse.* Obrigada, Itália.

Eu me virei e olhei para o relógio na parede. Eram três da tarde. O que me deixava com uma quantidade absurda de tempo livre.

Saí da cama devagar, fui até a mala e fiz uma tentativa desanimada de organizar as coisas: camisas do lado direito, calças do lado esquerdo, pijamas ali... Eu tinha colocado as roupas ali dentro de qualquer jeito, e a mala estava uma bagunça. Por fim, decidi colocar algumas fotos minhas com minha mãe nos porta-retratos vazios do quarto, depois amarrei os tênis e fui para a varanda.

Não sabia aonde ir, então me sentei no balanço, onde fiquei por um tempo. Dali eu tinha uma boa vista do memorial. Um prédio longo e baixo, com um trecho de inscrições gravadas que eu podia apostar que era o Muro dos desaparecidos. Na frente dele, havia uma coluna alta com a estátua de um anjo segurando uma braçada de galhos de oliveira. Dois homens tiravam fotos diante dela, e um deles acenou para mim ao me ver.

Acenei também, mas me levantei e fui até a cerca dos fundos. Não estava disposta a lidar com outra situação como a dos Jorgansen.

Foi fácil encontrar o portão dos fundos e, quando saí, percebi que Sonia não estava brincando: a colina atrás do cemitério era *íngreme*. Pela segunda vez naquele dia, o suor escorreu pelas minhas costas, mas me forcei a continuar correndo. *Eu vou conquistar você, colina*. Finalmente, cheguei ao topo, com as pernas e os pulmões ardendo. Estava quase desmaiando quando ouvi um barulho e levantei o rosto. Eu não estava sozinha.

Havia um garoto brincando com uma bola de futebol. Tinha minha idade, talvez um pouco mais velho, e devia fazer uns três meses que não cortava o cabelo. Ele usava um short e uma camiseta de uniforme de futebol e fazia embaixadinhas, cantando baixo em italiano o que quer que estivesse tocando em seus fones de ouvido. Hesitei. Será que conseguiria sair dali sem que ele me visse? Talvez se eu desse uma cambalhota e fugisse rolando?

Ele olhou na minha direção e nos encaramos. *Que maravilha.* Agora eu teria que seguir em frente ou ficar parecendo uma maluca. Assenti para ele e continuei depressa pela trilha, como se estivesse atrasada para uma reunião ou coisa do tipo. Totalmente natural. Devia ser bem normal pessoas correndo para compromissos importantes no topo de colinas italianas.

Ele tirou os fones, deixando escapar a música alta.

— Oi, você está perdida? O albergue Bella Vita fica logo à frente.

Eu parei.

— Você fala inglês?

— Só um pouquinho — respondeu ele, com um sotaque italiano exagerado.

— Você é americano?

— Mais ou menos.

Eu o avaliei. Ele falava como americano, mas parecia tão italiano quanto um prato de almôndegas. Altura mediana, pele morena e um nariz característico. O que fazia ali? Mas, pensando bem, o que *eu* fazia ali? Até onde pude notar, a região rural da Toscana estava lotada de adolescentes americanos.

Ele cruzou os braços e franziu a testa. Estava me imitando. Que grosseria.

Fiquei sem graça.

— Como assim "mais ou menos americano"?

— Minha mãe é americana, mas eu morei aqui a maior parte da vida. De onde você é?

— Seattle, mas vou passar o verão aqui.

— É mesmo? Onde?

Apontei na direção da casa.

— No cemitério?

— É. Howard, meu pai, é o administrador. Acabei de chegar.

Ele ergueu uma das sobrancelhas.

— Que sinistro.

— Na verdade, não é. É mais um memorial. Todos os túmulos são da Segunda Guerra, então não acontece nenhum enterro.

— Por que eu estava defendendo o cemitério? Aquele lugar era sinistro, sim.

O garoto assentiu e recolocou os fones nos ouvidos.

Era minha deixa.

— Foi um prazer conhecê-lo, ítalo-americano misterioso. A gente se vê por aí.

— Meu nome é Lorenzo.

Fiquei vermelha. Pelo que parecia, Lorenzo tinha uma audição supersônica.

— Foi um prazer conhecê-lo, Lo-ren... — Tentei repetir o nome dele, mas empaquei na segunda sílaba. Ele enrolara o R de um jeito que minha língua se recusava a fazer. — Desculpa, não consigo pronunciar direito.

— Não tem problema. Seja como for, me chamam de "Ren". — Ele sorriu. — "Ítalo-americano misterioso" também funciona.

Aii.

— Desculpa.

— E quanto a você? Atende por "Carolina" ou também tem um apelido?

Por um segundo achei que fosse um sonho. Um sonho estranho. Ninguém além da minha mãe e dos meus professores no primeiro dia de aula me chamava pelo meu nome completo.

— Como você sabe meu nome? — perguntei, devagar.

Quem *era* aquele cara?

— Eu estudo na EAIF. Seu pai apareceu lá para perguntar sobre matrículas. As fofocas voam.

— O que é EAIF?

— A Escola Americana Internacional de Florença.

Soltei o ar.

— Ah, sim. A escola de ensino médio.

A escola que eu teoricamente frequentaria se decidisse ficar depois do verão. *Muito* teoricamente. Como se nem existisse no âmbito das possibilidades.

— Na verdade, vai do jardim de infância até o ensino médio, e as nossas turmas são bem pequenas. No ano passado éramos apenas dezoito, por isso novos alunos dão o que falar. A gente vem comentando sobre você desde janeiro. Virou meio que uma lenda. Um cara, Marco, até já falou que vai formar dupla com você na aula de biologia. Ele repetiu no projeto final e ficou tentando culpar você.

— Isso é bem esquisito.

— Eu achei que você seria completamente diferente.

— Por quê?

— Você é bem baixinha. E parece italiana.

— Então como soube que devia falar inglês comigo?

— Por causa das suas roupas.

Olhei para baixo. Legging e uma camiseta amarela. Eu não estava vestida de Estátua da Liberdade nem nada do tipo.

— O que minha roupa tem de tão americano?

— Cores fortes. Tênis de corrida... — Ele fez um gesto de desdém. — Daqui a um ou dois meses você vai entender perfeitamente. Muita gente daqui não vai a lugar nenhum se não estiver usando alguma peça da Gucci.

— Mas você não está usando Gucci ou sei lá o quê, não é? Está de uniforme de futebol.

Ele balançou a cabeça.

— Isso não se aplica a uniformes de futebol, que são a coisa mais italiana que existe. Além disso, eu *sou* italiano. Então tudo fica naturalmente elegante em mim.

Eu não sabia se ele estava brincando ou não.

— Você não deveria ter entrado na EAIF em fevereiro?

— Decidi terminar o ano letivo em Seattle.

Ele tirou o celular do bolso de trás.

— Posso tirar uma foto sua?

— Pra quê?

— Pra provar que você existe.

Respondi "não" justo na hora em que ele clicou.

— Desculpa, Carolina — disse ele, parecendo nem um pouco arrependido. — Você deveria falar mais alto.

— Em inglês meu nome soa como "Carolaina", mas todo mundo me chama de "Lina".

— Carolaina Carolina. Gostei. É bem italiano.

Ren recolocou os fones, lançou a bola no ar e voltou a jogar. Ele precisava muito de aulas de etiqueta. Eu me virei para ir embora, mas ele me deteve de novo.

— Ei, quer conhecer minha mãe? Ela fica desesperada querendo a companhia de americanos.

— Não, obrigada. Preciso voltar logo e encontrar Howard. Ele vai me levar para jantar em Florença.

— A que horas?

— Não sei.

— A maioria dos restaurantes não abre antes das sete. Prometo que não vamos demorar muito.

Eu me virei para o cemitério, mas a ideia de encarar Howard e o diário me fez estremecer.

— É longe?

— Não, é bem ali. — Ele apontou vagamente para um amontoado de árvores. — Vai ser legal. E juro que não sou um serial killer.

Fiz uma careta.

— Eu não estava achando nada disso. Até você falar.

— Sou magro demais para ser um serial killer. E odeio sangue.

— Eca.

Voltei a olhar para o cemitério, avaliando minhas opções. Ler um diário emocionalmente desafiador? Visitar a mãe de um potencial serial killer sem o menor traquejo social? As duas eram horríveis.

— Tudo bem, vamos.

— Legal.

Ren colocou a bola de futebol debaixo do braço e fomos para o outro lado da colina. Ele era mais alto que eu, e andávamos rápido.

— Quando foi mesmo que você chegou?

— Ontem à noite.

— Então deve estar quase morrendo com o jet lag, não é?

— Na verdade, eu dormi bem ontem, mas, sim. Parece que estou embaixo d'água. Sem falar na dor de cabeça, que deve ser a pior da minha vida.

— Espera só até hoje à noite. A segunda noite é sempre pior. Lá pelas três da manhã você vai estar totalmente acordada e vai ter que inventar alguma coisa estranha pra fazer. Uma vez, eu subi numa árvore.

— Por quê?

— Meu laptop estava quebrado e eu só conseguia pensar em jogar paciência, mas sou horrível nesse jogo.

— Eu jogo paciência muito bem.

— Eu subo em árvores muito bem, mas não acredito em você. Só é bom em paciência quem rouba.

— Não, eu sou boa sem roubar. As pessoas pararam de jogar cartas comigo quando eu estava no segundo ano, então aprendi a jogar paciência. Num dia bom, consigo terminar o jogo em uns seis minutos.

— Por que as pessoas pararam de jogar com você?

— Porque eu sempre ganhava.

Ele parou de andar, abrindo um grande sorriso.

— Quer dizer que você é muito competitiva?

— Eu não falei isso. Só disse que sempre ganho.

— Aham. Então você não joga nada desde os sete anos?

— Só Paciência.

— Nada de buraco? Uno? Pôquer?

— Nada.

— Interessante. Olha, aquela lá é minha casa. Aposto corrida com você até o portão. — E começou a correr.

— Ei! — Saí atrás dele, aumentando o passo até alcançá-lo e ultrapassá-lo, e não diminuí a velocidade até chegar ao portão. Eu me virei, triunfante. — Ganhei!

Ele estava parado a alguns metros de mim, ainda com aquele sorriso idiota no rosto.

— É verdade. Você não é nem um pouco competitiva.

Fechei a cara.

— Cala a boca.

— Devíamos jogar buraco mais tarde.

— Não.

— Mahjong? Bridge?

— Você é idoso, por acaso?

Ele riu.

— Pode pensar o que quiser, Carolina. E, por falar nisso, essa não é minha casa. É aquela. — Ele apontou para uma entrada ao longe. — Mas não vou apostar corrida até lá. Você está certa... você ganharia.

— Eu avisei.

Continuamos andando. Só que agora eu só me sentia idiota.

— Então, qual é a do seu pai? — perguntou Ren. — Ele sempre foi o administrador do cemitério, né?

— Aham, ele disse que faz dezessete anos. Minha mãe morreu, então foi por isso que vim morar com ele. — *Ah!* Mentalmente, tapei a boca com a mão. *Lina, para de falar*. Mencionar a morte da minha mãe era garantia de criar constrangimento com gente da minha idade. Adultos sentiam compaixão. Adolescentes ficavam desconfortáveis.

Ele olhou para mim com o cabelo caindo nos olhos.

— Como sua mãe morreu?

— Câncer no pâncreas.

— Ela passou muito tempo doente?

— Não. Morreu quatro meses depois que descobrimos.

— Nossa. Sinto muito.

— Obrigada.

Ficamos quietos por um tempo antes de Ren voltar a falar.

— Acho esse diálogo tão estranho. Um diz "sinto muito", o outro agradece.

Eu já tinha pensado exatamente a mesma coisa umas cem vezes.

— Também acho, mas é o que as pessoas costumam dizer mesmo, já percebi.

— Então, como é?

— O quê?

— Perder a mãe.

Parei de andar. Não só era a primeira vez que alguém me fazia aquela pergunta, como também parecia que ele queria mesmo saber. Por um segundo, pensei em dizer que era como ser uma ilha, que eu podia estar numa sala cheia de gente e ainda assim me sentiria sozinha, com um oceano de tristeza tentando chegar até mim por todas as direções, mas me segurei a tempo. Mesmo quando perguntam, as pessoas não querem ouvir suas metáforas esquisitas para o luto. Então, dei de ombros.

— É horrível.

— Imagino. Sinto muito.

— Obrigada. — Sorri. — Ei, olha o diálogo de novo.

— Sinto muito.

— Obrigada.

Paramos diante de portões rebuscados, e eu o ajudei a empurrá-los, causando um rangido alto.

— Você não estava brincando. Sua casa é muito perto do cemitério — falei.

— Eu sei. Sempre achei estranho morar tão perto de cemitério. Mas aí conheci uma pessoa que mora *dentro* do cemitério.

— Eu não podia deixar você ganhar. Faz parte da minha natureza competitiva.

Ele riu.

— Vem.

Subimos pela entrada estreita ladeada de árvores, e quando chegamos ao topo, ele estendeu os braços.

— Ta-dá. *Casa mia.*

Parei de andar.

— Você *mora* aqui?

Ele balançou a cabeça com tristeza.

— Infelizmente. Pode rir. Não vou me ofender.

— Não vou rir. Até que é… interessante. — Mas aí soltei um leve ronco e o olhar que Ren me lançou mandou minha compostura pelos ares.

— Vai em frente. Pode se soltar, mas as pessoas que moram em cemitérios não deveriam atirar pedras, ou seja lá qual for o ditado.

Enfim consegui parar de rir por tempo suficiente para recuperar o fôlego.

— Desculpa. Eu não deveria estar rindo. É que não esperava.

Voltamos a olhar a casa, e Ren soltou um suspiro cansado enquanto eu me esforçava para não ser grosseira outra vez. De manhã, eu achava que morava no lugar mais estranho possível, mas algumas horas depois conheci alguém que morava numa *casa de biscoito de gengibre*. E não estou falando de uma casa levemente inspirada numa casa de biscoito de gengibre: parecia que a gente podia quebrar algumas telhas e mergulhar num copo de leite. O lugar tinha dois andares com parede de pedra e um telhado de palha com detalhes intricados como confeito de glacê. O quintal era cheio de flores em tons pastel, e havia pequenos limoeiros plantados em vasos azul-cobalto ao redor da casa. A maioria das janelas do térreo era de vidro colorido com desenhos espiralados de balas de hortelã, e havia uma bengala doce gigantesca entalhada na porta da frente. Em outras palavras, imagine a casa mais ridícula que puder e depois acrescente um monte de pirulitos à fachada.

— Qual é a história dessa casa?

Ren balançou a cabeça de novo.

— Sempre tem uma história, não é mesmo? Um cara excêntrico do interior de Nova York construiu isso aqui depois de fazer fortuna com a receita de *fudge* da avó. Ele se autointitulava o Barão dos Doces.

— Então o cara construiu uma casa de biscoito em tamanho real?

— Isso mesmo. Foi um presente pra nova esposa. Acho que ela era uns trinta anos mais nova do que ele, mas acabou se apaixonando por outro, um cara que conheceu num festival da trufa em Piemonte. Depois que foi abandonado pela mulher, o Barão vendeu a casa. Por acaso, meus pais estavam procurando, e claro que uma casa de doces é exatamente o tipo de esquisitice que conquistaria os dois.

— Vocês tiveram que expulsar alguma bruxa canibal daqui?

Ele me olhou confuso.

— Sabe... a bruxa de João e Maria.

— Ah. — Ele riu. — Não, ela ainda nos visita nos feriados mais importantes. Você está falando da minha avó, não é?

— Vou contar a ela que você disse isso.

— Boa sorte. Ela não entende uma palavra de inglês. E toda vez que vem visitar, convenientemente minha mãe esquece como se fala italiano.

— De onde sua mãe é?

— Do Texas. Sempre passamos o verão nos Estados Unidos com a família dela, mas este ano meu pai estava enrolado no trabalho.

— Então é por isso que você tem esse sotaque tão americano?

— É. Todo verão finjo que sou de lá.

— E dá certo?

Ele sorriu.

— Em geral, sim. Você achou que eu fosse americano, não é?

— Só depois que você começou a falar.

— Mas é isso que conta, não é verdade?

— Acho que sim.

Ele me levou até a porta da frente, e nós entramos.

— Bem-vinda à Villa Caramella. "*Caramella*" significa "doce".

— Nossa... livros.

O interior era o pior pesadelo de um bibliotecário. A sala inteira era coberta de estantes que iam do chão ao teto, e centenas (talvez milhares) de livros estavam bagunçados nas prateleiras.

— Meus pais adoram ler — explicou Ren. — E, além disso, queremos nos preparar pro caso de um dia haver uma revolta dos robôs e precisarmos nos esconder. Muitos livros significam muito papel pra queimar na fogueira.

— Inteligente.

— Vem comigo, ela deve estar no estúdio.

Atravessamos as pilhas de livros e passamos por uma porta dupla que dava para um jardim de inverno. O chão estava coberto de lona e havia uma mesa antiga cheia de tubos de tinta e ladrilhos de cerâmica.

— Mãe?

Uma versão feminina do Ren encolhia-se numa espreguiçadeira com o cabelo sujo de tinta amarela. Ela parecia ter uns vinte anos. Talvez trinta.

— Mãe. — Ren se abaixou e sacudiu o ombro dela. — *Mamma*. Ela tem um sono meio pesado, mas olha... — Aproximando-se do rosto da mãe, ele sussurrou: — Eu acabei de ver o Bono em Tavarnuzze.

Os olhos dela se abriram e a mulher deu um pulo. Ren começou a rir.

— Lorenzo Ferrara! Não *faça* isso.

— Carolina, esta é minha mãe, Odette. Ela era groupie do U2. Passou um tempão seguindo a banda no começo dos anos 1990 durante a turnê pela Europa. Está na cara que ainda sente uma coisa muito forte por eles.

— Vou mostrar uma coisa forte. — Ela pegou seus óculos e os colocou no rosto, olhando-me de cima a baixo. — Ah, Lorenzo, onde você a encontrou?

— Acabamos de nos conhecer na colina atrás do cemitério. Ele vai passar o verão lá com o pai.

— Você é uma de nós!

— Americana?

— Expatriada.

"Refém" era a palavra que descrevia melhor, mas não era o tipo de coisa que se diz a alguém que acabamos de conhecer.

— Espera um minuto. — Ela se inclinou para a frente. — Eu soube que você estava vindo. Você é a filha do Howard Mercer?

— Sim. Lina.

— O nome dela é Carolina — acrescentou Ren.

— Pode me chamar só de Lina.

— Bem, graças a Deus, Lina... Precisamos de mais americanos por aqui. De preferência, *vivos* — disse ela, fazendo um gesto de desdém na direção do cemitério. — É um prazer conhecê-la. Já aprendeu alguma coisa de italiano?

— Eu decorei umas cinco frases no voo para cá.

— Quais? — perguntou Ren.

— Não vou dizer na frente de vocês. Provavelmente vou parecer idiota.

Ele deu de ombros.

— *Che peccato*.

Odette fez uma careta.

— Prometa que nunca vai usar nenhuma dessas frases aqui em casa. Neste verão, estou fingindo não estar na Itália.

Ren sorriu.

— E como está se saindo? Sabe, com seu marido e seus filhos italianos? — perguntou, zombando.

Ela ignorou a gracinha do filho.

— Vou pegar alguma coisa para beber. Fiquem à vontade. — A mãe do Ren apertou meu ombro e saiu da sala.

Ele me olhou.

— Eu falei que ela ficaria feliz de conhecer você.

— Ela realmente detesta a Itália?

— De jeito nenhum. Ela está zangada porque não pudemos passar este verão no Texas, mas todo ano é a mesma coisa. Vamos pra lá e ela passa três meses reclamando da comida horrível e das pessoas que andam de pijama em público.

— Quem usa pijama em público?

— Muita gente. Pode acreditar em mim. É uma epidemia.

Eu apontei para a mesa.

— Ela é artista?

— É. Pinta cerâmica, basicamente cenas da Toscana. Tem um cara em Florença que vende as peças na loja dele, e os turistas pagam, tipo, trilhões de dólares por elas. Provavelmente teriam um ataque histérico se descobrissem que são feitas por uma americana.

Ele me deu um ladrilho com a pintura de um chalé amarelo aninhado entre duas colinas.

— Que lindo.

— Você deveria ver o segundo andar. Minha mãe está substituindo ladrilhos comuns de uma parede inteira pelos dela.

Eu coloquei o ladrilho de volta na mesa.

— E você, tem algum talento?

— Eu? Não. Na verdade, não.

— Nem eu, mas minha mãe também era artista. Fotógrafa.

— Legal. Tirava retratos de família ou coisas assim?

— Não. Basicamente fotografias artísticas. O trabalho dela era exibido em galerias e vernissages. Ela também dava aulas em faculdades.

— Legal. Qual era o nome dela?

— Hadley Emerson.

Odette reapareceu com duas latas de Fanta laranja e uma embalagem aberta de cookies.

— Aqui, pegue um pouco. Ren come um pacote desses por dia. Você vai adorar.

Aceitei um. Era uma espécie de sanduíche de biscoito com baunilha de um lado e chocolate do outro. Um Oreo italiano. Dei uma mordida e um coral de anjos começou a cantar. Será que a comida italiana tinha algum tempero de fadas que a deixava muito melhor do que qualquer coisa feita pelos americanos?

— Oferece outro — disse Ren. — Se não ela vai comer o próprio braço.

— Ei... — falei, mas Odette me entregou o restante dos cookies e acabei ocupada demais devorando tudo para me defender direito.

Ela sorriu.

— Adoro garotas que gostam de comer. Bem, onde estávamos? Ah... Eu não me apresentei, não é? Sinceramente, este lugar está me transformando numa selvagem. Meu nome é Odette Ferrara. É como "Ferrari", mas com *a*. É um prazer conhecê-la. — Limpei a mão antes de cumprimentá-la. — Podemos falar de ar-condicionado? E restaurantes drive-thru? São as duas coisas das quais estou sentindo mais falta neste verão.

— Você nem deixa a gente comer essas porcarias quando estamos nos Estados Unidos — retrucou Ren.

— Isso não quer dizer que *eu* não coma. E de que lado você está afinal de contas? Do meu ou do Signore?

— Sem comentários.

— Quem é Signore? — perguntei.

— Meu pai. Não sei como esses dois acabaram juntos. Sabe aqueles vídeos de relacionamentos estranhos entre animais, em que um urso e um pato se tornam melhores amigos? Pois é, eles são mais ou menos assim.

Odette soltou uma risada.

— Ah, por favor, não somos *tão* diferentes assim. Mas agora eu fiquei curiosa. Nesse cenário, você me consideraria o urso ou o pato?

— Não vou entrar nessa.

Ela se virou para mim.

— Então, o que você achou do meu Ren?

Comi mais um e entreguei o restante dos cookies a Ren, que estava com um olhar de "meu precioso".

— Ele é... muito simpático.

— E bonito também, não é?

— *Mãe.*

Senti minhas bochechas corarem um pouco. Ren *era* fofo, mas de um jeito que não se nota a princípio. Ele tinha olhos castanhos bem escuros com cílios incrivelmente longos, e quando sorria era possível ver um pequeno vão entre os dentes da frente. Mas, enfim, aquilo também não era o tipo de coisa que se dissesse a alguém que acabamos de conhecer.

Odette acenou para mim.

— Bem, estamos muito felizes por tê-la na cidade. Tenho certeza de que Ren estava tendo o verão mais entediante da vida dele. Hoje de manhã falei que ele devia sair mais.

— Qual é, mãe. Até parece que eu passo o dia inteiro em casa sem fazer nada.

— Eu só sei que depois que certa *ragazza* saiu da cidade, você perdeu o interesse de sair.

— Eu saio quando tenho vontade. Mimi não tem nada a ver com isso.

— Quem é Mimi? — perguntei.

— Uma garota de quem ele gosta — respondeu Odette, num sussurro fingido.

— Mããããe — resmungou Ren. — Eu não tenho nove anos.

Um celular começou a tocar, e Odette tirou papéis e materiais de arte de cima da mesa.

— Onde será que...? *Pronto?*

Uma menininha apareceu à porta com uma calcinha de babados e sapatos pretos de festa.

— Eu fiz cocô!

Odette ergueu os polegares para ela e entrou na casa, falando ao celular num italiano rápido.

Ren soltou um gemido.

— Ai, Gabriella... Que vergonha. Volta pro banheiro. Temos visita, não está vendo?

Ela o ignorou e se virou para mim.

— *Tu chi sei?*

— Ela não fala italiano — disse Ren. — Ela é americana.

— *Anch'io!* Você é namorada do Lorenzo? — perguntou a menina.

— Não. Saí pra fazer uma caminhada e acabamos de nos conhecer. Meu nome é Lina.

Ela me avaliou por um instante.

— Você tem cara de *principessa*. Parece a Rapunzel por causa do seu pelo louco.

— É *cabelo*, não pelo, Gabriella — corrigiu Ren. — E não é legal dizer que o cabelo de alguém é louco.

— Meu pelo *é* louco mesmo.

— Quer ver meu *criceto*? — Gabriella se aproximou correndo e pegou minha mão. — Venha, *principessa*. Você vai gostar muito dele. O cabelo dele é muito macio.

— Claro.

Ren colocou a mão no ombro dela.

— Carolina, não. E, Gabriella, ela não quer ir. Ela precisa ir embora daqui a pouco.

— Eu não me incomodo. Gosto de crianças.

— Não, é sério, pode acreditar em mim. Ir até o quarto dela é como entrar numa dobra no tempo. Quando você menos esperar, vai ter passado cinco horas brincando de Barbie e estará sendo chamada de princesa Purpurina.

— *Non è vero*, Lorenzo. Você é muito malvado!

Ren respondeu em italiano. Gabriella me lançou um olhar magoado e saiu correndo para o quarto, batendo a porta ao entrar.

— O que é *criceto*?

— Acho que vocês chamam de hamster. Um bichinho irritante que corre numa roda.

— É isso mesmo. Hamster. Ela é fofa.

— Ela é fofa às vezes. Você tem irmãos?

— Não, mas sempre trabalhava como babá para uma família do meu prédio. Eles tinham trigêmeos de cinco anos.

— Nossa.

— Sempre que a mãe deles saía, dizia: "É só mantê-los vivos. Não se preocupe com mais nada."

— Então você os amarrava ou algo assim?

— Não. Na primeira vez eu lutei com eles, mas depois eles passaram a me amar. Além disso, eu sempre chegava com os bolsos cheios de balas.

No funeral da minha mãe, um dos garotos perguntou por onde eu andava e o irmão disse: "A mãe dela vai dormir por muito tempo. É por isso que ela não pode mais brincar com a gente." Senti um nó na garganta quando me lembrei disso.

— Preciso ir. Howard deve estar se perguntando aonde eu fui — falei.

— Sim, claro. — Voltamos pela sala, e Ren parou na porta. — Ei, quer ir a uma festa amanhã?

— Humm...

Desviei o olhar, depois me abaixei depressa para amarrar meus cadarços. *É só uma festa. Aquilo que adolescentes normais frequentam, sabe?* Depois de perder minha mãe, os eventos sociais tinham começado a parecer uma excursão ao Monte Everest. Além disso, eu andava falando muito sozinha nos últimos tempos.

— Vou ter que perguntar para o Howard — falei, enfim, me levantando.

— Tudo bem. Posso buscar você de scooter. Lá pelas oito?

— Talvez. Eu ligo se puder ir. — Estendi a mão para a maçaneta.

— Espera. Você precisa do meu número.

Ren pegou uma caneta numa mesa ali perto, depois segurou minha mão e escreveu seu número depressa. Seu hálito era quente, e quando ele terminou, segurou minha mão por um segundo a mais.

Ah.

Ele me olhou e sorriu.

— *Ciao*, Carolina. Vejo você amanhã.

— Talvez.

Saí da casa e fui embora sem olhar para trás. Tive medo de que ele visse o sorriso radiante estampado no meu rosto.

Capítulo 6

AQUELA COISA DE REN SEGURAR MINHA MÃO ME DEU UM friozinho na barriga, mas bastaram dois minutos no carro com Howard para tudo voltar ao normal. Era tudo muito *constrangedor*.

Ele estava com grandes marcas de pente no cabelo recém-lavado e usava uma calça social e uma camisa melhorzinha. Eu não tinha recebido o memorando para me vestir bem, por isso continuava de camiseta e tênis.

— Pronta?

— Pronta.

— Bom, então vamos para Florença. Aposto que você vai adorar a cidade.

Ele colocou um CD (quem ainda ouve CDs?) e "You Shook Me All Night Long" do AC/DC começou a tocar no carro. Sabe, tipo a trilha sonora oficial do "Ignore o primeiro passeio nada à vontade entre pai e filha".

Segundo Howard, a cidade ficava a apenas onze quilômetros, mas levamos meia hora para chegar lá. A estrada estava lotada de scooters e automóveis, e todo prédio pelo qual passávamos parecia velho. Apesar do clima estranho no carro, a animação dentro de mim começou a aumentar como vapor se acumulando numa panela de pressão. Talvez as circunstâncias não fossem ideais, mas eu estava em *Florença*. Que incrível!

Quando chegamos à cidade, Howard entrou numa rua estreita de mão única e estacionou do jeito mais impressionante que eu já tinha visto. Tipo, ele teria sido um ótimo professor de direção se não gostasse tanto de administrar um cemitério.

— Desculpa pela viagem longa — disse ele. — O trânsito estava horrível hoje.

— Não é culpa sua.

Eu praticamente estava com o nariz grudado na janela. A rua era de pedras quadradas entremeadas e com calçadas estreitas. Prédios altos em tons pastel se espremiam, e todas as janelas tinham lindas venezianas verdes. Uma bicicleta passou correndo na calçada, praticamente arrancando o retrovisor do carro.

Howard olhou para mim.

— Quer ir pelo caminho pitoresco? Ver um pouco da cidade?

— Quero!

Tirei o cinto de segurança e pulei do carro. Ainda fazia calor do lado fora, e a cidade tinha um leve fedor de lixo quente, mas tudo era tão interessante que não vi o menor problema. Howard começou a andar pela calçada e eu o segui.

Eu me sentia num filme italiano. A rua era cheia de lojas de roupas e pequenos cafés e restaurantes, e as pessoas gritavam umas com as outras das janelas e dos carros. Quando chegamos mais ou menos na metade da rua, uma buzina discreta tocou e todos abriram caminho para uma família inteira amontoada numa scooter. Havia até um varal com roupas penduradas entre dois prédios, com um vestido vermelho balançando no meio. Parecia que a qualquer instante um diretor ia aparecer e gritar: "Corta!"

— Lá está.

Viramos uma esquina e Howard apontou para um prédio alto no fim da rua.

— Lá está o quê?

— Aquele é o Duomo. A catedral de Florença.

Duomo. Parecia a nave mãe. Todo mundo estava entrando lá, e quanto mais nos aproximávamos, mais devagar tínhamos que andar. Enfim, chegamos ao centro de um grande espaço aberto e olhei para cima, vendo o enorme prédio meio iluminado pelo pôr do sol.

— Uau. É mesmo…

Enorme? Lindo? Impressionante? Era tudo isso e muito mais. A catedral ocupava uma área equivalente a vários quarteirões, e as paredes eram cobertas de entalhes detalhados em mármore cor-de-rosa, verde e branco. Era cem vezes mais bonita, impressionante e *grandiosa* do que qualquer outro prédio que eu já tinha visto. Além disso, eu nunca havia usado a palavra "grandiosa" na vida. Nunca precisei até então.

— Na verdade, o nome da catedral é Santa Maria del Fiore, mas todo mundo a chama apenas de Duomo.

— Por causa do teto abobadado?

Um dos lados do prédio era coberto por um imenso telhado circular laranja-avermelhado.

— Não, mas boa sacada. "Duomo" significa "catedral", mas como a sonoridade remete à "domo", muita gente se confunde. Ela levou quase cento e cinquenta anos para ser construída, e foi o maior domo do mundo até o surgimento da tecnologia moderna. Assim que eu tiver uma tarde livre, subiremos ao topo.

— O que é aquilo? — Apontei para um prédio octogonal, bem menor, na frente do Duomo.

Tinha portas altas, douradas e com entalhes, e vários turistas tiravam fotos diante dele.

— O batistério. Aquelas portas se chamam Portões do Paraíso e são uma das obras de arte mais famosas da cidade.

Foram feitas por Ghiberti, que demorou vinte e sete anos para concluir o trabalho. Também vou levar você lá. — Ele apontou para uma rua logo depois do batistério. — O restaurante é bem ali.

Atravessei o grande espaço aberto (a *piazza*, segundo Howard), e ele segurou a porta do restaurante para mim. Um homem com a gravata enfiada no avental, parado atrás de uma bancada, olhou para nós e se empertigou um pouco. Howard era uns sessenta centímetros mais alto que ele.

— E esta noite, quantos são? — perguntou o homem numa voz anasalada.

— *Possiamo avere una tavola per due?*

O homem assentiu e chamou um garçom que passava.

— *Buona sera* — disse o garçom.

— *Buona sera. Possiamo stare seduti vicino alla cucina?*

— *Certo.*

Então, pelo visto, meu pai falava italiano. E com fluência. Até enrolava o "r" como Ren. Tentei não ficar olhando para ele quando seguimos nosso garçom até a mesa. Eu realmente não sabia nada sobre Howard. Isso era muito estranho.

— Adivinha por que gosto daqui? — perguntou Howard quando nos sentamos.

Olhei em volta. As mesas eram cobertas com toalhas de papel baratas e havia uma cozinha aberta com um forno a lenha aceso. "Lucy in the Sky with Diamonds" tocava ao fundo.

Ele apontou para o teto.

— Aqui toca Beatles o dia todo, todo dia, então encontro duas das minhas coisas preferidas: pizza e Paul McCartney.

— Ah, sim. Eu vi os discos emoldurados no seu escritório.

Engoli em seco. Agora ele ia achar que eu estava bisbilhotando. O que foi mais ou menos o que eu fiz mesmo.

Ele apenas sorriu.

— Minha irmã mandou todos eles de presente há alguns anos. Ela tem dois filhos, um de dez e outro de doze anos. Eles moram em Denver e, de dois em dois anos, passam o verão aqui comigo.

Será que *eles* sabiam de mim?

Howard deve ter pensado algo semelhante, porque houve um momento de silêncio, e depois nós dois ficamos totalmente concentrados no cardápio.

— O que você quer pedir? Eu sempre como a pizza de *prosciutto*, mas tudo aqui é bom. Podemos pedir alguns aperitivos ou...

— Que tal uma pizza simples? De muçarela.

Simples e rápido. Eu queria voltar a caminhar por Florença e preferia que aquele jantar acabasse o quanto antes.

— Então você deveria pedir a marguerita. É bem básica. Só molho de tomate, muçarela e manjericão.

— Parece boa.

— Você vai adorar a comida daqui. A pizza italiana é completamente diferente da que se come nos Estados Unidos.

Eu abaixei o cardápio.

— Por quê?

— É bem fina e eles servem uma pizza grande só para você. E a muçarela é fresca... — Ele suspirou. — Não tem nada que se compare.

Howard estava mesmo com um olhar sonhador. Será que eu herdei dele minha paixão por comida? Hesitei. Talvez *fosse* uma boa ideia conhecê-lo ao menos um pouco. Afinal de contas, ele era meu pai.

— Então... de onde você é?

— Eu cresci numa cidadezinha da Carolina do Sul chamada Due West. Dá pra acreditar? Fica a uns duzentos e cinquenta quilômetros de Adrienne.

— Foi em Due West que você rearranjou todas as barreiras de trânsito e causou um engarrafamento?

Ele me olhou, surpreso.

— Sua mãe contou isso?

— Sim. Ela contou um monte de histórias sobre você.

Ele deu uma risada.

— Em Due West não havia muito o que fazer, e infelizmente obriguei a cidade inteira a pagar por isso. Que outras histórias ela contou?

— Ela disse que você jogava hóquei, e que mesmo tendo um temperamento calmo se metia em brigas no rinque.

— Aqui está a prova. — Ele virou a cabeça e passou os dedos por uma cicatriz que desaparecia sob o maxilar. — Esta é de um dos meus últimos jogos. Eu não conseguia me controlar. O que mais?

— Você e minha mãe foram a Roma, o dono de um restaurante achou que você era um jogador de basquete famoso e vocês comeram de graça.

— Eu tinha me esquecido disso! O melhor cordeiro que já comi. E só precisei tirar fotos com o pessoal que trabalhava na cozinha.

O garçom se aproximou e anotou os pedidos, depois nos serviu água com gás. Tomei um grande gole e estremeci. Será que só eu achava que água com gás parecia o mesmo que beber faíscas líquidas?

Howard cruzou os braços.

— Desculpe por dizer o óbvio, mas é inacreditável o quanto você se parece com Hadley. As pessoas diziam isso sempre?

— Diziam. Às vezes achavam que éramos irmãs.

— Não fico nem um pouco surpreso. Até suas mãos são iguais às dela.

Meus cotovelos estavam apoiados na mesa, e minhas mãos, cruzadas. De repente, Howard chegou para a frente alguns centímetros, como se tivesse sido fisgado por um anzol.

Estava olhando para meu anel.

Eu me ajeitei, desconfortável.

— Humm, você está bem?

— O anel dela.

Ele estendeu a mão e quase o tocou. Seus dedos praticamente encostaram nos meus. Era uma antiguidade, um anel fino de ouro com um entalhe de arabescos. Minha mãe o usara até ficar magra demais para mantê-lo no dedo. E desde então eu passei a usar.

— Ela contou que fui eu que dei?

— Não. — Puxei a mão para o colo, sentindo o rosto corar. Minha mãe tinha me contado *alguma coisa*? — Era tipo um anel de noivado ou coisa do tipo?

— Não. Só um presente.

Outro longo silêncio se instalou entre nós, e nesse momento demonstrei um interesse inédito pela decoração do restaurante. Pelas paredes havia fotos autografadas do que deviam ser grandes celebridades italianas, além de vários aventais. "Yellow Submarine" tocava ao fundo. Minhas bochechas ferviam como uma panela de molho de tomate.

Howard balançou a cabeça.

— Então, deixou algum namorado esperando por você nos Estados Unidos?

— Não.

— Sorte sua. Vai ter muito tempo para partir corações quando for mais velha. — Ele hesitou. — Hoje de manhã eu estava pensando que é melhor ligar para a escola internacional e ver se alguém do seu ano vai ficar para o verão. Talvez seja uma boa maneira de ver se você se anima a estudar aqui.

Concordei de um jeito evasivo, tentando não me comprometer, e fiquei subitamente muito interessada na foto de uma mulher usando uma tiara com uma faixa pendurada no ombro. Miss Ravióli 2015?

— Eu queria dizer que, se um dia você precisar de alguém para conversar, alguém além de mim e da Sonia, claro, tenho uma amiga que mora na cidade. Ela é assistente social e fala inglês muito bem. Ela me disse que ficaria feliz em se encontrar com você se precisar, sabe…

Ótimo. Outra psicóloga. A que havia conversado comigo nos Estados Unidos tinha basicamente dito uhum-uhum, uhum-uhum e perguntado "Como você se sente em relação a isso?" até eu achar que minhas orelhas fossem derreter. A resposta era sempre "Péssima". Eu me sentia *péssima* sem minha mãe. A psicóloga dissera que as coisas iam começar a melhorar aos poucos, mas até o momento ela estava errada.

Comecei a rasgar as pontas do guardanapo, sem olhar para o anel.

— Você está se sentindo… à vontade aqui?

Hesitei.

— Estou.

— Sabe, se precisar de alguma coisa, é só pedir.

— Estou bem.

Minha resposta foi seca, mas Howard apenas assentiu. Depois do que pareceram dez horas, enfim o garçom chegou e colocou duas pizzas fumegantes diante de nós. Eram do tamanho de um prato grande e tinham um cheiro maravilhoso. Comi um pedaço.

Todo o constrangimento evaporou na mesma hora. Era o poder da pizza.

— Acho que minha boca explodiu — falei.

Ou pelo menos foi isso o que tentei dizer. Saiu mais parecido com "nhaboquexplodiu".

— O quê? — Howard ergueu o rosto.

Comi outro pedaço.

— Isto. É. Maravilhoso. — Ele tinha razão.

Aquela pizza fazia parte de um universo completamente diferente de tudo que eu já tinha vivido.

— Eu avisei, Lina. A Itália é o lugar perfeito para uma corredora esfomeada.

Ele sorriu para mim e continuamos a comer avidamente. No momento estava tocando "Ticket to Ride", que tornava qualquer conversa desnecessária.

— Você deve estar curiosa para saber onde eu estive esse tempo todo.

Eu congelei, com a boca cheia de pizza e um pedaço da borda na mão. *Ele está perguntando o que eu acho que está perguntando?* Aquele não podia ser o grande momento de revelação; ninguém conta ao filho por que não esteve presente na vida dele enquanto a pessoa está se entupindo de pizza.

Olhei para ele. Howard tinha colocado o garfo e a faca na mesa e estava inclinado para a frente, com uma expressão séria. *Ah, não.*

Engoli o que estava na minha boca.

— Humm, não. Eu não estava curiosa.

Mentira com M maiúsculo. Enfiei a borda da pizza na boca, mas não senti o gosto.

— Sua mãe contou muita coisa sobre nosso relacionamento?

Fiz que não.

— Não. Só, humm, histórias engraçadas.

— Entendi. Bom, a verdade é que eu não sabia sobre você.

De repente, o restaurante inteiro pareceu ficar em silêncio. Menos os Beatles. "The girl that's driving me mad, is going awaaaayyyy...", cantavam eles.

Engoli em seco. Nunca sequer tinha *cogitado* essa possibilidade.

— Por quê?

— As coisas eram... complicadas entre nós.

Complicadas. Minha mãe dissera exatamente a mesma coisa.

— Ela entrou em contato comigo mais ou menos na mesma época em que começou a fazer os exames. Sabia que estava doente, só não sabia o que era, mas acho que tinha um pressentimento. Enfim, quero que você saiba que eu teria sido presente. Se soubesse. É que… — Ele estendeu as mãos por cima da mesa. — Tudo o que eu quero é uma chance. Não estou esperando nenhum milagre. Sei que é difícil. Sua avó me contou que você não queria vir, e eu entendo. Só quero que entenda que agradeço muito por ter esta chance de conhecer você.

Ele olhou nos meus olhos, e de repente desejei de todo o coração poder evaporar como a fumaça que ainda saía da minha pizza. Afastei a cadeira da mesa.

— Eu… eu preciso ir ao banheiro.

Saí às pressas do salão, mal conseguindo entrar no banheiro antes que as lágrimas começassem a rolar.

Estar ali era horrível. Antes daquele dia, eu sabia exatamente quem minha mãe era, e com certeza não era aquela mulher que amava violetas, enviava diários misteriosos para a filha ou se esquecia de dizer ao cara com quem se relacionara: "Ah, você não vai acreditar, temos uma filha!"

Levei todos os três minutos de "Here Comes the Sun" para me recompor, respirando fundo, e quando enfim abri a porta, Howard ainda estava sentado à mesa com os ombros curvados. Eu o observei por um instante e senti a raiva me cobrir como uma leve camada de queijo parmesão.

Minha mãe nos mantivera afastados por dezesseis anos. Por que estávamos juntos agora?

Capítulo 7

NAQUELA NOITE, NÃO CONSEGUI DORMIR.

O quarto do Howard também ficava no segundo andar e as tábuas do piso rangiam quando ele andava pelo corredor. *Eu não sabia sobre você*. Por quê?

O relógio da parede do quarto fazia um tique-taque irritante. Eu não tinha percebido na noite anterior, mas de repente o barulho se tornou insuportável. Coloquei um travesseiro sobre a cabeça, mas não adiantou e, além disso, fiquei meio sufocada. Uma brisa soprava pela janela e as violetas balançavam como rockeiros batendo cabelo num show.

Ok. Tudo bem. Acendi o abajur e tirei o anel do dedo para analisá-lo. Embora não visse Howard havia dezesseis anos, minha mãe usara o anel que ele lhe dera. Todo santo dia.

Mas por quê? Será que eles foram mesmo apaixonados, como Sonia dissera? E se fossem, o que os separou?

Antes que eu perdesse a calma, abri a gaveta da mesa de cabeceira e peguei o diário.

Abri na primeira página.

Eu tomei a decisão errada.

Um calafrio percorreu minha espinha. Minha mãe tinha escrito com canetinha preta grossa, e as palavras se espalhavam pela parte interna da capa como uma fileira de aranhas. Será que aquela mensagem era para mim? Uma espécie de prenúncio do que eu estava prestes a ler?

Criei coragem e virei a página. É agora ou nunca.

22 DE MAIO

Pergunta: Imediatamente após sua reunião com os funcionários da secretaria de matrículas da Universidade de Washington (logo depois de avisar ao funcionário que você não vai começar a faculdade de enfermagem no outono), você:

A. Vai para casa e conta aos seus pais.
B. Tem um ataque de pânico e volta correndo para a sala alegando um lapso temporário de sanidade.
C. Sai para comprar um diário.

Resposta: C.

Sim, no fim das contas, você vai contar aos seus pais. E também tem consciência de que marcou a reunião para o último horário da secretaria de propósito. Mas assim que a poeira baixar, tenho certeza de que você vai se lembrar de todos os motivos que teve para fazer o que fez. É hora de entrar na livraria mais próxima e gastar todo o seu dinheiro num diário novo e sofisticado, porque por mais assustador que este momento seja, também é o momento em que sua vida (sua vida de verdade) começa.

Diário, agora é oficial. Há uma hora e vinte e seis minutos deixei de ser uma futura estudante de enfermagem. Em vez disso, em apenas três semanas vou arrumar minhas coisas (ou seja, tudo o que minha mãe não destruir quando ficar sabendo da notícia) e embarcar num avião para a Itália (ITÁLIA!), para fazer o que sempre quis (FOTOGRAFIA!) na Academia de Belas-Artes de Florença (ABAF!).

Só preciso pensar num jeito de dar a notícia aos meus pais. A melhor das minhas ideias envolve fazer uma ligação anônima de algum lugar da Antártida.

23 DE MAIO

Bom, contei. E foi ainda pior do que eu esperava. Para um observador incauto, a Grande Explosão Familiar teria parecido algo assim:

Eu: Mãe, pai, preciso contar uma coisa.

Mãe: Ah, meu Deus. Hadley, você está grávida?

Pai: Rachelle, ela não tem nem namorado.

Eu: Pai, obrigada por me lembrar disso. E, mãe, não sei por que a primeira coisa em que você pensou foi gravidez. [Pigarreia] Quero falar com vocês sobre uma decisão recente que tomei para a minha vida. [Palavras tiradas diretamente de um livro chamado <u>Comunicação inteligente: Como falar para que os outros concordem.</u>]

Mãe: Ah, meu Deus. Hadley, você é lésbica?

Pai: Rachelle, ela não tem nem namorada.

Eu: [Abandonando todas as tentativas de ter uma conversa civilizada.] NÃO. O que estou tentando dizer é que não vou mais fazer faculdade de enfermagem. Acabei de ser aceita numa escola de artes em Florença, na Itália, e vou passar seis meses lá estudando fotografia. E... o curso começa em três semanas.

Mãe/Pai: [Silêncio prolongado envolvendo duas bocas abertas como de dois peixes.]

Eu: Então...

Mãe/Pai: [Continuam boquiabertos]

Eu: Será que vocês poderiam dizer alguma coisa, por favor?

Pai: [Com a voz quase sumindo] Mas, Hadley, você não tem nem uma câmera decente.

Mãe: [Recuperando a voz] COMOASSIMVOCÊNÃOVAIFAZERFACULDADEDEENFERMAGEM...

[Os cachorros do vizinho começam a uivar.]

Vou poupar você do sermão que tive que ouvir, mas basicamente se resume ao seguinte: estou desperdiçando minha vida. Jogando no lixo meu tempo, minha bolsa de estudos e o dinheiro deles, conquistado a duras penas, para passar seis meses frívolos num país onde as mulheres nem sequer depilam as axilas. (Essa última informação foi uma contribuição da minha mãe. Não sei se é verdade.)

Expliquei que vou pagar tudo. Agradeci a contribuição deles para a minha educação. Garanti que vou manter minha rotina de depilação. E depois subi para o meu quarto e chorei por pelo menos uma hora porque estou APAVORADA. Mas que escolha eu tenho? No segundo em que recebi aquela carta de aceitação soube que queria aquilo mais do que qualquer outra coisa que já quis na vida. Eu vou, porque é mais assustador não ir!

Fechei o diário. Uma verdadeira tempestade castigava meu rosto, e as palavras se juntavam numa grande massa embaçada. Era por *isso* que eu não conseguia ler os diários dela. Eles me davam a sensação de estar ouvindo minha mãe falar ao celular com uma amiga, mas então eu erguia os olhos da página e ela não estava ali...

Se controla. Esfreguei os olhos com raiva. Ela havia me mandado aquele diário por algum motivo, e eu precisava descobrir qual era.

13 DE JUNHO

É meio agourento viajar no dia treze, mas aqui estou eu. Depois de uma despedida para lá de gélida por parte da minha mãe, meu pai me deixou no aeroporto. Olá, mundo desconhecido.

20 DE JUNHO

ESTOU AQUI. Eu poderia escrever cinquenta páginas sobre minha primeira semana em Florença, mas basta dizer que estou aqui. A Academia de Belas-Artes de Florença é exatamente o que eu imaginava: pequena, atravancada e cheia de gente talentosa. Meu apartamento fica bem em cima de uma padaria barulhenta e meu colchão parece de papelão, mas quem se importa quando a cidade mais deslumbrante do mundo está bem diante da janela?

Minha colega de quarto se chama Francesca, e ela veio do norte da Itália para estudar fotografia de moda. Só usa preto, passa do italiano para o francês e o inglês no meio das frases sem nem perceber e está fumando como uma chaminé na nossa janela desde o instante em que chegou. Adoro ela.

23 DE JUNHO

Primeiro dia livre na Itália. Eu estava ansiosa para passar uma manhã preguiçosa comendo um pote de Nutella com pão da padaria aqui de baixo, mas Francesca tinha outros planos. Quando saí do quarto, ela falou para eu me vestir, depois passou a meia hora seguinte discutindo animadamente com alguém no celular enquanto eu a esperava. Quando enfim desligou, disse que eu precisava trocar o sapato. "Nada de sandálias. Já passa das onze da manhã." Ela me fez trocar outras duas vezes. ("Nada de jeans escuros depois de abril." "Nunca combine os sapatos com a bolsa.") Foi cansativo.

Finalmente, saímos e Francesca começou a me contar a versão resumida da história da cidade. "Florença é o berço da Renascença. Você sabe o que é a Renascença, não sabe?" Garanti a ela que todo mundo sabe o que é a Renascença, mas ela me explicou mesmo assim. "Um terço da população morreu durante a epidemia de peste bubônica nos anos 1300, e depois a Europa passou por um renascimento cultural. De repente, houve uma explosão de arte. E tudo começou aqui antes de se espalhar para o resto da Europa. Pintura, escultura, arquitetura... Aqui era a capital artística do mundo. Florença foi uma das cidades mais ricas da história..." e ela falou, falou e falou muito.

Ela entrava e saía das ruas, sem nem sequer olhar para trás por um segundo para ter certeza de que eu estava acompanhando, quando de repente eu o vi. O DUOMO. O intricado, colorido e gótico Duomo. Fiquei completamente arrebatada, mas mesmo que não tivesse ficado, ele teria me tirado o fôlego.

Francesca apagou o cigarro, me levou para a entrada lateral do Duomo e me disse que íamos até o topo. E fomos mesmo. Quatrocentos e sessenta e três degraus de pedra, e Francesca subiu as escadas como se houvesse molas em seus saltos-agulha. Quando enfim chegamos, eu não conseguia parar de tirar fotos. Florença parece um labirinto tingido de laranja, com torres e prédios sobressaindo-se aqui e ali, mas nada tão alto quanto o Duomo. Havia colinas verdes ao longe, e o céu era de um tom perfeito de azul. Francesca só parou de falar quando viu como eu estava maravilhada. Ela nem ficou zangada quando abri os braços, sentindo o vento e saboreando uma sensação nova, a liberdade. Antes de descermos, dei um abraço apertado nela, que me afastou e disse:

"Chega, chega. Você chegou aqui sozinha. Eu só a trouxe para ver o Duomo. Agora vamos às compras. Nunca vi uma calça jeans mais triste. Sério, Hadley, ela me dá vontade de chorar."

— Não acredito — sussurrei para mim mesma.

Qual era a chance de eu ler aquela passagem do diário no mesmo dia em que *eu* tinha visto o Duomo pela primeira vez? Passei os dedos pelas palavras, imaginando minha mãe, com vinte e poucos anos, correndo para acompanhar a tirânica e ágil Francesca. Será que em parte fora por isso que ela enviara o diário? Para vivenciarmos Florença juntas?

Marquei a página e apaguei a luz, sentindo um aperto no peito. Sim, ouvir a voz dela era o equivalente emocional à água entrando num navio avariado, mas também era bom. Ela *amava* Florença. Talvez ler seu diário fosse como ver a cidade ao lado dela.

Eu só tinha que ir aos poucos.

Capítulo 8

PRECISO CONTAR A ADDIE SOBRE O DIÁRIO. **NA MANHÃ** seguinte, desci a escada ainda de pijama. Ren estava totalmente equivocado sobre o jet lag. Depois de ter lido o início do diário, eu o enfiara sob as cobertas comigo e dormira treze horas seguidas. Acordei me sentindo um beija-flor descansado.

Pouco antes de eu escapar para o quarto, Howard dissera que ia deixar o celular comigo, e fiquei ridiculamente grata por não ter que pedir. Se a volta para casa na noite anterior fosse um livro, o título seria algo como "A viagem mais longa, silenciosa e infeliz de todos os tempos", e eu não estava nem um pouco ansiosa para ler a continuação. Quanto menos interação, melhor.

De volta ao quarto, fechei a porta e liguei o celular. Primeiro o código do país? O código de área? Onde estavam minhas instruções? Depois de três tentativas, finalmente começou a chamar. Ian atendeu.

— Alô?

— Oi, Ian. É a Lina.

Um videogame berrava ao fundo.

— Sabe... aquela que morou com vocês por cinco meses?

— Ah, sim. Oi, Lina. Onde você está mesmo? Na França?

— Na Itália. Addie está aí?

— Não. Não sei onde ela está.

— Não são tipo duas da manhã aí?

— São. Acho que ela foi dormir na casa de alguém. Agora dividimos o celular.

— Estou sabendo. Pode avisar que eu liguei?

— Claro. Não coma caracóis.

Clique.

Soltei um gemido. Pelo histórico de Ian, minha mensagem tinha menos de zero por cento de chance de chegar a Addie. E eu precisava *muito* falar com ela, sobre o diário, sobre o que Howard me contara, sobre... tudo. Andei pelo quarto como o gato com TOC da minha avó. Não me sentia pronta para voltar ao diário, mas também não podia ficar parada pensando *de jeito nenhum.* Vesti a roupa de corrida depressa e saí.

— Oi, Lina. Dormiu bem?

Eu me sobressaltei. Howard estava sentado no balanço da varanda com olheiras e uma pilha de papéis no colo. Era uma emboscada.

— Sim. Acabei de acordar. — Apoiei o pé no corrimão e me concentrei total e completamente nos meus cadarços.

— Ah, quem me dera voltar a ser adolescente. Acho que nunca acordei cedo antes dos trinta. — Ele parou de se balançar e meio que soltou a seguinte frase, de repente: — Como você está se sentindo em relação ao que conversamos ontem à noite? Fiquei pensando se eu não poderia ter contado aquilo de um jeito melhor.

— Não estou zangada — falei, depressa.

— Gostaria muito de conversar mais com você sobre sua mãe e eu. Ela não lhe contou algumas coisas que...

Tirei o pé do corrimão como se fosse uma dançarina.

— Vamos deixar pra outra hora? Eu quero começar minha corrida. — *E saber primeiro a versão da minha mãe.*

Howard hesitou.

— Tudo bem, claro. — Ele tentou fazer contato visual comigo. — Vamos fazer isso no seu tempo. É só me dizer quando estiver pronta.

Desci a escada correndo.

— Ligaram para o centro de visitantes procurando por você hoje de manhã.

Eu me virei.

— Era Addie? — *Por favor, que seja Addie.*

— Não, foi uma chamada local. O nome dele era estranho. Red? Rem? Um americano. Disse que conheceu você ontem durante sua corrida.

Foi como se tivessem jogado um punhado de confete em cima de mim. *Ele ligou?*

— Ren. É apelido de "Lorenzo".

— Faz sentido. Ren disse que você ia a uma festa com ele hoje à noite.

— Ah, é. Talvez eu vá.

Toda aquela história de Howard/diário tinha feito meu cérebro esquecer do resto. Será que eu tinha coragem mesmo de ir?

Howard franziu a testa.

— Bem, quem é ele?

— Ren mora aqui perto. A mãe dele é americana, e ele estuda na escola internacional. Acho que tem a minha idade.

Percebi uma animação no rosto dele.

— Que ótimo. Só que... Ah, não.

— O que foi?

— Eu comecei a fazer um monte de perguntas a ele porque achei que era um dos caras que tinha perseguido você. Acho que posso ter assustado o rapaz.

— Eu conheci Ren atrás do cemitério. Ele estava jogando futebol na colina.

— Poxa, preciso pedir desculpas. Por acaso você sabe o sobrenome dele?

— Ferrari ou coisa parecida? A família mora numa casa que parece feita de doces.

Ele riu.

— Não precisa dizer mais nada. Os Ferrara. Que sorte você ter esbarrado com o garoto. Eu não sabia que o filho deles tinha sua idade, se soubesse teria tentado apresentá-los antes. A festa é com seus outros colegas de turma?

— Possíveis colegas de turma — corrigi depressa. — Não sei se quero ir.

O sorriso dele só ficou ainda maior, como se não tivesse me ouvido.

— Ren pediu para avisar que ele só vai conseguir chegar aqui às oito e meia. O jantar vai estar pronto antes para você não ter que comer correndo. E deveríamos arrumar um celular para você... assim seus amigos não precisarão ligar para o centro de visitantes.

— Obrigada, mas acho que seria um exagero. Eu só conheço uma pessoa.

— Depois desta noite, vai conhecer mais. E enquanto isso pode passar meu número para as pessoas não precisarem ligar para o telefone do cemitério. Ah, e uma boa notícia. Nossa conexão com a internet finalmente foi consertada, então o FaceTime deve estar funcionando muito bem. — Ele colocou os papéis na varanda. — Preciso ir para o centro de visitantes, mas vejo você mais tarde. Aproveite a corrida. — Ele se virou e entrou em casa, assoviando baixinho.

Eu o olhei com desconfiança. Será que *Howard* era a decisão errada da minha mãe? E quanto à festa? Será que eu queria mesmo encontrar um monte de desconhecidos?

* * *

— O que acha desta? — Eu me aproximei do laptop e dei uma voltinha para Addie ver minha roupa.

Ela se aproximou, e seu rosto preencheu a tela. Tinha acabado de acordar e estava parecendo uma vampira loura com aquele delineador todo borrado.

— Humm. Quer que eu seja legal ou sincera?

— As duas coisas, pode ser?

— Não. Parece que essa camisa passou três dias amassada no fundo de uma mala.

— E passou mesmo.

— Exatamente. Eu voto na saia preta e branca. Suas pernas são lindas e acho que aquela saia é a única coisa que você tem que não é horrível.

— E de quem é a culpa? Foi você que me convenceu a fazer maratona de *America's Next Top Model* em vez de lavar as roupas.

— Olha, tudo é uma questão de prioridade. Qualquer dia desses vou crescer dois metros e entro naquele programa. — Ela soltou um suspiro dramático, tentando tirar um pouco da maquiagem dos olhos. — Não acredito que você vai a uma *festa*. Na *Itália*. E eu aqui. Aposto que minha noite vai acabar na casa do Dylan de novo.

— Você gosta de ir lá.

— Não gosto nada. A galera só fica sentada falando das coisas que a gente poderia fazer, mas ninguém toma uma decisão, e acaba todo mundo jogando totó a noite inteira.

— Veja pelo lado bom. Ele tem aquele freezer no porão cheio de burritos e churros. São deliciosos.

— Ah, tem razão. Comer churros industrializados é muito melhor do que ir a uma festa na Itália.

Peguei o laptop e me joguei na cama, apoiando-o na barriga.

— Só que eu não gosto de festas, lembra?

— Não diz isso. Você gostava.

— E aí minha mãe ficou doente e ninguém mais sabia o que dizer pra mim.

Addie contraiu os lábios.

— Eu acho sinceramente que parte disso é imaginação sua. As pessoas só não querem dizer nada errado, sabe? E você tem que admitir que acaba se fechando.

— Como assim? Eu não me fecho pra ninguém.

— Humm, e Jake?

— Que Jake?

— Jake Harrison. O jogador de lacrosse veterano e gato. Ele passou tipo uns dois meses tentando convidar você pra sair.

— Ele não me convidou pra sair.

— Porque você evitava o garoto.

— Addie, eu mal conseguia passar meia hora sem pensar na minha mãe e chorar. Acha que ele ia se interessar por alguém assim?

Ela franziu a testa.

— Desculpa. Eu sei que tem sido difícil, mas acho que agora você está pronta. Na verdade, vou até fazer uma profecia: hoje à noite você vai conhecer o cara mais gato da Itália e se apaixonar por ele. Só não cai de amores a ponto de não querer voltar pra casa, ok? Os últimos três dias já foram os mais longos da minha vida.

— Da minha também. Então, vou com a saia preta e branca?

— Isso. Você vai me agradecer depois. E me liga assim que chegar em casa. Quero conversar mais sobre o diário. Acho que vou contratar uma equipe de filmagem pra começar a seguir você. Sua vida daria um programa de TV sensacional.

— Lina! O jantar está pronto.

Eu me olhei no espelho. Tinha recusado o conselho da Addie e colocado minha calça jeans preferida. E estava nervosa demais para comer.

Existe uma primeira vez para tudo.

— Você me ouviu?! — gritou Howard.

— Estou indo!

Coloquei um pouco de gloss e ajeitei o cabelo uma última vez. Eu tinha passado uns bons quarenta e cinco minutos fazendo chapinha, mas pelo menos tinha ficado com um cabelo apresentável. Não que isso garantisse alguma coisa. Se alguém o olhasse com uma cara estranha, ele retomaria sua loucura natural em meio segundo. "Você é meio parecida com a Medusa", dissera Addie uma vez, o que foi muito útil.

Howard me encontrou ao pé da escada e me entregou uma tigela enorme de macarrão. Dava para notar que ele estava se esforçando para deixar as coisas menos tensas, e até aquele momento estava funcionando.

— Você está bonita.

— Obrigada.

— Desculpe por demorar tanto para preparar o jantar. Tivemos um problema com a manutenção. Achei que ia passar a noite inteira trabalhando.

— Tudo bem. — Eu coloquei a tigela na mesa. — E obrigada pelo jantar, mas estou sem fome.

Ele ergueu uma das sobrancelhas.

— Sem fome? Quantos quilômetros você correu hoje?

— Onze.

— Você está bem?

— Acho que estou meio nervosa.

— Eu entendo. Conhecer gente nova às vezes é estressante, mas eles vão amar você.

BIIP! Olhamos pela janela e vimos Ren vindo pela estrada numa scooter vermelha brilhante. Meu estômago se contraiu. *Por que eu tinha aceitado ir?* Será que ainda dava tempo de desistir?

— Aquele é o filho dos Ferrara?

— É.

— Está chegando antes da hora. Ele não vai levar você de scooter, vai?

— Acho que sim.

Lancei um olhar esperançoso a Howard. Talvez ele dissesse que eu não podia ir! Isso resolveria tudo. Mas será que caras que haviam acabado de se descobrir pais podiam dizer o que os filhos tinham ou não permissão de fazer?

Howard atravessou a sala a passos largos e abriu a porta.

— Lorenzo?

Corri atrás dele.

— Oi, Howard. Oi, Lina. — Ren vestia calça jeans e tênis que pareciam caros. Ele estacionou a scooter e subiu a escada com a mão estendida para Howard. — É um prazer conhecer você.

— O prazer é todo meu. Sinto muito pela confusão no telefone hoje. Achei que fosse outra pessoa.

— Tudo bem. Que bom que você não vai mais me perseguir com uma serra elétrica.

Nossa, Howard estava mesmo levando aquele novo papel a sério.

— Está pronta, Lina? — perguntou Ren.

— Humm, acho que sim. Howard? — Olhei para ele, esperançosa.

Ele observava a scooter do Ren com uma expressão severa.

— Já faz tempo que você pilota?

— Desde os quatorze anos. Sou um motorista muito cauteloso.

— Você trouxe um capacete para ela?

— Claro.

Howard assentiu devagar.

— Tudo bem. Dirija com cuidado. Principalmente na volta. — Ele me indicou com a cabeça. — *È nervosa. Stalle vicino.*

— *Si, certo.*

— Humm, com licença. O que vocês falaram? — perguntei.

— Papo de homem — respondeu Ren. — Vamos. Estamos perdendo a festa.

Howard me entregou seu celular e uma nota de vinte euros.

— Leve isto só por precaução. O número do cemitério está aí. Se eu não atender, Sonia atende. A que horas vocês vão voltar?

— Não sei — respondi.

— Posso trazê-la na hora que você quiser — disse Ren.

— Então uma hora.

Eu olhei para Howard. *Uma da manhã*? Ele queria muito que eu fizesse amigos.

Ele se sentou no balanço da varanda, e eu fui com Ren até a scooter, onde ele me entregou um capacete que estava guardado no compartimento sob o banco.

— Pronta? — perguntou Ren.

— Pronta.

Subi na traseira meio sem jeito, e de repente eu e Ren estávamos percorrendo a estrada com o ar frio batendo no nosso rosto. Segurei a cintura do Ren com força, sorrindo feito uma idiota. Era como andar numa poltrona motorizada, super-rápida e bastante confortável. Olhei para trás e vi Howard nos observando da varanda.

— Por que você o chama de "Howard"? — gritou Ren, por causa do barulho da scooter.

— Do que mais eu o chamaria?

— "Pai"?

— De jeito nenhum. Eu não o conheço há tanto tempo assim.

— Não?

— É que... É uma longa história. — E mudei logo de assunto. — Onde é a festa?

Ele hesitou e ligou a seta na estrada principal, depois virou na direção oposta a Florença.

— Na casa da minha amiga Elena. Sempre vamos para lá porque a casa dela é a maior de todas. A mãe é descendente dos Médici, e a família tem uma *villa* gigantesca. A gente sempre percebe que Elena está bêbada quando ela começa a dizer que, em outras épocas, todo mundo teria sido súdito dela.

— Quem são os Médici?

— Uma família florentina muito poderosa. Foram eles que basicamente fundaram o Renascimento.

De repente, imaginei uma adolescente vestindo uma toga.

— Eu estou bem-vestida para a ocasião?

— O quê?

Repeti a pergunta.

Ele desacelerou por causa de um sinal vermelho, depois se virou para me olhar.

— Você está linda. Estamos usando a mesma coisa.

— É, mas você está...

— O quê?

— Mais estiloso.

Ele inclinou a cabeça para trás, e nossos capacetes bateram.

— Obrigado.

Capítulo 9

O PERCURSO ATÉ A CASA DE ELENA LEVOU UMA ETERNIdade. Uma e-ter-ni-da-de. Quando Ren ligou a seta indicando que ia sair da estrada principal, minhas pernas estavam ficando dormentes.

— Estamos quase chegando.

— Até que enfim. Achei que iríamos até a França.

— A França não fica nessa direção. Se segura.

Ele acelerou e entramos numa rua longa e arborizada. Onde estávamos? Eu não via uma única casa ou prédio havia mais de dez minutos.

— Espera um pouquinho. Três… dois…

Fizemos uma curva e eu explodi.

— *O quê?*

— Uma loucura, não é?

— Isso é uma casa? Alguém mora em algum lugar normal por aqui?

— Como assim? Você não conhece ninguém que mora numa casa de doces nos Estados Unidos?

A *villa* da Elena era um palácio. A casa tinha vários andares e era enorme, gigantesca como um museu, com torres que se erguiam de cada um dos lados de uma grande porta em arco. Comecei a contar todas as janelas, mas desisti. O lugar era grande demais.

Ren desacelerou, contornando um grande chafariz circular que ficava no meio de uma entrada para carros do tamanho de uma quadra de tênis. Então saiu do asfalto para estacionar ao lado de várias outras scooters. Minha boca estava seca como o Saara. Comer churros no porão da casa do Dylan tinha muito mais a ver comigo.

— Você está bem? — perguntou Ren, me encarando.

Assenti do jeito menos convincente do mundo, em seguida passamos por uma parede de cercas vivas esculpidas até chegar a uma porta. Fiquei olhando a construção e imaginando que a qualquer momento os habitantes furiosos do vilarejo chegariam com tochas e aríetes. Eu estava prestes a vomitar.

Ele me cutucou.

— Tem certeza de que está bem?

— Ótima. — Respirei fundo. — Então... quantas pessoas moram aqui?

— Três. Elena, a mãe dela e a irmã mais velha, quando volta do colégio interno. Elena me contou que nunca entrou em alguns cômodos, e às vezes ela e a mãe passam dias sem se ver. Há um sistema de interfone pra não precisarem atravessar a casa toda pra se falar.

— Sério?

— Sim, estou falando sério. Eu nunca nem vi a mãe dela. Algumas teorias dizem que ela não existe. Além disso, este lugar é mal-assombrado. Elena vê fantasmas praticamente uma vez por dia.

Ele apertou com força a campainha de bronze, que emitiu um som alto.

— Você acredita? Em fantasmas?

Ren deu de ombros.

— Elena acredita. Toda noite ela passa pelo fantasma da tataravó Alessandra na escada.

Fantasmas nunca tinham feito sentido para mim. Quando minha mãe se foi, ela simplesmente *parou de existir*. Eu daria tudo para que não fosse assim.

De repente, uma batida alta me fez soltar um grito. Eu tropecei para trás e Ren me segurou.

— Relaxa. É só a porta. Demora um tempão pra destrancar.

Depois do que pareceram dez minutos, a porta se abriu devagar, e eu dei um passo para trás, meio que esperando ser recebida pela tataravó Alessandra, mas uma adolescente com roupas modernas apareceu. Ela era curvilínea, tinha um piercing de brilhante no nariz e cabelo cheio e preto.

— *Ciao*, Lorenzo! — Ela abraçou Ren e encostou a bochecha na dele, fazendo um som de beijo. — *Dove sei stato? Mi sei mancato.*

— *Ciao*, Elena. *Mi sei mancata anche tu.* — Ren deu um passo para trás e apontou para mim. — Adivinha quem é esta?

Ela mudou do italiano para o inglês com a mesma velocidade que Ren.

— Quem? Fala logo.

— Carolina.

A garota ficou de boca aberta.

— Você é a *Carolina*?

— Sou, mas pode me chamar de Lina.

— *Non è possibile*! Venha!

Ela pegou minha mão e me puxou para dentro, fechando a porta com um chute. O saguão parecia um cenário do Scooby-Doo. A iluminação era fraca e vinha de algumas arandelas. Tapeçarias e pinturas, que davam um ar antigo ao lugar, cobriam cada centímetro da parede, e, espere aí… Aquilo era *uma armadura*? Elena estava olhando para mim.

— Sua casa é muito…

— Sim, sim. Bizarra. Assombrada, assustadora. Eu sei. Agora vem cá. — Ela me deu o braço e me arrastou pelo saguão. — Eles vão ficar muito surpresos. Espera só.

No fim do corredor, ela abriu uma porta dupla e me fez entrar. A sala era muito mais moderna, com um sofá de couro em L, uma TV de tela plana enorme e uma mesa de totó. Ah, tinha umas vinte pessoas. Mais ou menos. E todas olhavam para mim como se eu fosse algum bicho que fugiu do zoológico.

Engoli em seco.

— Humm, oi, gente.

Elena ergueu minha mão, triunfante.

— *Vi presento, Carolina. Ragazzi*, ela existe!

A sala explodiu em aplausos, e de repente todos me cercaram.

— Você está aqui. Você está aqui de verdade! — Um garoto alto com sotaque francês dava tapinhas animados no meu braço. — Olivier. Bem-vinda.

— Ganhei a aposta! Disseram que você nunca ia aparecer.

— Antes tarde do que nunca.

— *Che bella sorpresa!*

— Eu sou Valentina.

— Livi.

— Marcello.

Metade deles estendeu a mão para um high-five. Será que achavam que eu era um holograma?

Eu cambaleei para trás.

— É um prazer… conhecer todos vocês.

— Gente, sai de cima dela! — Ren empurrou algumas pessoas para trás. — Vocês estão agindo como se nunca tivessem visto ninguém novo.

— Nunca vimos — retrucou um garoto de aparelho.

Então começaram a me fazer várias perguntas.

— Há quanto tempo você está aqui?

— Você vai pra EAIF?

— Por que não entrou na escola ano passado?

— Aquele altão é seu pai?

Dei outro passo para trás.

— Humm... O que eu respondo primeiro?

Todos riram.

— Onde você mora? Em Florença? — perguntou uma garota ruiva que estourava uma bola enorme de chiclete ao meu lado. Pelo sotaque, ela parecia ser de Nova Jersey ou algo assim.

— Moro mais ou menos perto do Ren.

— Ela mora no cemitério americano.

Olhei para ele. *Assim você vai me fazer parecer uma esquisitona.* Ele me deu um tapinha no braço.

— Relaxa. Todo mundo aqui mora em lugares estranhos.

Todos começaram a falar.

— Minha família está alugando um castelo medieval em Chianti.

— Nós moramos numa fazenda.

— O William mora no consulado americano. Lembram quando a irmã dele passou por cima do pé de um dignitário estrangeiro com o patinete?

Um garoto italiano com cabelo na altura do ombro deu um passo à frente.

— *Ragazzi*, ela vai achar a gente um bando de esquisitos. Desculpa por todas essas perguntas.

— Tudo bem — falei.

— Não, nós somos esquisitos mesmo. Nunca conhecemos gente nova. Estamos cheios da cara uns dos outros — disse uma garota que parecia hispânica.

De repente, alguém me abraçou e me ergueu.

— Ei!

— Marco! Calma, cara! — gritou Ren.

— Senta! — disse a garota de chiclete.

Seria Marco um rottweiler? Eu me soltei e me virei. Era um cara musculoso de cabelo preto e curto.

— Ren, me apresenta. Agora — urrou ele.

— Lina, este é o Marco. Agora esquece que você o conheceu. Pode acreditar em mim, vai ser melhor pra você.

Ele sorriu.

— Você está aqui mesmo! Eu sabia que viria. Sempre soube.

— Espera um instante. Você é minha dupla na aula de biologia?

— Sou!

Ele deu um soquinho no ar e depois me abraçou de novo.

— Não consigo respirar — falei, ofegante.

— Solta ela — mandou Ren.

Marco afrouxou os braços, balançando a cabeça, tímido.

— Desculpa. Em geral eu não sou assim.

— É, sim — retrucou a garota de cabelo preto.

— Não, é culpa dessa cerveja. — Ele me mostrou a lata. — Não sei quem comprou, mas é nojenta. Tem um gosto de mictório, sabe?

— Na verdade, não.

— Não tem problema, eu ofereceria um gole, mas acabei de dizer que tem gosto de xixi. Aliás, você é muito bonita. Tipo, muito mais bonita do que eu imaginava.

— Hum… Obrigada?

— Ei! Margo! Quem é seu papa? — Ele se virou e saiu correndo.

— Nossa — falei.

Ren balançou a cabeça.

— Desculpa. Eu queria poder dizer que isso aconteceu porque ele está bêbado, mas na verdade quando está sóbrio ele é pior.

— Muito, muito pior — disse um garoto baixinho de óculos.

— Aí está você. — Uma voz fria atravessou o barulho, e eu me virei, ficando cara a cara com uma garota extraordinariamente linda.

Ela era alta e magra, com grandes olhos azuis e um cabelo quase branco de tão louro. Seu olhar me perfurou.

— Oi, Mimi. Você voltou, bem-vinda. — De repente, a voz do Ren baixou tipo três oitavas.

— Eu estava com medo de que você não viesse hoje — disse ela, com um sotaque... sueco? Norueguês? Algum lugar onde todo mundo tinha pele linda e cabelo sedoso e controlado?

— Todo mundo disse que você não tem aparecido muito.

— Estou aqui agora.

— Que bom. Senti saudade de você. — Ela ergueu o queixo para mim, ainda com os olhos fixos no Ren. — Quem é essa?

— Carolina. Acabou de se mudar pra cá.

— Oi. O pessoal me chama de Lina.

Ela desviou o olhar para mim por um décimo de segundo, depois se inclinou para perto do Ren e sussurrou alguma coisa:

— *Si, certo*. — Ele olhou para mim. — Mas... Mais tarde. Preciso de uns minutos.

Ela se afastou, e foi como se o grupo inteiro voltasse a respirar.

— Rainha do gelo — sussurrou alguém.

— Ela é deslumbrante — falei para Ren.

— Sério? Eu não tinha percebido.

Ele sorriu como se alguém tivesse lhe oferecido um suprimento vitalício de balas. Estava na cara que eu tinha interpretado mal o momento em que ele segurara minha mão na casa de doces. Se Mimi era o parâmetro de beleza dele, já era para mim.

— Ei, vem aqui. Quero mostrar uma coisa.

— Ok. Então... Até daqui a pouco? — falei para os outros.

— *Ciao, ciao* — disse um deles.

Ren já estava no meio da sala.

— Para onde estamos indo?

— É surpresa. Vem. — Ele segurou a porta para mim. — Primeiro as damas.

Entrei pelo corredor escuro, e Ren fechou a porta. Estávamos diante de uma escadaria enorme.

— Ai, não. É aqui que a tataravó da Elena aparece?

— Não, é na outra ala. Vem. Quero mostrar o jardim.

Ele começou a subir a escada, mas fiquei para trás.

— Humm, Ren? Aí em cima é assustador.

— É mesmo. Anda.

Eu me virei para a porta. Escada assustadora ou adolescentes estrangeiros exageradamente simpáticos? Achei melhor apostar no Ren. Corri atrás dele, e meus passos ecoaram no teto alto. No topo da escada, ele abriu uma porta alta e estreita, e eu passei depois dele com relutância.

— Este lugar é incrível — murmurei.

A sala era lotada de móveis, como se a mobília de dez cômodos tivesse sido reunida num único lugar, e tudo estava coberto com lençóis grossos e empoeirados. Havia até uma lareira gigantesca vigiada pelo retrato de um homem sério usando chapéu de penas.

— É sério isso? — Apontei para o retrato.

— Com certeza.

— Isso é coisa de casa mal-assombrada. Parece que vai se mexer se eu virar de costas.

Ren sorriu.

— E isso vindo de alguém que mora num cemitério.

— Acho que dois dias não configura "morar".

— Aqui. — Ele foi até as portas de vidro e soltou o trinco, depois as abriu para a sacada. — Era pra mostrar os jardins, mas na verdade o que eu queria mesmo era que você se livrasse um pouco da multidão enlouquecida.

— É, eles ficaram meio agitados ao me conhecer.

— Muitos de nós estudam juntos desde o ensino fundamental, então ficamos loucos pra conhecer gente nova. Acho que deveríamos aprender a nos fazer de difíceis.

— Ei, as cercas vivas formam um labirinto.

Eu me inclinei sobre a sacada. As cercas vivas que ladeavam a porta da frente na verdade faziam parte de um desenho entremeado com estátuas e bancos antigos.

— Legal, não é? Tem um jardineiro muito velho que passou metade da vida podando essas plantas.

— Acho que dá pra se perder lá dentro.

— Dá, sim. Uma vez, Marco saiu andando e levamos umas três horas pra encontrá-lo. Tivemos que subir aqui com um refletor. Ele estava dormindo em cima dos sapatos.

— Por quê?

— Não faço ideia. Quer ouvir algo realmente assustador?

Balancei a cabeça.

— Na verdade, não.

— A irmã mais velha da Elena, Manuela, se recusa a morar aqui porque desde pequena ela vê um de seus antepassados pela casa. A parte sinistra é que o fantasma aparece sempre com a mesma idade que Manuela.

— Não é de estranhar que ela esteja no colégio interno. — Eu me inclinei sobre o parapeito. — Este lugar está me fazendo adorar minha casa-cemitério.

— Contando histórias de fantasmas?

Levei um susto e quase caí lá embaixo.

— Lina! Você parece a Incrível Garota Assustada — disse Ren.

— Desculpa, gente. Não quis assustar vocês. — Um garoto se sentou num dos sofás e esticou os braços para cima.

— Oi, Thomas. Espionando?

— Estou com dor de cabeça. Só estava tentando fugir um pouco do barulho. Quem é esta com você?

Ele se levantou e se aproximou de nós preguiçosamente.

Ai, meu... Até esqueci o que ia dizer, porque *ninguém é tão lindo assim!*

Thomas era alto e magro, com cabelo castanho-escuro e sobrancelhas grossas, e tinha aquela coisa do maxilar pronunciado da qual eu já ouvira falar, mas nunca tinha visto. E a *boca*. Praticamente acabou com qualquer chance que eu tinha de dizer alguma coisa.

— Lina. — Ren estava com uma das sobrancelhas erguida.

Droga. Será que tinham me perguntado alguma coisa?

— Desculpa, o que você disse?

O garoto sorriu.

— Só falei que meu nome é Thomas. E imagino que você seja a misteriosa Carolina. — Ele tinha sotaque britânico.

Sotaque. Britânico.

— Sou. É um prazer conhecer você. Pode me chamar de Lina.

Apertei a mão dele, fazendo o máximo de esforço para ficar de pé. Ao que tudo indicava "pernas bambas" era uma condição real.

— Americana?

— Sim. Seattle. E você?

— De todo canto. Eu moro aqui há dois anos.

A porta se abriu, e Elena e Mimi entraram.

— *Ragazzi, dai*. Minha mãe vai *surtar* se descobrir que vocês estão aqui em cima. Eu tomei um sermão de quarenta e cinco minutos depois da última festa. Algum *idiota* deixou um pedaço de pizza num aparador de duzentos anos. Vamos descer, *per favore*!

— Desculpa, El — disseram Thomas e Ren em uníssono.

— Eu só estava mostrando o jardim pra Lina — explicou Ren. — E Thomas queria tirar um cochilo.

— Quem dorme numa festa? Sua sorte é parecer um deus, porque você é *veramente strano*. Sério, Thomas.

Parecer um deus. Eu dei outra olhada para Thomas. Sim. Eu poderia tranquilamente imaginá-lo relaxando no Monte Olimpo.

Mimi deu o braço a Ren e todo mundo saiu da sala, menos eu e Thomas. Será que era imaginação minha ou ele também estava olhando para mim?

Thomas cruzou os braços.

— Alguns de nós fizeram uma aposta pra saber se você ia mesmo aparecer um dia. Pelo visto vou perder vinte euros.

— Eu deveria ter me mudado pra cá antes, mas decidi terminar o ano letivo em Seattle.

— Certo, mas mesmo assim você me deve vinte euros.

— Não devo nada. Na próxima, você deveria ter um pouco mais de fé em mim.

Ele sorriu, erguendo uma das sobrancelhas.

— Vou deixar passar desta vez.

Meus ossos tinham mais ou menos a consistência de geleia de morango. Eu tinha certeza de que ele estava me dando mole.

— Ouvi dizer que você mora num cemitério.

— Meu pai é administrador do cemitério americano de Florença. Vim passar o verão com ele.

— O verão inteiro?

— É.

Um sorriso lento se abriu no rosto dele. Eu também estava sorrindo.

— Thomas! — gritou Elena, à porta.

— Desculpa.

E nós dois saímos com ela.

Então ser normal é assim. Quer dizer, mais ou menos normal.

— O primeiro show a que você foi na vida.

A maioria das pessoas tinha ido para a piscina, e Thomas e eu estávamos sentados com os pés mergulhados na parte funda. A água azul cintilava, e ou as estrelas tinham descido até nós ou havia vagalumes por todo lado.

— Jimmy Buffett.

— Sério? O cara do Margaritaville?

— Fico surpresa por você saber quem é. E, sim, foi basicamente um mar de blusas havaianas. Minha mãe me levou.

Nós nos abaixamos quando jogaram água na nossa direção. Metade dos convidados estava meio embriagada e mergulhando numa brincadeira agitada, e Marco era sempre... Bem, Marco. Foi muito mais engraçado do que deveria.

— Ok, filme preferido.

— Você vai rir de mim.

— Não vou, não, prometo.

— Tudo bem. *Dirty Dancing.*

— *Dirty Dancing...* — Ele deixou a cabeça tombar para trás. — Ah, sim. Aquele filme horrível dos anos oitenta em que o Patrick Swayze era professor de dança.

Tive que jogar água nele.

— Não é horrível. E como você sabe tanto sobre o filme, afinal?

— Duas irmãs mais velhas.

Ele se aproximou de mim até nossos corpos se tocarem do ombro ao quadril. Foi como levar um choque.

— Então você é corredora, nasceu numa das cidades mais legais dos Estados Unidos, tem um gosto horrível pra cinema, já desmaiou esquiando e nunca experimentou sushi.

— Nem escalada — acrescentei.

— Nem escalada.

Addie, você estava totalmente certa. Alegre, bati os pés na água, dando outra olhada para Thomas. A visão iria me atormentar para sempre. Quem diria que caras tão bonitos *existiam*? E, por falar nisso, ele tinha acabado de colocar o braço em cima dos meus ombros. Como se não fosse nada de mais.

— Então por que se mudou pra cá? — perguntou.

— Eu vim ficar com meu pai. Ele é, humm... meio novo na minha vida.

— Peguei você.

Com um *estrondo* repentino, Ren saiu correndo da escuridão atrás de nós.

— Lina, é meia-noite e meia!

— Já?

Tirei os pés da água, e Thomas baixou o braço. Eu me levantei com relutância.

— Precisamos ir. Ele vai me matar! Ele vai me *matar*.

Ren levou as mãos ao peito e caiu na grama.

— Não vai nada — falei.

— Quem vai matar você? — perguntou Thomas.

— O pai da Lina. Na primeira vez que nos falamos, ele disse que tinha uma bala com meu nome riscado nela.

— Não disse nada. — Olhei para ele. — Espera aí. Ele disse isso?

— Praticamente. — Ren ficou de joelhos e se levantou. — Vamos. Precisamos ir agora.

— Seu cabelo está cheio de grama — avisei.

Ele balançou a cabeça como um cachorro, fazendo a grama voar para todo lado.

— Eu estava rolando na colina.

— Uma colina sueca? — perguntou Thomas.

— Não perguntei a nacionalidade dela.

Soltei um gemido.

— É mesmo meia-noite e meia? Talvez possamos ficar mais uns vinte minutos?

Ren ergueu as mãos.

— Lina. Você não liga se eu morrer?

— Claro que ligo. Só não queria ter que ir embora.

Thomas também se levantou, depois me abraçou, apoiando o queixo no meu ombro.

— Mas, Lina, está muito cedo. Eu vou ficar muito entediado sem você. Seu pai não deixa você ficar até mais tarde?

Ren ergueu uma das sobrancelhas.

— Estou vendo que as coisas *progrediram* nas últimas horas.

Eu não conseguia tirar o sorriso do rosto e virei para o lado para Ren não ver.

— Desculpa, Thomas. Preciso mesmo ir.

Ele soltou uma bufada.

— Tudo bem. Então vamos ter que sair de novo outro dia.

— *Ciao, tutti* — gritou Ren para o grupo. — Preciso levar Lina em casa. Ela tem hora pra chegar.

Houve um coro de "*Ciao, Lina*".

— *Ciao!* — gritei em resposta.

— Espera! — Marco saiu da piscina. — E a iniciação? Lina precisa passar por ela.

— Que iniciação? — perguntei.

— Ela tem que andar na prancha.

Ren soltou um gemido.

— Marco, que idiotice. Paramos de fazer isso tipo... no sétimo ano.

— Ei, vocês *me* obrigaram a fazer, e foi no ano passado — protestou Olivier. — Além disso, era inverno. Eu quase congelei.

— Sim, ela precisa fazer — concordou outra garota. — É a tradição.

— Ela está de calça jeans — retrucou Elena. — *È troppo* cruel.

— Não importa! Regras são regras!

Thomas se aproximou, ficando ao meu lado.

— Se você pular, eu também pulo.

Corta para a imagem mental do Thomas todo molhado.

Eu me virei para Ren.

— Quanto você vai me odiar se tiver que me levar pra casa toda molhada?

— Não tanto quanto você vai odiar a si mesma.

Tirei as sandálias e fui até o trampolim.

— A garota nova vai mesmo! — gritou Marco.

O grupo inteiro começou a aplaudir alto quando subi no trampolim, depois fiz uma reverência. *Essa sou eu?* Tarde demais para perguntar. Corri pelo trampolim, pulei e me encolhi na bola de canhão mais perfeita do mundo.

Naquele breve momento eu me senti viva, muito mais do que durante todo o ano anterior. Talvez durante toda a minha vida.

Capítulo 10

ENTÃO, TALVEZ ANDAR DE SCOOTER ENCHARCADA NÃO tivesse sido a melhor ideia. Eu estava tremendo quando paramos na frente de casa. Além disso, a piscina tinha reativado a loucura natural do meu cabelo e, quando tirei o capacete, ele se transformou numa nuvem fofa ao redor da minha cabeça.

— Você está tremendo de frio ou de medo?

— De frio. Ren, fala sério. Estamos uma hora atrasados. O que ele vai fazer?

A porta se abriu de repente e Howard apareceu, uma enorme silhueta contra a luz.

Ren também começou a tremer.

— Quer que eu entre com você? — sussurrou Ren.

Fiz que não.

— Obrigada pela carona. Eu me diverti muito.

— Eu também. Vejo você amanhã. Boa sorte.

Fui até a porta com a calça grudada nas pernas.

— Desculpa o atraso. Perdemos a noção do tempo.

Howard estreitou os olhos para mim.

— Seu cabelo está molhado?

— Eles me fizeram andar na prancha.

— Na prancha?

— É o ritual de iniciação. Eu pulei na piscina.

Um leve sorriso cintilou sob sua expressão séria.

— Então a noite foi um sucesso.

— Foi.

— Fico feliz. — Ele olhou por cima de mim. — Boa noite, Ren.

— Boa noite, senhor... pai da Carolina.

Ren virou a scooter e foi embora, espalhando cascalho.

— Olá, olá — disse uma mulher quando entrei em casa com Howard.

Sonia e mais quatro pessoas estavam sentadas nos sofás, segurando taças de vinho. Jazz tocava ao fundo e todo mundo parecia meio alto. Pelo visto, Howard também estava dando uma festa. Ao estilo cemitério. Talvez mais tarde todos tivessem que mergulhar em piscininhas diante do memorial.

— Pessoal, esta é Lina — disse Sonia. — Lina, esse é o pessoal.

— Oi.

— *Che bella*. Você é uma beldade — ronronou uma mulher mais velha com óculos de gatinho.

Howard sorriu.

— Ela não é linda?

— Somos velhos amigos do seu pai — disse um dos homens num inglês vagaroso. — Nós o conhecemos desde seus dias loucos de garanhão. Ah, quantas histórias poderíamos contar.

— É — concordou o cara ao lado dele. — Howard não estava brigando com você por ter chegado tarde, não é? Porque talvez eu devesse lembrar a vez em que viajamos de mochilão pela Hungria e ele...

— Chega — disse Howard, às pressas. — Lina deu um pulinho na piscina, então tenho certeza de que ela quer subir e trocar de roupa.

— Que pena — falou Óculos de Gatinho.

— Boa noite — falei.

— Boa noite — responderam todos em coro.

Subi a escada. Estava *congelando.*

— Ela é a filha da fotógrafa? — perguntou a moça dos óculos de gatinho.

Eu parei.

— Sim. Ela é filha da Hadley. — Silêncio.

E... sua também, não é? Esperei que ele esclarecesse, mas alguém mudou de assunto.

Como *assim*?

Liguei para Addie no FaceTime assim que vesti uma roupa seca.

— Está pronta pra dizer "Eu avisei"?

— Estou *sempre* pronta pra falar "Eu avisei". Ai, meu Deus! Como foi? Incrível? — Ela começou a pular na cama.

Eu abaixei o volume do computador.

— Sim. In-crí-vel.

— Por favor, diz que conheceu o italiano mais gato de todos os tempos.

— Conheci, mas ele não é italiano. É inglês.

Ela soltou um gritinho.

— Melhor ainda! Ele tem redes sociais? Preciso investigar a vida dele.

— Não sei. Não perguntei.

— Vou pesquisar. Qual é o nome dele?

— Thomas Heath.

— Até o nome é atraente. — Addie ficou quieta por um minuto enquanto digitava o nome dele. — Thomas... Heath... Florença... — Ela ficou sem ar. — MINHA NOSSA SENHORA DA TENTAÇÃO. Ele tem o cabelo mais bonito que eu já vi. O garoto parece um modelo. Talvez um modelo de cueca.

— Não é?

— Já viu esse deus sem camisa? Você precisa dar uma olhada nessas fotos do perfil dele. Não consigo parar de ver. Ah, que ótimo. Agora você nunca mais vai voltar pra Seattle. Por que voltaria quando *Thomas Heath* está...

— Addie, calma! Ele pode ser um deus grego que não vai fazer diferença. Eu não vou ficar aqui.

— Como assim não vai fazer diferença? Você pode ter um casinho de verão, não é? E, uau! Quer dizer, sério, *uau*! O cara é lindo. Qual é o nome do seu outro amigo?

— Ren, mas o nome completo é Lorenzo Ferrara.

— É, você vai ter que soletrar pra mim.

— A mãe dele disse que é igual a Ferrari, só que com *a*.

— Ferrari com *a*... — Ela mordeu o lábio e digitou no teclado. — Cabelo cacheado? Joga futebol?

— É ele.

Ela sorriu para mim.

— Bem, Lina, você acertou dois alvos. Ren é muito fofo. Então, se não der certo com o Modelo de Cueca, você ainda estará bem servida.

— Não, Ren está fora de questão. Eu conheci a namorada dele hoje. Ela parece a Sadie Danes, só que sueca. E com alguns ajustes no Photoshop.

— Ah, fala sério. Você tentou fugir?

— Com certeza. Ela não ficou nada feliz quando viu que Ren tinha levado uma garota nova.

Addie suspirou, se recostando no travesseiro.

— Vou passar o resto do verão acompanhando sua vida na Itália. E eu sei que a coisa do cemitério é estranha, mas agora apoio cem por cento sua estadia aí. Você precisa ficar pelo menos mais um pouco. Faz isso por mim. Por favor!

— Vamos ver. Como está o Matt?

— Ainda não entendeu que estou interessada. Mas quem se importa com ele? Numa escala de um a dez, quão estranho seria se eu imprimisse o perfil do Thomas e emoldurasse?

Eu ri.

— Muito estranho. Até pra você.

— E se eu fizer um calendário do Thomas? "Doze Meses de Beleza Britânica". Acha que consegue tirar mais fotos dele sem camisa? Talvez você pudesse derramar suco nele na próxima vez que se encontrarem.

— Nem pensar.

Ela suspirou de novo.

— Você está certa. Seria muito estranho. Então, como está o diário?

— Vou ler mais um pouco agora. — Hesitei. — Ontem à noite foi meio difícil, mas também foi bom. Ela adorava este lugar.

— E você também vai adorar. E eu também. Indiretamente.

Balancei a cabeça.

— Veremos.

— Ok, volta pro diário. Quero saber qual foi a decisão errada dela. Esse suspense está me matando.

— Boa noite, Addie.

— Bom dia, Lina.

2 DE JULHO

Florença é exatamente como achei que seria, e completamente diferente. É mágica: o chão de pedras, os prédios antigos, as pontes. Mas também é suja. Você pode estar andando pela rua mais encantadora que já viu na vida e de repente sentir o cheiro de esgoto a céu aberto ou pisar em algo nojento. A cidade encanta, depois traz você de volta à realidade. Nunca estive num lugar onde quisesse registrar tudo. Passo muito tempo fotografando coisas que parecem existir somente aqui na Itália: roupas penduradas em vielas, gerânios vermelhos em latas velhas de molho de tomate, mas no geral tento capturar as pessoas. Os italianos são muito expressivos; nem é preciso tentar adivinhar o que estão sentindo.

Hoje vi o pôr do sol na Ponte Vecchio. Acho que posso dizer que enfim achei o meu lugar. Simplesmente não consigo acreditar que tive que vir até o outro lado do mundo para encontrá-lo.

9 DE JULHO

Francesca me introduziu oficialmente em seu grupo de amigos. Todos também fizeram o último semestre na ABAF, e são inteligentes e hilários, e me pergunto secretamente se estão sendo seguidos por câmeras de um reality show. Como é possível tanta gente interessante junta no mesmo lugar? Eis o elenco:

Howard: O perfeito cavalheiro sulista (Francesca o chama de gigante sulista), bonito, gentil e o tipo de cara que iria para a guerra por você. Ele faz parte de um grupo de pesquisa sobre a história de Florença, e quando não está dando aulas está assistindo às aulas.

Finn: Aspirante a Ernest Hemingway de Martha's Vineyard. Ele finge que a barba densa e o gosto por golas altas são obra do acaso, mas todos sabemos que ele passa metade de seu tempo lendo *O sol também se levanta*.

Adrienne: É francesa e talvez seja a pessoa mais bonita que já vi na vida real. Ela é muito quieta e incrivelmente talentosa.

Simone e Alessio: Juntei os dois porque estão SEMPRE juntos. Eles cresceram juntos perto de Roma e estão sempre aos socos, normalmente porque nenhum dos dois jamais namorou uma garota pela qual o outro não se apaixonasse na mesma hora.

E, enfim...

Eu: Entediante. Americana aspirante a fotógrafa que está tonta desde o instante em que seu avião aterrissou em Florença.

O apartamento que divido com Francesca se tornou o ponto de encontro oficial. Todos nos aglomeramos na sacada minúscula e temos longas discussões sobre coisas como velocidade do obturador e exposição. Não é o paraíso?

20 DE JULHO

Pelo visto, não dá para aprender italiano por osmose, por mais que você durma com *Italiano para leigos* aberto sobre o rosto. Francesca disse que aprender uma língua é a coisa mais fácil do mundo, mas falou isso enquanto fumava, estudava abertura do diafragma e fazia um pesto caseiro, então talvez não entenda muito bem o significado da palavra "fácil". Eu me inscrevi no curso de italiano para iniciantes do instituto. As aulas são à noite três vezes por semana. Finn e Howard também estão no curso. Os dois estão bem mais adiantados que eu, mas fico feliz por ter a companhia deles.

23 DE AGOSTO

Faz mais de um mês que não escrevo, mas por um bom motivo. Tenho certeza de que não será nenhuma surpresa quando disser que me A-P-A-I-X-O-N-E-I. Que clichê! Mas, sério, mude-se para Florença, coma algumas garfadas de massa, depois passeie ao crepúsculo e simplesmente TENTE não se apaixonar pelo cara por quem você está babando desde o primeiro dia! Provavelmente você não vai conseguir. Eu amo estar apaixonada na Itália, mas verdade seja dita: eu me apaixonaria por X em qualquer lugar. Ele é bonito, inteligente, charmoso e tudo o que sempre sonhei. Também estamos mantendo as coisas em segredo, o que, para ser sincera, o torna ainda mais atraente. (Sim, X. Eu duvido que alguém vá ler meu diário, mas vou me referir a ele assim só por precaução.)

O QUÊ? Deixei o caderno cair no meu colo. Só tinha levado três páginas para Howard ter passado de "cavalheiro sulista" certinho a amante secreto X. Pelo visto, eu não estava dando crédito suficiente a ele.

Peguei meu laptop e fiz outra chamada de FaceTime. Addie atendeu na hora. Seu cabelo estava enrolado numa toalha e ela segurava um waffle mordido.

— E aí?

— Eles tiveram que manter o relacionamento em segredo — falei, baixinho.

Pelo que eu podia ouvir, os convidados do Howard ainda estavam se cumprimentando lá fora, na varanda, com tapinhas nas costas e falando "Vamos repetir isto em breve".

— Howard e sua mãe?

— É. Ela escreveu que eles eram do mesmo grupo de amigos, e de repente começa a chamá-lo de X porque tem medo que alguém pegue seu diário e descubra que eles estão namorando em segredo.

— Que escândalo! — exclamou Addie, alegre. — Por que eles tinham que manter segredo? Ele era da máfia ou coisa do tipo?

— Ainda não sei.

— Liga de novo assim que descobrir. Droga. Eu não vou estar aqui! O Ian vai me levar à concessionária. Finalmente vou pegar meu carro de volta.

— Que boa notícia.

— Nem me fala. Ontem à noite ele me fez dobrar toda a roupa lavada nojenta dele antes de me levar na casa do Dylan. Me liga amanhã?

— Com certeza.

9 DE SETEMBRO

Agora que comecei a escrever minha <u>storia d'amore</u>, posso contar como foi desde o começo. Na verdade, X foi uma das primeiras pessoas que conheci ao chegar em Florença. Ele deu uma das palestras de abertura do semestre, e depois eu simplesmente não consegui parar de pensar nele. Claro que ele é talentoso, e tem aquele tipo de beleza que faz você gaguejar mesmo ao dizer "oi" e "tchau", mas havia algo a mais; ele tinha uma <u>complexidade</u> que me fez querer entendê-lo.

Por sorte conseguíamos passar bastante tempo juntos dentro e fora da sala de aula. Só que nunca estávamos sozinhos. Nunca. Ou Francesca estava sentada no canto tagarelando ao celular, ou Simone e Alessio pediam opinião em alguma nova discussão ridícula, e nossas conversas pareciam nunca ir muito longe. Eu tinha uma grande dúvida na cabeça. ELE ESTÁ OU NÃO INTERESSADO? Em certos dias, eu tinha certeza de que sim, e em outros, nem tanto. Talvez eu só estivesse imaginando coisas.

Mesmo assim, sempre o pegava me olhando durante a aula, e toda vez que conversávamos havia algo entre nós que eu não podia ignorar. Isso durou semanas. E então, finalmente, quando achei que estava imaginando a coisa toda, eu o vi na Space. Francesca chamava o lugar de boate oficial da ABAF, mas ele nunca tinha ido conosco. Eu havia saído para tomar um pouco de ar, e quando entrei de novo, lá estava ele, encostado na parede. Sozinho.

Eu sabia que era minha chance, mas quando comecei a me aproximar, percebi que não sabia o que dizer. "Oi. Espero não parecer louca, mas você notou que nós dois temos uma química estranha?" Por sorte, nem tive que abrir a boca. Assim que me viu, ele estendeu a mão e segurou meu pulso. "Hadley", disse. E pelo jeito que ele falou... eu soube que não estava imaginando coisas.

15 DE SETEMBRO

Encontrei X nos Jardins de Boboli para ficarmos um pouco sozinhos. É um parque do século XVI que parece um oásis no meio da cidade. Cheio de obras arquitetônicas, chafarizes e espaço suficiente para fazer qualquer um esquecer que está numa cidade. Nós dois levamos nossas câmeras, e depois de fotografarmos tudo o que queríamos, nos sentamos debaixo de uma árvore e conversamos. Ele sabe muito sobre arte. E história. E literatura. (E sobre tudo. Mesmo.) O parque fechou às sete e meia, mas quando me levantei para guardar as coisas, ele me puxou e nos beijamos até o guarda nos mandar ir embora.

20 DE SETEMBRO

A única parte difícil de estar apaixonada por X é não contar a ninguém. Eu sei que a escola não gostaria que namorássemos, mas é difícil manter algo assim em segredo. É uma tortura passar metade do dia a três metros um do outro sem poder tocar nele.

Eu não tenho nenhum talento para guardar segredos, e todo mundo parece saber que estou apaixonada. Parte disso é logística. Na maioria das noites, nos encontramos tarde, e eu não volto para casa antes das três ou quatro da manhã. Eu disse à Francesca que estou treinando minha fotografia noturna, mas ela se limitou a revirar os olhos e dizer que sabe tudo sobre "fotografia noturna". Parte de mim se pergunta se todo mundo está só fingindo não saber o que está acontecendo. Será que são assim tão burros? Nosso relacionamento está acontecendo bem debaixo do nariz deles!

9 DE OUTUBRO

X e eu estamos começando a ficar muito criativos na hora de achar lugares para os encontros. Sabíamos que todos os outros ficariam em casa estudando esta noite, então fomos à Space (aquela de antes) e depois de dançarmos até cansar, perambulamos pela cidade. X disse que tinha uma surpresa para mim e nos embrenhamos pelas ruas escuras até eu sentir o cheiro de algo maravilhoso, uma mistura de açúcar, manteiga e algo mais. Êxtase?

Enfim, viramos uma esquina e vimos um grupo de pessoas reunidas ao redor de uma porta iluminada. Era uma padaria secreta, o que é raro. Basicamente, os padeiros trabalhavam durante a noite para preparar sobremesas para restaurantes, e embora fosse ilegal, eles vendiam doces recém-saídos do forno por alguns euros.

Só algumas pessoas bem-informadas sabem disso, mas estas, bem... Digamos apenas que correm o risco de se tornarem notívagas.

Todo mundo na fila estava muito quieto e nervoso, e quando chegou nossa vez, X comprou um *cornetto* recheado com chocolate, um tipo de croissant, e dois *cannolis*. Então nos sentamos no meio-fio e devoramos tudo. Quando cheguei em casa, Francesca, Finn e Simone estavam esparramados nos pequenos sofás, e todos ficaram implicando comigo, perguntando que fotos noturnas eram essas que eu havia tirado. Eu queria poder contar a eles.

~

Uau.

Para começo de conversa, quero ir a essa padaria secreta. Eu nem sabia o que era *cornetto* ou *cannoli* e estava praticamente babando nas páginas. Mas, acima de tudo, para que tanto segredo?

Folheei outra vez os registros anteriores no diário. Será que as escolas tinham mesmo uma política contra o relacionamento entre alunos e professores-assistentes? Eu entenderia que fosse uma regra para professores de verdade, mas assistentes de pesquisa? E minha mãe estava *arrebatada*. Como era possível alguém tão apaixonada ir embora e manter a filha deles em segredo por dezesseis anos?

Marquei a página do diário e fui até a janela. A noite estava maravilhosa. Nuvens passavam sobre a lua como navios-fantasma, e agora que os amigos do Howard tinham ido embora, tudo estava calmo e silencioso.

De repente, um vulto chamou minha atenção, e eu gelei. O que era *aquilo*? Eu me debrucei na janela, com o coração martelando no peito. Um borrão branco se movia em direção à casa. Parecia uma pessoa, mas estava passando rápido demais, como um... Estreitei os olhos. Aquele era *Howard*? De skate?

— O que você está fazendo? — sussurrei.

Ele deu um impulso forte com o pé e passou rapidamente pela entrada de carros, como uma foca deslizando para o mar. Como se fosse algo que fizesse sempre.

Eu tinha que conhecer melhor aquele cara.

Capítulo 11

— LINA, ESTÁ ACORDADA? TELEFONE PARA VOCÊ.

Howard bateu na porta aberta do quarto, e eu enfiei o diário embaixo da cama. Eu estava relendo os trechos da noite anterior. E enrolando. Porque, sim, queria saber o que tinha acontecido, mas também queria prolongar a parte feliz. Mais ou menos como aquela vez em que parei *Titanic* na metade e fiz Addie assistir à primeira parte de novo.

— Quem é?

— Ren. Tenho que comprar um celular para você. Fique com o meu por enquanto. Vou usar o fixo.

— Obrigada.

Eu me levantei e fui até ele, que estava completamente acordado e não tinha nada a ver com o X do diário. Nenhum sinal de seu sombrio passeio noturno. Ou de práticas suspeitas de namoro.

Ele me entregou o celular.

— Você poderia dizer ao Ren que ele não precisa ter medo de mim, por favor? O garoto quebrou o recorde mundial de quantas vezes se falou "senhor" numa única conversa.

— Posso, mas acho que não vai fazer diferença. Você realmente deixou ele assustado naquela primeira ligação.

— Eu tive um bom motivo. — Ele sorriu. — Vejo você um pouco mais tarde? Devo sair do trabalho lá pelas cinco.

— Ok.

Encostei o celular no ouvido e Howard foi para o corredor. *Ciao*, *misterioso X*.

— Oi, Ren.

— *Ciao*, Lina. Que bom que você está viva.

Eu me inclinei casualmente porta afora e observei Howard descer a escada. Ele e minha mãe haviam se agarrado num parque público? Não é o tipo de coisa que uma filha quer saber sobre os pais. E o que tinha sido tão especial no jeito que ele dissera o nome dela quando ficaram juntos pela primeira vez na Space? Parecia uma cena brega de uma daquelas novelas que a mãe da Addie não admitia que via.

— Você está aí? — perguntou Ren.

— Sim, desculpa. Estou meio distraída.

Fechei a porta do quarto e me sentei na cama.

— Então, ele não ficou zangado?

— Não. Ele estava dando uma festa e acho que nem percebeu que nos atrasamos.

— *Fortunato*. Você já foi correr?

— Não. Ia sair agora. Quer ir também?

— Já estou a caminho. Me encontra no portão do cemitério.

Troquei de roupa e corri para encontrá-lo. Ren estava com uma camiseta laranja chamativa e corria sem sair do lugar como um velho. Como sempre, seu cabelo caía nos olhos e ele estava vermelho e suado da corrida.

— Como *essa* roupa não tem cara de americana? — perguntei, puxando a camisa dele.

— Não tem cara de americana quando está num italiano.

— Metade italiano — corrigi.

— Metade é o suficiente. Pode acreditar em mim.

Começamos a correr pela estrada.

— Então, sua mãe ganhou o Prêmio LensCulture... — comentou Ren.

Olhei para ele.

— Como você sabe?

— Existe uma coisa chamada internet. É muito útil.

— Ah, sim. Eu lembro vagamente que isso existia antes de morar na Itália.

Eu havia tentado fazer uma chamada pelo FaceTime com Addie umas dez vezes naquela manhã para contar a ela as novidades sobre a leitura da noite, mas só aparecera a mensagem NO SERVIZIO. Pelo menos agora podia usar o celular do Howard sempre que quisesse.

— Encontrei um monte de matérias sobre ela. Você não me contou que sua mãe era tão famosa.

— O LensCulture deu uma alavancada na carreira dela. Foi quando ela começou a trabalhar só com fotografia.

— Eu gostei da foto. Nunca tinha visto nada parecido. Como era mesmo o nome? *Apagado*?

Ele me ultrapassou, depois abraçou o próprio corpo, olhando por cima de um dos ombros. Minha mãe fotografara uma mulher que tinha acabado de remover um nome tatuado no ombro.

Eu ri.

— Nada mau.

Ele voltou a correr ao meu lado.

— Também vi autorretratos que ela fez quando estava doente. São bem intensos. Vi você em alguns deles.

Mantive os olhos grudados na estrada.

— Não gosto de ver esses.

— Compreensível.

Chegamos a um trecho em que havia um declive e imediatamente acelerei. Ren fez o mesmo.

— Então... pretende sair com seus amigos de novo em breve? — perguntei.

— Está falando do Thomas?

Eu enrubesci.

— E... dos outros.

Minha prioridade era descobrir o que havia acontecido entre minha mãe e Howard, mas isso não significava que eu tinha que desperdiçar minha chance com Thomas, não é?

— É Marco, não é? Você está louca pra ver ele de novo, certo?

Eu ri outra vez.

— Talvez.

— Thomas não pegou o seu número?

— Eu nem tenho celular. Você sempre liga pro cemitério, lembra?

Além disso, ele não tinha pedido. Provavelmente porque havia se lembrado do seu relógio caro *depois* de pular comigo na piscina.

— Também já liguei pro celular do seu pai. Mesmo que estivesse apavorado.

— Como conseguiu o número?

— Sonia me deu, mas levei tipo uma hora pra tomar coragem de ligar.

Suspirei.

— Ren, você precisa esquecer aquela primeira conversa ruim com Howard. Ele é um cara muito legal. Não vai machucar você por ser simpático comigo.

— Um ogro já gritou com você por algo que não fez? Não é tão fácil esquecer.

— Ogro? — Eu ri.

— As pessoas não são tão altas aqui. Aposto que ele atrai todos os olhares quando chega em algum lugar.

— É bem provável.

O menor caminhão do mundo passou por nós, buzinando várias vezes. Ren acenou.

— Ei, quer ir à cidade comigo hoje à noite? Podíamos tomar sorvete ou só passear, ou algo assim. Talvez lá pelas oito e meia?

— A Modelo Sueca não vai ficar chateada?

Eu estava só brincando, mas ele me olhou com uma cara séria.

— Acho que não.

Quando Ren chegou para me buscar, Howard e eu estávamos terminando de jantar. Ele tinha preparado macarrão com tomate e muçarela frescos, e eu passara a refeição inteira olhando para ele como uma louca. *X é bonito, inteligente, charmoso.* Menos quando você engravida dele? Aí de repente ele passa a ser tão terrível que você foge para o outro lado do mundo para evitá-lo por dezesseis anos? Eu pegara o diário três vezes naquela tarde, e todas as vezes o largara. Era difícil demais.

— Está tudo bem? — perguntou Howard.

— Sim. É que eu estava... pensando.

Desde que tínhamos combinado *não* falar da minha mãe, as coisas estavam um pouco melhores. Na verdade, era muito fácil conviver com ele. Howard era uma mistura de hippie e nerd que sabe tudo de história.

Enfiei o garfo na massa outra vez.

— Está muito bom.

— Bem, o mérito não é do chef. É muito difícil fazer besteira tendo ingredientes tão bons. Então, o que acha de sairmos amanhã? Posso tirar o dia todo de folga, e teremos bastante tempo para turistar.

— Tudo bem.

— Para onde você e Ren vão hoje?

— Ele só disse que queria ir à cidade.

— Lina? — A cabeça do Ren apareceu na porta da cozinha.

— Falando nele...

— Desculpe pelo atraso. — Ele viu Howard e se assustou. — E eu deveria ter batido, senhor.

Howard sorriu.

— Oi, Ren. Quer jantar? Eu fiz *pasta con pomodori e mozzarella*.

— *Buonissimo*. Mas não, obrigado. Eu já comi. Minha mãe tentou reproduzir um prato do KFC e fez uma panela enorme de purê que basicamente se transformou em cola. Ainda estou tentando digerir.

— Ecaaa.

Howard riu.

— Já passei por isso. Às vezes a gente simplesmente precisa de KFC — comentou, então pegou o prato e entrou na cozinha.

Ren se sentou ao meu lado, pegou um fio de macarrão do meu prato e perguntou:

— Então, aonde vamos hoje?

— Como vou saber? Você que é de Florença.

— É, mas tenho a sensação de que você não passou muito tempo na cidade. Tem alguma coisa que esteja louca pra ver?

— Não tem tipo uma torre inclinada ou coisa assim?

— Linaaa. Isso fica em Pisa.

— Relaxa, estou brincando, mas, na verdade, tem uma coisa que eu quero ver. Vamos lá em cima comigo um segundo. — Eu levei meu prato para a cozinha, e Ren me seguiu até o quarto.

— Este é mesmo seu quarto? — perguntou ele quando entramos.

— É. Por quê?

— Você não tirou nada da mala? Isto aqui está meio vazio. — Ele abriu uma das gavetas vazias da cômoda, depois a fechou devagar.

— Todas as minhas coisas estão aqui. — Eu apontei para a mala.

Qualquer um que olhasse acharia que ela havia explodido, as roupas estavam espalhadas em cima dela.

— Você não vai ficar aqui um tempo?

— Só o verão.

— São, tipo, dois meses.

— Espero que seja menos. — Lancei um olhar para a porta aberta.

Ai. Será que era imaginação ou minha voz tinha reverberado pelo cemitério inteiro?

— Acho que não dá pra ele ouvir.

— Espero que não.

Eu atravessei o quarto, depois me ajoelhei para pegar o diário embaixo da cama e comecei a folheá-lo.

— Eu li sobre um lugar... Ponte Véchio?

— *Ponte Vecchio*? — Ele me olhou com uma cara de dúvida. — Você está brincando, não é?

— Eu sei que falei errado.

— Bem, falou, quer dizer, você assassinou o nome. Mas você *nunca* foi lá? Há quanto tempo está em Florença?

— Desde terça à noite.

— Isso significa que deveria ter visto a Ponte Vecchio na quarta de manhã. Vai se arrumar. Estamos saindo.

Olhei minha roupa.

— Eu já estou pronta.

— Desculpa. Foi modo de dizer. Pega sua bolsa ou seja lá o que for. Estamos indo. Você precisa conhecer. Está na minha lista de dez lugares preferidos no mundo.

— Está aberta? São quase nove horas.

Ele soltou um gemido.

— Sim, está aberta. Vamos.

Peguei o dinheiro que Howard tinha me dado na noite anterior e enfiei o diário na bolsa. Ren já estava no meio da escada quando fui atrás, mas ao chegar lá embaixo ele parou de repente, e eu dei um encontrão nele.

Howard estava sentado no sofá, com o laptop apoiado nos joelhos.

— Aonde vocês dois estão indo com tanta pressa?

— Lina ainda não foi à Ponte Vecchio. Vou levar. — Ren pigarreou. — Com sua permissão, senhor.

— Permissão concedida. É uma ótima ideia. Lina, você vai adorar.

— Obrigada. Espero que sim.

Fomos até a porta.

— Estou de olho em você, Ren — disse Howard no instante em que Ren saiu para a varanda.

Ren não se virou, mas se empertigou como se tivesse tomado um choque na coluna. Howard me olhou e piscou.

Ótimo. Agora Ren nunca mais ia relaxar.

A noite estava quente, e Florença parecia duas vezes mais cheia do que quando eu fui com Howard. Ir de scooter era um pouco mais rápido porque podíamos passar entre os carros no engarrafamento, mas mesmo assim levamos um bom tempo. Não que eu me importasse. Andar de scooter era muito divertido, e o ar frio que soprava parecia ser minha recompensa por sobreviver a um dia tão longo e quente. Quando Ren estacionou, a lua já surgira redonda e pesada como um tomate maduro, e eu me senti como se tivesse dado um mergulho longo e refrescante.

— Por que está tão cheio hoje? — perguntei, entregando o capacete para ele guardar embaixo do banco.

— É verão. As pessoas gostam de sair. E os turistas chegam em bando. São verdadeiras manadas!

— Ren, você é meio estranho.

— Já me falaram isso.

— O que essa ponte tem exatamente?

— "Ponte Vecchio" significa "Ponte Velha". Ela fica sobre o rio Arno. Vem, é por aqui.

Fiz o possível para acompanhá-lo enquanto ele abria caminho para atravessar a rua, e logo chegamos a uma calçada larga junto ao rio. O Arno se estendia escuro e misterioso, e as margens eram iluminadas como uma passarela, com fios de luzes cintilantes que desapareciam em ambas as direções.

Eu me permiti um segundo para absorver tudo aquilo.

— Ren... é lindo. Não acredito que as pessoas possam morar aqui de verdade.

— Como você mora?

Eu o olhei e ele estava sorrindo. Dã.

— Bem, é, acho que sim.

— É só esperar. Depois de ver isso você vai querer ficar aqui pra sempre.

As pessoas que passavam por ali empurravam umas às outras, então Ren me deu o braço e fomos até o rio, pulando por cima de um cara de cabelo comprido sentado de costas para a água. Ele tocava um violão velho e cantava "Imagine" com um forte sotaque.

— Meu pai tem um livro que ensina letras de música em inglês pra italianos. Acho que vou emprestar para aquele cara ali — brincou Ren.

— Ah, mas pelo menos ele transmite o sentimento certo. Está cantando com muita nostalgia.

O ponto em que meu braço tinha ficado colado ao do Ren estava esquentando, mas antes que eu pudesse pensar nisso, ele se afastou e colocou as mãos nos meus ombros.

— Pronta pra engolir seu chiclete?

— O quê?

— Pronta pra ver a Ponte Vecchio?

— Claro. É por isso que estamos aqui, não é?

Ele se virou e apontou.

— Por ali.

A calçada havia nos levado a uma pequena ponte para pedestres. Era pavimentada com asfalto, e vários turistas se aglomeravam em volta de panos e cobertores sobre os quais bolsas e óculos escuros falsos estavam à venda. *Nada* interessante.

— É aqui? — perguntei, tentando não demonstrar muito que estava decepcionada.

Talvez fosse mais legal durante o pôr do sol.

Ren soltou uma gargalhada.

— Não. Não é *esta* ponte. Pode acreditar em mim, você vai saber quando colocar os olhos nela.

Fomos até o centro da ponte, e um homem negro se colocou diante do seu cobertor cheio de mercadorias.

— Meu jovem, quer bolsa bonita Prada para namorada? Quinhentos euros na loja, mas dez euros para você. Faz ela sentir amor de verdade.

— Não, obrigado — disse Ren.

Eu o cutuquei.

— Não sei, não, Ren. Parece um ótimo negócio. Dez euros pelo amor verdadeiro?

Ele sorriu, parando no meio da ponte.

— Você não viu, não é?

— Vi o qu… ah.

Corri para o guarda-corpo. Estendida sobre o rio, a uns quatrocentos metros de nós, havia uma ponte que parecia ter sido construída por fadas. Três arcos de pedra erguiam-se graciosamente da água, e toda a extensão era coberta por uma fileira flutuante de prédios coloridos debruçados sobre o rio. Havia três arcos menores abertos no centro, e tudo emanava uma luz dourada na escuridão, iluminado pelo próprio reflexo na água.

Chiclete oficialmente engolido.

Ren sorria para mim.

— Uau! Nem sei o que dizer.

— Não é? Vem. — Ele olhou para a direita, depois para a esquerda, e pulou o guarda-corpo da ponte como num salto com vara.

— Ren!

Eu me debrucei, com a certeza de que o veria nadando cachorrinho em direção à Ponte Vecchio, mas acabei cara a cara com ele. Ren estava agachado numa borda protuberante do tamanho de uma mesa que pendia sobre a água e parecia ridiculamente satisfeito consigo mesmo.

— Eu estava esperando ouvir você caindo na água.

— Eu sei. Agora vem. Só toma cuidado pra ninguém ver.

Dei uma olhada para trás, mas todo mundo estava envolvido demais com as Prada falsificadas para prestar atenção em mim. Subi no parapeito e pulei ao lado dele.

— Isso é permitido?

— De jeito nenhum, mas daqui se tem a melhor vista.

— É incrível.

Por algum motivo, o barulho das pessoas lá de cima não chegava até nós, e juro que a Ponte Vecchio estava ainda mais brilhante e régia. Tive uma sensação solene e perplexa. Como a de ir à igreja. Só que eu queria ficar ali pelo resto da vida.

— Então, o que acha?

— Ela me faz lembrar de uma vez em que eu e minha mãe fomos a uma reserva de papoulas na Califórnia. Todas as flores se abrem ao mesmo tempo, e planejamos nossa visita para chegar na hora certa. Foi mágico.

— Como isso aqui?

— É.

Ele chegou para trás, parando a meu lado, e encostamos a cabeça na parede, apenas admirando. *Enfim achei o meu lugar*. Era como se minha mãe estivesse acenando para mim do outro lado do rio. Se eu forçasse a vista, quase podia vê-la. Meus olhos ficaram um pouco embaçados, transformando as luzes da Ponte Vecchio em grandes halos dourados, e tive que passar uns trinta segundos fingindo que um cisco misterioso do Arno tinha caído no meu olho.

Pela primeira vez, Ren ficou em completo silêncio, e quando o acesso de choro passou, olhei para ele.

— Então, por que se chama "Ponte velha"? Não é tudo velho por aqui?

— É a única ponte que sobreviveu à Segunda Guerra Mundial, e é muito, muito velha, até pros padrões italianos. Tipo, medieval. Aquelas coisas que parecem casas eram açougues. Eles abriam as janelas e jogavam todo o sangue e as entranhas no rio.

— Não acredito. — Olhei de novo para as janelas. A maioria tinha venezianas verdes e todas já estavam fechadas. — São lindas demais pra isso. O que são agora?

— Joalherias luxuosíssimas. E está vendo aquelas janelas espaçadas no topo da ponte?

Eu assenti.

— Sim.

— Aquilo é uma passarela. Chama-se Corredor Vasariano e era usada pelos Médici como forma de se deslocar por Florença sem precisar andar pela cidade.

— A família da Elena.

— *Esattamente*. Assim não precisavam se misturar conosco, a ralé. Quem expulsou todos os açougueiros foi Cosimo Médici. Ele queria dar mais prestígio à ponte. — Ren olhou para mim. — Então, que livro era aquele que você estava lendo? O que estava debaixo da sua cama.

Você confia nele. As palavras abriram caminho na minha cabeça antes que eu ao menos tivesse a chance de questionar. E daí que eu só conhecia Ren havia dois dias? Eu sentia que podia confiar de verdade nele.

Tirei o diário da bolsa.

— É o diário da minha mãe. Ela estava morando em Florença quando engravidou de mim, e escreveu neste diário sobre essa época. Ela o enviou para o cemitério antes de morrer.

Ele olhou para o caderno, depois para mim.

— Caramba. Isso é muito *pesado*.

Pesado. Exatamente. Eu abri na primeira página, olhando de novo as palavras agourentas.

— Comecei a ler um dia depois que cheguei. Estou tentando entender o que aconteceu entre Howard e ela.

— Como assim?

Eu hesitei. Seria possível resumir toda aquela história complicada em algumas frases?

— Ela conheceu Howard quando estava estudando aqui, e depois que ficou grávida foi embora da Itália e nunca contou a ele sobre mim.

— Sério?

— Quando ela ficou doente, começou a me falar muito dele, e depois me fez prometer que viria morar aqui por um tempo. Só que não me contou o que tinha dado errado entre eles, e acho que me deixou este diário pra que eu descobrisse.

Eu me virei e olhei nos olhos do Ren.

— Então, ontem à noite, quando você disse que não conhecia Howard muito bem, não estava exagerando.

— É. Eu oficialmente o conheço há... — Contei nos dedos. — Quatro dias.

— Não acredito! — Ele balançou a cabeça, incrédulo, e seus cachos balançaram. — Então me deixe entender bem. Você é uma americana morando em Florença... Não, morando num *cemitério*... com um pai que acabou de descobrir que tem? Você é ainda mais estranha que eu.

— Ei!

Ele bateu com o ombro no meu.

— Não, não falei no mau sentido. Só quis dizer que nós dois somos meio diferentes.

— Por que você é diferente?

— Eu sou metade americano, metade italiano. Quando estou na Itália, me sinto americano demais, e quando estou nos Estados Unidos, me sinto italiano demais. Além disso, sou mais velho que todo mundo da minha turma.

— Quantos anos você tem?

— Dezessete. Minha família morou no Texas por alguns anos quando eu era bem pequeno, e quando voltamos eu não falava italiano muito bem. Já era meio velho em relação aos outros alunos do meu ano da escola, e acharam melhor eu entrar na turma anterior pra alcançar os outros. Meus pais acabaram me matriculando na escola americana alguns anos depois, mas a direção não permitiu que eu pulasse um ano.

— Quando você faz dezoito?

— Em março. — Ele me olhou. — Mas então, você só vai passar o verão mesmo?

— É. Howard e minha avó querem que eu fique mais tempo, mas obviamente a situação é muito estranha. Eu mal o conheço.

— Mas talvez acabe conhecendo melhor. Tirando a serra elétrica, eu até que gosto dele.

Eu dei de ombros.

— É que é muito bizarro. Se minha mãe não tivesse ficado doente, eu provavelmente não saberia nada sobre ele. Ela sempre me disse que tinha engravidado muito jovem e decidido que era melhor me criar sozinha.

— Até agora.

— Até agora — repeti.

— Onde você vai morar quando sair de Florença?

— Com minha amiga Addie, eu espero. Fiquei com a família dela até terminar o segundo ano, e ela vai perguntar aos pais se também posso morar lá no ano que vem.

Ele olhou para o diário.

— Então, o que você está lendo aí?

— Bem, até agora sei que eles tinham que manter o relacionamento em segredo. Ele era professor-assistente na escola que ela frequentava, e acho que a direção não teria gostado. E ela levava esse segredo muito a sério. Tipo, depois que começaram a namorar, ela parou de escrever o nome dele porque tinha medo de que alguém lesse o diário e descobrisse. Ela só o chama de "X".

Ele balançou a cabeça.

— Sério? Bem, a resposta pra sua pergunta deve ser essa. A maioria dos romances secretos parece ter prazo de validade.

— Talvez, mas quando cheguei aqui, Sonia disse que minha mãe morou um tempo com Howard no cemitério, então não era exatamente secreto. E disse que um dia minha mãe simplesmente foi embora, sem nem sequer se despedir dela.

— Nossa. Deve ter acontecido alguma coisa. Alguma coisa séria.

— Tipo... uma gravidez?

— Ah. Acho que isso seria importante. — Ele mordeu o lábio, pensativo. — Agora você me deixou curioso. Me mantém atualizado, está bem?

— Claro.

— Então ela adorava a Ponte Vecchio? Sobre quais outros lugares ela escreveu?

Peguei o diário das mãos dele e comecei a folheá-lo.

— Ela fala algumas vezes de uma boate, a Space.

— Space Electronic? — Ele riu. — Não acredito. Eu fui lá há umas duas semanas. Elena adora aquele lugar. Ela conhece um dos DJs, então conseguimos entrar de graça. O que mais?

— O Duomo, os Jardins de Boboli... Ele também a levou a uma padaria secreta. Você sabe onde fica?

— Uma padaria secreta?

Entreguei o diário a ele.

— Lê isso aqui.

Ele passou os olhos pela página em que minha mãe conta sobre a padaria.

— Nunca ouvi falar disso, mas deve ser incrível. Pena que ela não anotou o endereço, eu adoraria comer um *cornetto* fresco.

O celular do Ren começou a tocar, ele o tirou do bolso e hesitou por um instante, depois apertou SILENCIAR. Na mesma hora, voltou a tocar e ele apertou SILENCIAR outra vez.

— Quem é?

— Ninguém.

Ele enfiou o celular no bolso, mas consegui ver o nome na tela. *Mimi*.

— Ei, quer tomar um gelato?

Franzi a testa.

— O que é isso?

Ele soltou um gemido.

— Gelato. Sorvete italiano. A melhor coisa que vai acontecer na sua vida. O que você ficou *fazendo* desde que chegou?

— Indo pra lá e pra cá com você.

— E está me dizendo que só tenho um verão... — Ele balançou a cabeça, depois se levantou. — Vem, Lina. Temos muitas coisas pra fazer.

Capítulo 12

ENTÃO... GELATO ITALIANO. IMAGINE A DELÍCIA QUE É UM sorvete de casquinha comum, multiplique por um milhão, depois arremate com pó de chifres de unicórnio. Ren me fez parar depois de tomar a quarta bola. Eu provavelmente teria continuado para sempre.

Quando cheguei, Howard estava assistindo a um filme antigo do James Bond com os pés descalços apoiados na mesinha de centro. Havia um balde de pipoca gigantesco ao lado dele.

— O filme acabou de começar... quer assistir?

Olhei para a tela. O James Bond das antigas nadava em direção a um prédio usando um disfarce que era basicamente um pato empalhado preso a um capacete. Em geral, eu adorava filmes antigos cafonas, mas naquela noite tinha outras coisas em mente.

— Não, obrigada. Vou descansar. — *E espero conseguir respostas.*

9 DE NOVEMBRO

Esta foi a melhor noite da minha vida, e devo isso a uma estátua.

Eu e X estávamos na Piazza della Signoria olhando a estátua de Giambologna chamada O rapto das sabinas. Fiquei muito confusa porque em inglês chamam de "*The Rape of the Sabine Women*", e na imagem não fica claro o que está acontecendo. São três figuras: um homem segurando uma mulher no ar e um segundo homem agachado no chão olhando para ela. É evidente que a cena é angustiante, mas os três são muito graciosos, harmoniosos até.

Eu disse a X que achava que a mulher parecia estar sendo erguida, não violentada, e claro que ele conhecia a história. Quando Roma foi fundada, os homens perceberam que havia algo muito importante faltando em sua civilização: mulheres. Mas onde as encontrariam? As únicas mulheres que viviam a uma distância relativamente pequena pertenciam a uma tribo vizinha chamada sabinos, e quando os romanos foram pedir permissão para se casarem com algumas das filhas daquelas famílias, ouviram um retumbante não. Então, numa atitude tipicamente romana, eles convidaram os sabinos para uma festa e, no meio da noite, dominaram os homens e arrastaram as mulheres desesperadas para sua cidade. Enfim, os sabinos conseguiram invadir Roma, mas àquela altura, era tarde demais. As mulheres não queriam ser resgatadas. Tinham se apaixonado por seus captores e, no fim das contas, chegaram à conclusão de que a vida em Roma era ótima. A palavra em latim *raptio* se parece com *rape*, que quer dizer estupro, mas na verdade significa "rapto". Só então entendi que o título da obra em inglês foi uma tradução equivocada.

Já estava tarde, e falei para X que precisava ir para casa, mas de repente ele se virou para mim e disse que me amava. Ele disse isso de um jeito casual, como se não fosse a primeira vez, e eu levei um instante para assimilar as palavras. Então o fiz repeti-las. Ele me AMA. Pode me raptar. Eu me rendo.

10 DE NOVEMBRO

Fui para a aula hoje de manhã depois de dormir umas duas horas. X chegou tarde, e embora eu soubesse que devia ter dormido ainda menos que eu, ele estava perfeito. Quebrou nossa regra de agir como simples amigos na escola e me abriu um enorme sorriso. Todos viram. Eu queria poder pausar esse momento e viver nele para sempre.

17 DE NOVEMBRO

Às vezes parece que meu tempo é dividido em duas categorias: o tempo com X e o tempo esperando para estar com X. Desde aquela noite na Piazza della Signoria, as coisas andam instáveis entre nós. Em certos dias, nos damos muito bem, e em outros, ele age como se eu realmente *fosse* apenas uma amiga. Ultimamente ele tem tomado cuidado demais para manter o segredo. Seria tão ruim assim se todo mundo soubesse? Acho que ficariam felizes por nós.

21 DE NOVEMBRO

Quando vim para a Itália, em junho, seis meses pareciam uma eternidade. Agora parece que estão escorregando por entre meus dedos. Só tenho mais um mês! O diretor da escola, o Signore Petrucione, disse que adoraria que eu ficasse por mais um semestre, e eu faria de tudo para ter um pouco mais de tempo para estudar e ficar com X, mas e o dinheiro? E meus pais? Será que ficariam arrasados? Toda vez que nos falamos, eles tocam no assunto da faculdade de enfermagem, e dá para perceber o quanto estão decepcionados.

Quando cheguei da aula hoje, havia uma carta deles. Eles tinham incluído dois avisos da universidade dizendo que se eu não voltar para o semestre seguinte, vou perder minha vaga. Só passei os olhos pelas correspondências, depois as enfiei no armário. Eu só queria que isso terminasse.

Ops. Primeiros sinais de problemas. Como aqueles minitremores sentidos antes de um terremoto. Como se chamam? Abalos? Sem dúvida eu os sentia naquelas páginas. Ele disse que a amava, mas não a deixava contar aos amigos sobre o relacionamento? Por que ele teimava tanto em manter o segredo? Minha mãe não parecia nem um pouco preocupada com isso.

Eu me recostei na cama e cobri os olhos com o braço. O jovem Howard parecia muito inconstante. Será que tinha usado toda aquela história de segredo como desculpa para não se comprometer de verdade? Será que ela gostava muito mais dele do que ele dela? Aquilo era deprimente *demais*. Coitada da minha mãe. Mas então como aquilo se encaixava no que Sonia dissera sobre Howard ser louco por ela?

Olhei a foto na mesa de cabeceira. Não conseguia parar de pensar no que sentira na Ponte Vecchio. Depois que minha mãe morreu, muita gente me disse que ela estaria sempre perto de mim, mas eu nunca senti isso. Até aquela noite. Eu me revirei na cama e peguei o celular do Howard na cômoda.

— *Pronto*? — Ren estava com uma voz grogue.

— Desculpa, você está dormindo?

— Não mais. Vi o número do Howard no meu celular e tive um ataque de pânico.

Eu sorri.

— Howard deixou o celular dele comigo. Ele disse que posso usá-lo até a segunda ordem. Então tenho uma pergunta pra você.

— Quer saber se vou levá-la à Space?

Levei um susto.

— Humm... é. Como sabia que eu ia perguntar isso?

— Tive um pressentimento. E já me adiantei. Mandei uma mensagem pra Elena quando cheguei em casa. Ela acha que aquele amigo DJ vai trabalhar lá essa semana, o que significa que vamos entrar de graça. Quer ir amanhã? Posso ver se mais gente da escola também quer ir.

Sim.

— Ren, seria perfeito. E obrigada de novo por me levar à Ponte Vecchio.

— E por apresentar você ao amor da sua vida? Acho que você bateu o novo recorde mundial da maior quantidade de gelato devorada de uma só vez.

— Quero tentar bater outro recorde amanhã. Qual foi aquele último sabor? O que tinha pedaços de chocolate?

— *Stracciatella.*

— Esse vai ser o nome da minha filha.

— Sorte a dela.

6 DE DEZEMBRO

Recebi um e-mail da faculdade de enfermagem declarando que minha matrícula foi oficialmente cancelada. Tentei solicitar uma prorrogação depois de receber aquelas cartas dos meus pais, mas, para ser sincera, não me esforcei muito. Meus pais estão zangados, mas eu só sinto alívio. Agora não há nada me atrapalhando. Quando contei a notícia a X, ele pareceu surpreso. Acho que não sabia que eu tinha tanta vontade de ficar.

8 DE DEZEMBRO

Ótima notícia! A escola se dispôs a me deixar ficar mais um semestre pagando a metade da mensalidade. Petrucione disse que eu sou uma das alunas mais promissoras que já passaram por aqui (!!) e que ele e o restante do corpo docente acham que outro semestre de estudos vai ajudar muito na minha futura carreira. FUTURA CARREIRA. Como se fosse uma certeza! Mal posso esperar para contar a X. Eu quase contei pelo telefone, mas decidi esperar e falar pessoalmente. Só vamos conseguir nos encontrar amanhã à noite. Espero que eu aguente até lá.

9 DE DEZEMBRO

Contei para X. Acho que a notícia o pegou de surpresa, porque por um segundo ele só ficou me olhando. Depois me levantou no colo e me girou. Estou muito feliz.

27 DE DEZEMBRO

X foi para casa passar as festas de fim de ano, e Francesca me salvou do que seria o Natal mais longo e triste da história ao me convidar para ir a Paris e ficar no apartamento vago do amigo dela.

Paris é o sonho de qualquer fotógrafo. Quando não estávamos ao ar livre tirando fotos, ficávamos na sacada do apartamento enroladas em cobertores e comendo caixas gigantescas de chocolate que dizíamos ter comprado para nossas famílias. Na véspera de Natal, convenci Francesca a ir ao rinque de patinação da Torre Eiffel, e, embora ela tenha ficado sentada na lateral reclamando do frio, eu patinei por mais de uma hora, tonta com a magia daquilo tudo.

O único lado ruim foi a saudade que senti de X. Francesca falou dele algumas vezes, e precisei de toda a minha força de vontade para não contar a ela o que está acontecendo entre nós. É como se estivéssemos levando uma vida dupla: somos amigos em público e namorados em particular. Detestei passar o Natal longe dele. E também estou preocupada. Como nosso relacionamento vai progredir se não podemos nem contar a ninguém que estamos juntos? Será que consigo sobreviver a mais seis meses de sigilo?

20 DE JANEIRO

As aulas voltaram com tudo, e agora que a empolgação inicial por ficar mais um semestre passou, estou presa à realidade, que significa calcular e recalcular. Toda noite pego meu caderno e experimento cenários diferentes. Quanto tempo na Itália meu dinheiro vai durar se eu fizer menos aulas? E se eu só comer espaguete com molho de tomate? E se eu conseguir um financiamento estudantil? (Dedos cruzados.) Todas as respostas são bastante incertas. Até posso ficar, mas vai ser apertado.

4 DE FEVEREIRO

O financiamento enfim saiu hoje. UFA. Fiz um jantar de comemoração. O tempo estava perfeito (frio e sem chuva), e a comida, divina. Até Simone e Alessio se comportaram bem: só tiveram uma discussão (o que é um recorde), e foi sobre quem comeria o último pedaço da caprese. Finn acabou não voltando para o semestre. Ele estava em dúvida e, no último instante, decidiu aceitar uma vaga de professor na Universidade do Maine. Francesca colocou um exemplar de *O velho e o mar* na cadeira onde ele sempre se sentava, então pelo menos nosso amigo estava aqui de alma. Senti aquela velha estranheza de sempre porque o pessoal ainda não sabia sobre X e eu, mas estou começando a aceitar. Ele não parece se importar, e as coisas são como são. Acho que estão fora do meu controle.

15 DE MARÇO

Aconteceu uma coisa estranha esta noite.

Adrienne não tem andado muito conosco neste semestre. Ela passa a maior parte das noites em casa e ultimamente parece nos evitar até nas aulas, então hoje alguns de nós a emboscamos em seu apartamento e a levamos para jantar. Depois, todo mundo foi lá para casa, mas quando chegamos ao prédio, ela ficou para trás. Finalmente fui procurá-la, e quando saí do apartamento, a vi na escada, conversando ao celular e soluçando como se seu coração tivesse sido partido ao meio. Tentei sair de fininho, mas as tábuas do piso rangeram, e quando ela me viu, me lançou um olhar que congelou até minhas entranhas. Ela foi embora sem se despedir.

20 DE MARÇO

Tive muito azar e acabei formando dupla com Adrienne para o trabalho "Andando por Florença". E eu digo "muito azar" porque as coisas têm andando muito desconfortáveis desde aquela noite.

Minha ideia para o projeto era ir até o Arno fotografar pescadores, mas Adrienne disse que já tinha o tema perfeito em mente. Ela falou de um jeito que não dava a menor abertura para discussão, então simplesmente peguei a câmera e fui com ela. Tentei perguntar se ela estava bem, mas ela deixou claro que não queria falar sobre aquela noite. Nem sobre mais nada. Enfim, desisti de tentar conversar e a segui pela cidade.

Andamos rápido em silêncio por uns dez minutos e então ela virou numa ruazinha e entrou numa pequena loja de suvenires. Havia dois homens de meia-idade sentados num canto jogando cartas e, quando a viram, assentiram para ela, que foi direto para os fundos da loja. Atrás da caixa registradora, havia uma porta com uma cortina de contas, e do outro lado ficava um quartinho com uma cozinha pequena e uma cama de solteiro. Uma mulher de vestido florido estava sentada diante de uma TV em preto e branco e, quando nos viu, ergueu a mão e disse: "Aspetta. Cinque minuti." (Tradução: "Esperem.

Cinco minutos." Viu? Estou aprendendo um pouco de italiano.)

Enquanto eu tentava descobrir o que estávamos fazendo ali, Adrienne pegou sua câmera e começou a tirar fotos do cômodo e da mulher, que não parecia notar. Enfim, Adrienne se voltou para mim e disse num inglês lento: "Esta é a Anna. Ela é médium. Os filhos dela são donos da loja ali na frente, e durante o dia ela joga tarô. Ninguém mais vai tirar fotos de uma médium de Florença. É um tema sem igual."

Tive que admitir que ela estava certa. Era sem igual. E o cenário não poderia ser mais interessante: um quartinho dos fundos decrépito, a cortina de contas, a fumaça do cigarro de Anna espiralando para o teto. Então peguei a câmera e também comecei a tirar fotos. Por fim, o programa terminou e a mulher se levantou para desligar a TV, indo devagar até uma mesa que ficava encostada na parede e gesticulando para nos sentarmos. Depois de nos apertarmos ao redor da mesa, ela pegou um baralho e começou a virar as cartas uma a uma, murmurando para si mesma em italiano. Adrienne largou a câmera e fez absoluto silêncio. Depois de alguns minutos, Anna olhou para nós e disse com um forte sotaque: "Uma de vocês vai encontrar o amor. As duas vão sofrer."

Fiquei meio perplexa. Não sabia que ela ia jogar tarô para nós. Minha reação não foi nada comparada à da Adrienne. Ela ficou arrasada. Depois que recuperou a compostura, começou a disparar perguntas em italiano até Anna se irritar e cortá-la. No final, Adrienne pagou e fomos embora. Ela não me dirigiu uma única palavra na volta.

23 DE MARÇO

Todos nós fomos a uma palestra na Galeria Uffizi. Howard se ofereceu para me levar em casa, e acabei contando sobre Adrienne e a médium. Ele passou vários minutos sem dizer nada. Então começou a andar mais rápido e perguntou se podia me mostrar uma coisa. Fomos até a Piazza del Duomo, e quando chegamos lá, ele me levou para o lado esquerdo da catedral e falou para eu olhar para cima. O sol tinha começado a se pôr e a sombra do Duomo cobria metade da *piazza*. Eu não sabia o que estava procurando; só conseguia ver as lindas paredes detalhadas, mas ele continuou tentando me fazer ver alguma coisa. Finalmente, pegou meu dedo e o guiou, de forma que acabei apontando para algo que se projetava da parede da catedral. "Ali", disse ele. E então eu vi: bem no meio de todos aqueles lindos entalhes e estátuas de santos, havia a escultura de uma cabeça de touro. Sua boca estava aberta e ele olhava para baixo como se observasse alguma coisa.

Ele contou que há duas histórias sobre a cabeça do touro. A primeira é que esses animais foram fundamentais para a construção do Duomo, e o touro foi acrescentado como forma de homenageá-los. A outra história tem um ar mais italiano.

Durante a construção do Duomo, um padeiro montou uma banca perto do canteiro de obras, e ele e sua mulher vendiam pão para os pedreiros e operários. A mulher do padeiro e um dos mestres de obra acabaram se conhecendo e se apaixonando, e quando o padeiro descobriu o caso, os levou para o tribunal, onde foram humilhados e sentenciados a passar a vida longe um do outro. Para se vingar, o mestre de obras esculpiu um touro e o colocou no Duomo, num ponto em que a escultura encarasse o padeiro em sua banca como um lembrete constante de que sua mulher amava outro homem.

Eu amo todo esse conhecimento que ele tem sobre Florença, e isso sem dúvida me distraiu do episódio com Adrienne, mas agora estou me perguntando sobre o momento em que ele resolveu me contar aquela história. Será que ele estava tentando me dizer alguma coisa?

Howard. Seu nome praticamente brilhava no papel. Por que daquela vez ela não se referiu a ele como X? Será que fora um deslize, ou eles estavam a ponto de tornar o relacionamento público? E havia alguma conexão entre Adrienne e o momento em que Howard contara a história?

Eu me levantei e fui até a janela. Ainda estava quente lá fora, quase abafado, e a lua banhava o cemitério como um refletor. Empurrei as violetas para o lado e me inclinei para a frente, apoiando os cotovelos no parapeito. Era estranho, mas em menos de uma semana as lápides já não me incomodavam tanto. Eram como pessoas pelas quais passamos na rua e mal notamos. Como um barulho de fundo.

Dois faróis apareceram acima das copas das árvores e observei o carro descer a estrada sinuosa. Por que Adrienne tinha levado minha mãe a uma leitura mediúnica da vida amorosa delas? Seria possível que ela também estivesse interessada em Howard? Talvez fosse com ele que ela estivesse falando na escada.

Suspirei. Até então, o diário não estava esclarecendo nada. Só confundia ainda mais as coisas.

Capítulo 13

— EU QUERO LHE MOSTRAR TANTOS LUGARES EM FLORENÇA que é difícil saber por onde começar.

Olhei para ele. Eu e Howard estávamos outra vez a caminho da cidade, e era muito difícil decidir o que eu sentia por ele. Talvez por ele estar ouvindo "Sweet Emotion", do Aerosmith, no volume máximo com todas as janelas abertas e às vezes improvisar uma bateria no volante fosse muito complicado pensar nele como o misterioso destruidor de corações X. Além disso, ele cantava muito mal.

Eu me apoiei na porta, deixando meus olhos se fecharem só por um segundo. Tinha ficado acordada até muito tarde pensando em Howard e na minha mãe, e depois um grupo incrivelmente exuberante, uma espécie de escoteiros italianos, atravessara o cemitério fazendo uma algazarra ao raiar do dia. Eu tinha dormido uns quatro minutos.

— Podemos começar de novo pelo Duomo? Podíamos ir até o topo e você veria a cidade inteira de uma só vez.

— Claro.

Abri os olhos. E se falasse do padeiro e do touro? Será que ele se lembraria?

— Achei que você ia convidar Ren também.

— Eu não sabia se podia.

— Ele é sempre bem-vindo.

— Mas ele morre de medo de você.

O que era ridículo. Eu lhe lancei um rápido olhar. Apesar de seu passado duvidoso, Howard parecia estar tentando imitar um perfeito pai dos anos 1950. Rosto recém-barbeado, camiseta branca limpa, sorriso cativante.

Todos os itens batiam.

Ele acelerou para ultrapassar um caminhão.

— Eu não deveria ter implicado com ele ontem à noite. Dá para ver que é um bom menino, e acho ótimo você sair com alguém em quem confio.

— É. — Eu me ajeitei no banco, me lembrando de repente do nosso telefonema da noite anterior. — Ele também me convidou pra ir a um lugar hoje à noite.

— Onde?

Hesitei.

— Uma, humm, boate. Um monte de gente da festa vai estar lá.

— Para alguém que está aqui há menos de uma semana, você tem uma vida social bem agitada. Parece que todos os nossos programas terão que ser diurnos. — Ele sorriu. — Fico muito feliz por você estar conhecendo os alunos da escola. Liguei para a diretora poucos dias antes de você chegar e ela disse que seria um prazer lhe mostrar o lugar. Talvez Ren possa ir também. Tenho certeza de que ele pode responder a qualquer pergunta que você tenha.

— Não precisa — falei, depressa.

— Bem, talvez em outro momento. Não precisa ser agora.

Fizemos um retorno, e ele parou diante de uma fileira de lojas.

— Onde estamos?

— Loja de celulares. Você precisa de um só seu.

— Preciso?

Ele sorriu.

— Precisa. Estou sentindo falta de falar com as pessoas. Vamos.

As vitrines estavam cobertas de poeira e, quando entramos, um velhinho que parecia ser um personagem de contos de fadas ergueu o rosto do livro que estava lendo.

— Signore Mercer? — perguntou ele.

— *Si*.

O velhinho pulou com agilidade de seu banco e começou a vasculhar a prateleira que ficava atrás da mesa. Finalmente, entregou uma caixa a Howard.

— *Prego*.

— *Grazie*. — Howard lhe entregou um cartão de crédito, depois me deu a caixa. — Eu pedi que eles configurassem tudo, então está pronto para ser usado.

— Obrigada, Howard.

Tirei o celular da caixa e o olhei com alegria. Agora eu tinha meu próprio número para dar a Thomas. Caso ele pedisse. *Por favor, que ele esteja na Space hoje. E, por favor, que ele peça meu número*. Porque, sinceramente? Mesmo com todo o drama dos meus pais, eu não conseguia parar de pensar nele.

Howard estacionou na mesma área em que paramos na noite em que fomos à pizzaria, e quando chegamos ao Duomo ele soltou um gemido.

— A fila está maior que o normal. Parece até que estão distribuindo Ferraris lá em cima.

Olhei para a fila que ia até o Duomo. Tinha uns dez mil turistas suados e metade deles parecia estar à beira de um colapso nervoso. Ergui o rosto para olhar o prédio, mas não havia nem sinal do touro. Provavelmente eu não conseguiria achá-lo sozinha. Ele se virou para mim.

— O que acha de tomarmos um gelato antes, para ver se a fila diminui um pouco?

— Você conhece algum lugar que tenha de *stracciatella*?

— Qualquer *gelateria* que se preze tem *stracciatella*. Quando você experimentou?

— Ontem à noite com Ren.

— Achei mesmo que você estava diferente. É uma experiência que transforma a vida de qualquer um, não é? Bem, vamos comprar uma casquinha e começar o dia direito. Depois enfrentaremos a fila.

— Acho ótimo.

— Meu lugar preferido é meio longe. Você se importa de andar?

— Não.

Levamos quinze minutos para chegar à *gelateria*. A loja era mais ou menos do tamanho do carro do Howard, e embora ainda estivesse no horário do café da manhã, o lugar estava lotado de gente devorando alegremente o que, conforme aprendi no dia anterior, era a substância mais deliciosa da face da Terra. Todos pareciam extasiados.

— Nossa, faz sucesso — falei para Howard.

— Esta *gelateria* é a melhor. Sério.

— *Buon giorno*.

Uma mulher com um corpo em forma de pera acenou para nós de trás do balcão e eu me aproximei. Aquela loja tinha muitas opções. Havia montanhas enormes de gelato colorido com pedacinhos de frutas ou espirais de chocolate em recipientes de metal, e todas pareciam ter a capacidade de melhorar meu dia em novecentos por cento. Chocolate, frutas, nozes, pistache... Como escolher?

Howard apareceu ao meu lado.

— Você se importa se eu escolher para você? Prometo que compro outro se não gostar.

Isso resolvia o problema.

— Claro, provavelmente não existem sabores ruins de gelato, não é?

— Sim. Acho que até um gelato sabor terra ficaria bom.

— Eca.

Ele olhou para a mulher.

— *Un cono con bacio, per favore.*

— *Certo.*

Ela pegou uma casquinha no balcão e fez um montinho alto com um gelato que parecia ser de chocolate, depois entregou a Howard, que por sua vez entregou para mim.

— Não é sabor terra, é?

— Não. Experimente.

Dei uma lambida. Denso e cremoso. Parecia seda, só que em forma de gelato.

— Hum. Chocolate com... nozes?

— Chocolate com avelãs. O nome é *bacio*. Também conhecido como o sabor preferido da sua mãe. Acho que viemos aqui umas cem vezes.

Antes que eu conseguisse detê-lo, meu coração despencou até os pés, deixando um imenso buraco no meu peito. Era incrível como às vezes eu seguia em frente, me sentia bem, e de repente... *Bam*, sentia tanta saudade dela que até minhas unhas doíam.

Olhei para minha casquinha com os olhos ardendo.

— Obrigada, Howard.

— De nada.

Ele pediu outra, depois fomos para a rua, e eu respirei fundo. Ouvir Howard falar da minha mãe tinha me desanimado, mas era verão em Florença, e eu estava tomando um gelato sabor *bacio*. Ela não ia querer que eu ficasse triste.

Howard me olhou com atenção.

— Queria mostrar uma coisa no Mercato Nuovo. Já ouviu falar do chafariz *porcellino*?

— Não, mas por acaso minha mãe nadou nele?

Ele riu.

— Não. Foi em outro. Ela contou do turista alemão?

— Sim.

— Acho que nunca ri tanto na vida. Vamos lá qualquer dia desses, mas não vou deixar você entrar na água.

Mais à frente, na rua, o Mercato Nuovo estava mais para um aglomerado de lojas para turistas ao ar livre: muitas barraquinhas de suvenires, como camisetas com frases engraçadas:

SOU ITALIANO, NÃO CONSIGO FICAR CALMO.

NÃO ESTOU GRITANDO, SOU ITALIANO.

E minha favorita:

PODE APOSTAR SUAS ALMÔNDEGAS QUE SOU ITALIANO.

Eu queria parar e ver se conseguia encontrar algo ridículo para enviar a Addie, mas Howard passou direto pelo mercado e me levou até onde um círculo de pessoas se reunia em volta da estátua de um javali de bronze cuspindo água. O bicho tinha presas e um focinho longo, dourado e brilhante, como se estivesse gasto.

— "*Porcellino*" significa "javali"?

— Sim. Esta é a Fontana del Porcellino. Na verdade, é só uma reprodução da original, mas existe desde o século XVII. Diz a lenda que se você esfregar o nariz dele, terá a garantia de voltar a Florença. Quer tentar?

— Claro.

Esperei até que uma moça com um filho pequeno se afastasse e fui até lá, usando a mão que não segurava o gelato para esfregar bem o nariz do javali. E então fiquei ali parada. O javali me encarava com seus olhinhos redondos e os molares assustadores, e não precisei perguntar para saber que minha mãe tinha estado bem ali, molhando as pernas com aquela água nojenta e torcendo com todo o coração para ficar em Florença para sempre. E veja o que aconteceu. Ela nunca tinha voltado nem para *visitar*, e nunca mais voltaria.

Eu me virei e olhei para Howard. Ele me observava com uma expressão triste e feliz ao mesmo tempo, como se estivesse pensando a mesma coisa e de repente também não conseguisse mais sentir o gosto do seu gelato.

Será que devo perguntar a ele?

Não. Eu queria saber por ela.

Nada melhorou lá no Duomo. Na verdade, a fila aumentara ainda mais, e crianças pequenas choravam por todo lado. Além disso, como Florença decidira que todos podíamos aguentar um pouco mais de calor, maquiagem, filtro solar e toda a esperança de se refrescar escorriam pelo rosto das pessoas.

— A gente devia ter ficado em casaaaaaa — chorou o garotinho atrás de nós.

— *Fa CALDO* — disse a mulher a nossa frente.

Caldo. Eu reconhecia aquela palavra.

Howard me encarou. Ambos estávamos muito silenciosos desde o *porcellino*, mas era mais um silêncio triste que constrangedor.

— Prometo que vai valer a pena. Mais dez minutos, no máximo.

Assenti e voltei a tentar ignorar toda a tristeza que se revirava no meu estômago. Por que Howard e minha mãe não tiveram um final feliz? Ela merecia muito. E, para ser sincera, ele também.

Enfim foi chegando a nossa vez de entrar. As pedras do Duomo tinham a capacidade milagrosa de gerar ar frio, e quando entramos foi difícil resistir à vontade de me deitar no chão de pedra e chorar de alegria. Então vi de relance a escada de pedra para a qual todos se dirigiam e senti vontade de chorar por um motivo bem diferente. Minha mãe dissera que havia muitos degraus, mas omitira o pequeno detalhe de que era bem estreita. Estreita como um túnel feito por uma toupeira.

Fiquei nervosa.

— Você está bem?

Não. Assenti.

A fila entrava devagar pela escada, mas, quando cheguei à base, meus pés pararam de se mover. Tipo, *pararam*. Simplesmente se recusaram a subir.

Howard se virou e olhou para mim. Ele precisava se curvar um pouco para entrar na escada.

— Você não tem claustrofobia, tem?

Fiz que não. É que eu nunca tinha enfrentado a possibilidade de me espremer num tubo de pedra com um bando de turistas suados.

As pessoas atrás de mim começavam a se aglomerar, e um homem murmurou alguma coisa. Minha mãe dissera que a vista era incrível. Forcei meu pé a subir o degrau. Uma escada tão estreita assim não seria perigosa em caso de incêndio? E se houvesse um terremoto? Ei, moça atrás de mim aspirando spray nasal, será que você poderia me dar um pouco mais de *espaço*?

— Lina, eu não contei toda a história do *porcellino*.

Olhei para ele. Howard tinha descido até o degrau acima do meu e me olhava de um jeito encorajador. Ele estava tentando me distrair.

Boa jogada, Howard. Boa jogada.

— Então conta.

Olhei a escada outra vez, me concentrando em respirar e começando a subir. Ouvi gente aplaudindo atrás de mim.

— Muito tempo atrás havia um casal que não podia ter filhos. Eles passaram anos tentando, e o marido culpava a esposa. Certo dia, depois de uma briga, a mulher ficou na janela chorando e um grupo de javalis passou correndo. Os animais haviam acabado de ter filhotes, e a mulher falou que gostaria de poder ter um filho, assim como os javalis. Uma fada por acaso estava ouvindo e decidiu conceder a ela o desejo. Alguns dias depois, a mulher descobriu que estava grávida. Quando deu à luz, ela e o marido ficaram chocados porque o bebê nasceu parecendo mais um javali do que um humano. Só que o casal ficou tão feliz por ter um filho que o amou mesmo assim.

— Essa história não parece ser verdade — disse a mulher atrás de mim.

Eu estremeci. Mais quatrocentos degraus?

Capítulo 14

A SUBIDA VALEU MUITO A PENA. A VISTA DE FLORENÇA ERA tão deslumbrante quanto minha mãe descrevera, um mar de telhados vermelhos sob um céu azul imaculado e suaves colinas verdes envolvendo tudo como num abraço apertado e feliz. Ficamos lá em cima fritando por meia hora enquanto Howard apontava todos os prédios importantes da cidade, e eu criava coragem para *descer* a escada, o que acabou sendo mais fácil. Depois paramos para almoçar num café e saí de Florença com uma sensação estranha. Independentemente do que estava lendo no diário, eu meio que *gostava* do Howard. Seria uma traição?

A scooter do Ren chegou pouco depois das nove.

— Ren chegou! — avisou Howard do andar de baixo.

— Pode dizer a ele que ainda estou me arrumando? Sem assustá-lo.

— Vou fazer o possível.

Eu me olhei no espelho. Assim que cheguei em casa descobri como usar a máquina de lavar arcaica do Howard, depois pendurei um monte de coisas para secar na varanda. Por sorte, ainda estava um forno lá fora, então minhas roupas secaram logo. Era o fim das camisetas amarrotadas. Se Thomas ia estar lá, eu queria ficar maravilhosa. Não importava o que meu cabelo teimasse em fazer. Eu tinha tentado usar a chapinha de novo, mas os cachos estavam especialmente rebeldes e não se abalaram por ela. Pelo menos estavam quase verticais.

Por favor, por favor, por favor, que ele esteja lá. Dei uma voltinha. Estava com um vestido curto de malha que minha mãe comprara num brechó fazia mais de um ano. Era lindo e eu nunca havia tido oportunidade de usá-lo. Até aquele momento.

— Você está elegante hoje, Ren — disse Howard de um jeito assustador lá embaixo.

Soltei um gemido. Ren respondeu, mas não consegui ouvir o restante da conversa, com exceção de uns "sim, senhor".

Depois de alguns minutos, bateram à porta do quarto.

— Lina.

— Só um minuto.

Terminei de passar rímel, depois me olhei no espelho uma última vez. Havia séculos que eu não demorava tanto tempo me arrumando. É melhor você estar lá hoje, Thomas Heath. Abri a porta. Ren estava com o cabelo molhado, como se tivesse acabado de tomar banho, e usava uma camiseta verde-oliva que realçava seus olhos.

— Oi, Lina. Você... — Ele se calou. — Uau!

— Uau o quê?

Minhas bochechas enrubesceram.

— Você está tão...

— Tão o quê?

— *Bellissima*. Gostei do vestido.

— Obrigada.

— Você deveria usar vestido mais vezes. Suas pernas são muito...

Fiquei vermelha que nem um pimentão.

— Ok, é melhor você parar de falar das minhas pernas. E de olhar pra mim!

— Desculpa.

Ele olhou uma última vez, depois se virou para o canto, como se estivesse de castigo.

— Gosto mais quando seu cabelo está cacheado.

— Ah é?

— É. Ontem à noite achei você diferente.

— Ah. — Minhas bochechas *queimavam*.

Ele pigarreou.

— Então... como está o diário? Eles já estragaram tudo?

— Shh!

— Howard acabou de sair pra ver uma coisa no centro de visitantes. Não vai ouvir.

— Ah, bom. — Eu o puxei para dentro do quarto e fechei a porta. — E, não. O relacionamento ainda é secreto e parece meio instável, mas ainda estou na parte boa. É bem meloso.

— Você se incomoda que eu leia?

— O diário?

— É. Talvez eu possa ajudar a entender o que deu errado. E poderia descobrir mais lugares em Florença aonde levar você.

Hesitei por três décimos de segundo. Aquela oferta era *boa* demais para recusar.

— Tudo bem, mas tem que prometer, *prometer* que não vai contar pro Howard. Quero terminar de ler antes de conversar com ele.

— Prometo. A Space só abre às dez. Posso começar agora?

— Boa ideia. — Peguei o diário na mesa de cabeceira. — Tem textos e muitas fotos, então vai ser bem rápido. Eu marquei a página em que parei, então você também deve parar quando chegar nela. — Eu me virei e ele estava olhando para minhas pernas de novo. — Ren!

— Desculpa.

Fui até ele, abrindo o diário.

— Olha o que ela escreveu na primeira página.

Ele soltou um assobio baixo.

— "Eu tomei a decisão errada"?

— É.

— Que sinistro.

— Acho que ela escreveu isso como uma mensagem pra mim.

Ele foi passando as páginas.

— Devo levar mais ou menos meia hora pra terminar. Costumo ler bem rápido.

— Que bom. Então... por acaso você sabe quem vai à Space com a gente?

— Está perguntando se Thomas vai estar lá?

— E, humm, outras pessoas também.

— Não sei. Só sei que Elena mandou mensagem pra todo mundo. — Ele ergueu o rosto para mim. — E acho que Mimi vai.

— Ótimo.

Houve um silêncio, e nós dois desviamos o olhar no mesmo segundo.

— Então... vou esperar na varanda.

Peguei meu laptop e saí correndo do quarto. Eu meio que também não estava conseguindo parar de olhar para ele.

Estranho.

Ren me encontrou na varanda. Eu esperava que os deuses italianos da internet sorrissem para mim e eu conseguisse ler meus e-mails e ver um vídeo de gatinho ou coisa do tipo no YouTube, mas não tive essa sorte. Então estava deitada no balanço, dando impulso no guarda-corpo de vez em quando para me manter em movimento.

— Sua mãe me lembra você.

Eu me sentei.

— Como assim?

— Ela é engraçada. E corajosa. É legal ter assumido um risco tão grande, largando a faculdade de enfermagem e tudo mais. E as fotos dela são muito boas. Embora só estivesse começando, dá pra ver que ela seria inovadora.

— Você viu os retratos das mulheres italianas?

— Vi. São legais. E você é muito parecida com ela.

— Obrigada.

Ele se sentou ao meu lado.

— São nove e meia. Pronta pra Space?

— Pronta.

— Falei pro Howard que buzinaria quando estivéssemos de saída. Tivemos uma boa conversa mais cedo. Acho que fizemos algum progresso.

— Eu falei pra ele ser legal com você.

— Era por isso que ele não parava de sorrir pra mim? Aquilo me deixou um pouco apavorado.

REGRAS DA LINA PARA ANDAR DE SCOOTER:

1. Nunca esteja encharcada.
2. Nunca ande de saia curta.
3. Tente prestar atenção aos sinais de trânsito. Senão, toda vez que o motorista acelerar você vai bater nele, e vai ser constrangedor ter que se desvencilhar e você ainda vai ficar com medo de ele achar que foi de propósito.
4. Se por acaso não estiver obedecendo à regra número dois, tome o cuidado de não fazer contato visual com motoristas do sexo masculino, ou então vão buzinar bastante animadinhos quando sua saia esvoaçar.

Ren dobrou numa rua de mão única, depois estacionou ao lado de um prédio de dois andares com uma longa fila de gente virando a esquina.

— É aqui.

A música pulsava pelas janelas. Meu estômago virou duas cambalhotas.

— É tipo uma *boate* de verdade?

— É.

— Eu vou ter que *dançar*?

— Ren! — Elena tentava atravessar a rua na nossa direção, mas seus saltos não tornavam a tarefa nada fácil. Ela parecia um Frankenstein mancando. — Pietro colocou nossos nomes na lista. *Ciao*, Lina! Que bom ver você de novo. — Ela pressionou a bochecha contra a minha e fez um som de beijo. — Seu vestido é muito lindo.

— Obrigada. E agradeço também por nos colocar pra dentro. Eu queria muito conhecer a Space.

— Ah, sim. Ren falou que seus pais vinham aqui, não é? Eles não vieram hoje, vieram?

Eu ri.

— Não. Com certeza, não.

— Quem vem hoje? — perguntou Ren.

— Todo mundo disse que vem, mas vamos ver quem aparece. Não se preocupe, Lorenzo, tenho certeza de que uma certa pessoa vai vir. *Vieni*, Lina.

Ela me deu o braço e me puxou para o outro lado da rua, até o começo da fila. Elena gostava de me arrastar.

— *Dove vai*? — gritou um homem na fila quando passamos à frente dele.

Ela jogou o cabelo para o lado.

— Ignora. Somos muito mais importantes, então nem se preocupe com esse pessoal. *Ciao*, Franco!

Franco usava uma camiseta preta e seu torso era desproporcionalmente musculoso, como se nunca malhasse as pernas. Ele tirou a corda de veludo que bloqueava a porta e nos deixou entrar.

Entramos num corredor mal iluminado com grandes araras de roupa. Será que aquilo era uma chapelaria?

— Sigam em frente — disse Elena. — A festa é pra lá.

Continuei andando com os braços esticados para a frente, totalmente cega. Estava *muito* escuro. E barulhento. Enfim, saímos num ambiente retangular com um longo balcão de bar em um dos lados. Duas músicas diferentes tocavam ao mesmo tempo, uma em inglês e outra em italiano, e as pessoas cantavam uma terceira música num karaokê no fundo. Todo mundo estava ou calado ou gritando para ser ouvido.

— Lina, quer beber alguma coisa? — perguntou Elena, apontando para o bar.

Balancei a cabeça.

— Vamos esperar o pessoal aqui. Quando entrarmos na boate de verdade, vai ser impossível nos encontrarmos.

— Esta não é a boate? — perguntei.

Ela riu como se achasse que eu estava brincando.

— Não. Você vai ver.

Olhei em volta. Será que tinha sido *naquele* ambiente que Howard dissera o nome da minha mãe pela primeira vez? Eu meio que esperava vê-lo rindo encostado na parede, bem mais alto que todo mundo. Só que aquele lugar não tinha nada a ver com ele. Acho que nem o deixariam entrar ali de chinelo.

Ren me cutucou.

— Quer cantar no karaokê comigo? Podemos escolher algo em italiano, e posso fingir que também só falo inglês. Seria hilário. Que tal...

Então se calou porque Mimi e Marco se aproximavam de nós. Ela usava uma saia minúscula e uma trança. Não havia um único fio de cabelo fora do lugar. Olhei para Ren. Será que ele também gostava das pernas dela?

Ok, sim, gostava. Alguém precisava ensinar a ele a arte da discrição.

— Oi, gente — gritou Marco. Ele só falava aos berros. — Lina! — E veio até mim com os braços estendidos, mas eu me abaixei. — Rápida demais pra mim.

— Todas as vezes que a gente se encontrar você vai tentar me levantar?

— Vou. — Ele se virou e levantou Elena. — Pergunta só pra Elena.

— Marco, *basta*! Me coloca no chão ou vou jogar você para um bando de cães selvagens famintos.

— Essa é nova. — Marco sorriu para mim. — Ela é criativa nas ameaças.

Mimi gritava por causa da música.

— Ren, por que você não retornou minhas ligações? Eu não sabia se você viria hoje.

Não consegui ouvir a resposta, mas ela sorriu e começou a brincar com os botões da camisa dele, o que não deveria me incomodar, mas meio que incomodou. Mimi não precisava ficar naquela agarração em público só porque gostava do Ren.

— Lina.

Eu me virei devagar. *Por favor, que seja...*

— Thomas!

Ele usava uma camiseta azul-marinho que dizia BANIDO DE AMSTERDÃ, e não sei como conseguia estar ainda mais bonito do que eu me lembrava. Se é que isso era possível. Eu me esqueci completamente da brincadeira da Mimi com os botões.

— Elena disse que você viria. Tentei ligar pro Ren...

— Oi, stalker.

De repente, Ren deu um encontrão nele, fazendo-o cambalear.

— Ren, tá maluco? — retrucou ele, se recompondo.

— Tinha umas dez chamadas suas perdidas no meu celular.

— E você só precisava atender uma.

Ren deu de ombros.

— Desculpa, cara. Eu ando ocupado.

Mimi se aproximou do Ren, me olhando como se nem imaginasse quem eu era.

— Oi, Mimi — falei.

— Ei. — Ela estreitou os olhos.

— Eu sou Lina. A gente se conheceu naquela noite na casa da Elena.

— Eu me lembro.

Elena se jogou no meio do nosso pequeno círculo em que pairava uma estranha tensão.

— *Ragazzi*, chega de conversa! Eu quero dançar.

— Você dança? — perguntou Thomas.

— Não.

— Nem eu. Podemos só ficar de bobeira, fazer um passeio pelo Arno ou coisa assim. Eu conheço um lugar legal que...

— Nem pensar! — Ren pegou minha mão. — Thomas, você não pode privá-la dessa experiência. Ela está na Space. Pra colocar a dança em dia.

— Eu não tenho muita dança pra botar em dia — protestei.

— Claro que tem. — Ele baixou a voz. — E foi aqui que tudo começou, não é?

Assenti, depois olhei para Thomas.

— É melhor eu ficar. Detestaria perder a chance de dar vexame na pista de dança.

— Na pior das hipóteses, você faz a coreografia de *Dirty Dancing*. Ninguém deixa Baby de lado, não é mesmo?

— Já disse... você sabe *demais* sobre esse filme.

— *Ragazzi!* — gritou Elena. — É sério, vamos!

Passamos com ela por uma porta estreita e Thomas apoiou uma das mãos nas minhas costas, causando todo tipo de sensação de êxtase. Logo todos começamos a subir uma rampa e entramos num grande ambiente. Por um segundo, não consegui ver nada sólido, tudo oscilava. Então as luzes de um refletor nos iluminaram e UAU!

O lugar era gigantesco, tinha um pé-direito com no mínimo seis metros de altura, e estava *lotado*, como se fosse um formigueiro, todo mundo usando roupas de grife. Havia várias plataformas pela pista, então algumas pessoas estavam um metro e meio mais altas que as outras. E todos dançavam. E não estou falando dos passinhos bobos que sempre dominavam os bailes de formatura da minha cidade. Eles dançavam *de verdade*. Todos se remexiam como se estivessem transando na pista.

Mãe, no que você me meteu?

— Bem-vinda à Space! — gritou Ren no meu ouvido. — Eu nunca a vi tão cheia. Deve ser porque é temporada de férias e a cidade está cheia de turistas.

— Gente, vem comigo! — Marco estendeu os braços para a frente como se fosse mergulhar e começou a atravessar a multidão, seguido por todos nós.

— *Ciao, bela* — sussurrou um homem no meu ouvido.

Afastei a cabeça depressa. Todo mundo em que eu esbarrava estava suado. O lugar era meio nojento.

Finalmente, encontramos um pequeno espaço vazio no meio da pista e todo mundo começou a dançar. Na mesma hora. Será que ninguém mais precisava de um aquecimento antes de entrar no clima?

Minhas mãos começaram a transpirar. Era hora de ter um papo encorajador comigo mesma. *Lina, você é uma mulher autoconfiante e vai conseguir. Por que não experimenta a versão sexy das dancinhas que aprendeu quando era pequena. Mas não fique aí parada. Você está ridícula.* Então cometi o erro fatal de olhar para Mimi, o que tornou tudo um milhão de vezes pior. Ela estava com os braços para cima, parecendo maravilhosa. Maravilhosa do tipo descolada-sexy-europeia. Eu queria me enfiar num buraco.

— Você consegue — gritou Ren, erguendo o polegar para mim.

Estremeci. *Ok, começa a se mexer. Talvez dê para imitar Elena. Oscilar para a frente e para trás. Mexer os quadris. Fingir que não se sente uma completa idiota.* Olhei para Thomas. Ele fazia um passinho sem jeito de um lado para o outro que meio que me fez querer sumir porque *ele era fofo demais.* E também não sabia dançar. Talvez mais tarde eu saísse para dar um passeio com ele por Florença.

Então aconteceu uma coisa louca. A música estava tão alta que esmurrava e chacoalhava meus ossos e dentes e todo mundo estava se divertindo *tanto* que, de repente, comecei a dançar. Tipo, dançar mesmo. E a me divertir de verdade. Bem, talvez não tanto quanto Ren, que se esfregava com Mimi, mas *mesmo assim.* O DJ aproximou o microfone da boca, gritou algo em italiano e todos aplaudiram, erguendo os drinques.

— Ele é meu amigo! É *mio amico!* — gritou Elena.

— Lina, você está arrasando! — gritou Ren.

Mimi balançava os quadris loucamente, de um jeito que parecia exigir uma concentração intensa, mas quando ouviu Ren, ela ergueu o rosto, me lançando o olhar mais frio que alguém já me lançou.

Eu estava começando a desconfiar que ela não gostava de mim.

Thomas me cutucou com o ombro.

— Já esteve num lugar como este?

— Não.

— É estranho, nos Estados Unidos só dá pra entrar numa boate dessas a partir dos vinte e um.

Estávamos tão perto que eu via as minúsculas gotas de suor no cabelo do Thomas. Até o *suor* dele era sexy. Eu era mesmo uma nojenta.

Ren se desvencilhou da Mimi e apareceu do meu outro lado.

— Está se divertindo? — Ele estava ofegante.

— Estou.

— Que bom. Já volto. — Mimi segurou a mão dele, e os dois desapareceram no meio da multidão.

Thomas fez uma careta.

— Ele é meio superprotetor com você, não é?

— É por causa do meu pai, que está sempre implicando com ele. Então Ren tem medo de que aconteça alguma coisa comigo e ele tenha que se ver com meu pai.

— Não vai acontecer nada... você está comigo.

Meio brega, mas eu sorri. Feito uma idiota. Thomas tinha acabado com quase todo o meu controle sobre os músculos faciais.

Ele ergueu o queixo, olhando por cima da multidão.

— Lá está ele. Parece que está *conversando* com Mimi.

Fiquei na ponta dos pés, aproveitando a oportunidade para apoiar a mão no ombro do Thomas. Ren e Mimi tinham se encostado numa parede, e ela estava de braços cruzados e parecia zangada, mas talvez aquela fosse sua expressão normal.

— Então, os dois estão ficando, não é?

— É. O Ren gosta dela há uns dois anos. Parece que quem acredita sempre alcança, não é?

Assenti.

— É.

— Ei, preciso ligar pro meu pai, depois vou pegar uma bebida. Quer também? — perguntou Thomas.

— Quero, obrigada.

Ele abriu um daqueles sorrisos de derreter os ossos e desapareceu entre as pessoas.

— Lina, dança comigo! — Elena segurou minhas mãos e me girou. — O que está acontecendo entre você e Thomas? É *amore*?

Eu ri.

— Não sei. É a segunda vez que o vejo.

— É, mas ele gosta de você. Dá pra notar. Ele nunca se interessa por ninguém, e naquela noite, depois que você foi embora, ele me perguntou se eu tinha seu número.

— *Uh la la*! — exclamou Marco. — A garota nova e Thomas.

Elena revirou os olhos.

— Você parece uma criança.

— Ah, é? Uma criança consegue fazer isto? — Ele dobrou os cotovelos e começou a imitar um robô.

— Marco, *basta*! Você é horrível nisso.

— Quer que eu imite uma minhoca?

— Não!

A música ficou mais rápida, e logo nós três pulávamos de mãos dadas feito um bando de criancinhas. Não era de estranhar que minha mãe gostasse dali. Era muito divertido. Tirando o fato de que a temperatura não parava de subir. Será que havia ar--condicionado naquele lugar?

— Cadê o Thomas? — perguntou Elena.

Sua franja suada estava grudada na testa.

— Foi pegar uma bebida.

— Já faz um tempão. — Ela se abanou. — *Fa troppo caldo*. Estou derretendo.

De repente, o chão oscilou sob meus pés e eu tropecei.

Elena me pegou pelo braço.

— Está tudo bem?

— Só fiquei tonta. Está quente demais.

— O quê?

— Está quente. Demais.

— Eu também! — gritou Marco. — Eu sou demais!

— Preciso me sentar um pouco.

— Lina, ali tem uns sofás. — Ela apontou para onde Ren e Mimi estavam. — Quer que eu vá com você?

— Não precisa.

— Vou dizer a Thomas onde você está.

— Obrigada.

Fui para a lateral da boate. Os sofás pareciam o lugar perfeito para a propagação de alguma doença contagiosa, mas eu estava desesperada. De repente, achei que fosse desmaiar.

Um cara esquelético tinha se deitado e ocupava quase todo o primeiro sofá. Ele usava correntes de ouro e óculos escuros enormes e estremecia de vez em quando, como se uma mosca tivesse pousado nele. Um homem mais velho fumava na outra ponta e, quando me viu, sorriu e disse algo em italiano.

— Desculpa, não entendo.

Passei por ele, abrindo caminho. Minha cabeça latejava junto com a música. Eu esperava que houvesse uma vaga em algum lugar. Senão, teria que fazer amizade com o aspirante a rapper desmaiado.

Ali tem um! Corri para o lugar vago, mas, no instante em que cheguei lá, parei, porque senti duas mãos na minha bunda. E não foi sem querer. Eu me virei. Era o cara velho do sofá. Seu cabelo era comprido e oleoso, e ele cheirava, entre outras coisas, a rato morto conservado em vodca. Ou, pelo menos, aquele era o cheiro que eu imaginava que um rato morto conservado em vodca teria.

— *Dove vai, bella?*

— Me deixa em paz.

Ele esticou o braço, passando os dedos pelo meu ombro, e eu me afastei.

— Não encosta em mim.

— *Perche? Non ti piaccio?*

Um de seus dentes da frente era cinza. E ele era bem mais velho do que eu tinha pensado a princípio. Tipo, dez anos mais velho que todo mundo que estava ali.

Esquece o sofá. Eu me virei para correr, mas ele pulou em cima de mim e agarrou meu braço. Com força.

— Para com isso! — Puxei o braço, mas ele o apertou mais. — Elena! Marco! — Eu nem conseguia mais enxergar. Onde estava Ren?

Tentei me soltar outra vez, mas o homem me segurou pela cintura e me puxou até minha pelve estar grudada na dele.

— Me. *Solta.*

Dar uma cabeçada? Joelhada na virilha? O que se deve fazer ao ser atacada? Ele sorriu, se esquivando de todos os meus movimentos desesperados.

Como eu ia sair daquela situação? Havia muita gente em volta, mas absolutamente ninguém prestava atenção.

— Socorro!

De repente, alguém segurou meus ombros, me puxando para trás, e o homem me soltou um pouco por tempo suficiente para eu me desprender. Era Mimi e parecia uma guerreira linda e furiosa.

— *Vai via, fai schifo* — gritou ela para o homem. — *Vai.*

Ele ergueu as mãos, depois sorriu e se afastou.

— Lina, por que você não gritou pra ele ir embora?

— Eu tentei. Ele não me soltava.

— Da próxima vez, tenta mais. Basta chamá-los de *stronzo* e empurrá-los. Eu tenho que fazer isso toda hora.

— *Stronzo*?

Meu corpo inteiro tremia. Parecia que eu tinha acabado de entrar numa lixeira. Aquilo tinha sido *repugnante.*

Ela cruzou os braços.

— O que está acontecendo entre você e Ren?

Tentei manter a mente focada.

— Desculpa, o quê? — Esfreguei os braços, tentando apagar a sensação do toque do Dente Cinza na minha pele.

— O que está acontecendo entre você e Lo-ren-zo? — Ela falou devagar, exagerando as palavras como se achasse que eu não conseguia entendê-la.

— Não sei do que você está falando. — Onde *ele* estava?

Ela ficou me olhando por um instante.

— Você sabe que eu e Ren estamos juntos, não é? Ele só está andando com você porque sente pena por sua mãe ter morrido.

Talvez fosse a adrenalina restante do conflito com o Velho Bizarro, mas do nada eu falei a primeira coisa que me veio à mente.

— É por isso que ele estava ignorando suas ligações ontem à noite?

Ela arregalou os olhos e se aproximou de mim com uma expressão assassina.

— Ele estava em casa com a irmã mais nova.

— Não, ele estava na Ponte Vecchio comigo. — *Por favor, que eu tenha pronunciado direito*.

— Aí está você! — Thomas se enfiou entre nós com um refrigerante em cada mão. Ele deu uma olhada para Mimi e perdeu a animação. — Nossa. O que eu perdi?

— Cala a boca, Thomas.

Mimi se virou e se afastou a passos largos.

— O que aconteceu? — perguntou ele.

— Não faço ideia.

— Lina! — Ren abria caminho até mim. — Aí está você. Quer ir embora? Está fazendo uns mil graus aqui dentro. Acho que o ar-condicionado deve estar quebrado.

Senti uma onda de alívio, mas de repente precisei segurar as lágrimas que pareciam vir de um lago fervente.

— Onde você *estava*?

— Procurando você. — Ren se aproximou. — Tudo bem?

— Quero ir embora. Agora.

— Também preciso ir — disse Thomas. — Vou sair com vocês.

Levamos o que pareceu uma hora para sair de lá, e quando enfim chegamos à calçada, respiramos o ar fresco como se tivéssemos acabado de emergir do fundo do mar.

— Liberdade! — exclamou Thomas. — Parecia que estávamos sendo sufocados lentamente lá dentro.

Eu me encostei à parede e fechei os olhos. Nunca mais voltaria lá. Nunca.

Ren tocou meu braço.

— Lina, você está bem?

Eu fiz meio que sim, meio que não.

Bem? Eu ainda sentia aquele cheiro de rato em conserva.

— Então, o que achou da Space? O lugar perfeito para começar um relacionamento?

— Que relacionamento? — perguntou Thomas. — O meu e da Lina? — Ele me lançou um olhar cheio de significado, mas mal notei.

— Ele está falando dos meus pais. — Respirei fundo. — Um velho me atacou. Ele me agarrou e não soltava.

— Como assim? Na Space? — Ren se virou como se pudesse ver através das paredes. — Quando?

— Logo antes de você me encontrar. Mimi me salvou.

— Era *isso* que estava acontecendo — disse Thomas. — Você está bem? Que tarado!

— Você se machucou? — perguntou Ren.

— Não. Só foi horrível.

Ren estava furioso.

— Por que não gritou me chamando? Eu teria acabado com a raça dele.

— Eu não sabia onde você estava.

O celular do Thomas começou a tocar e ele soltou um gemido ao olhar a tela.

— Meu pai não para de ligar. Nossa família está na cidade e eu disse que não ia demorar muito. — Ele me olhou. — Mas não vou embora sem pegar o seu número.

— Ah, claro. — Eu tinha treinado para aquilo, mas quando fui dizer meu número a ele, esqueci e tive que olhar no papel em que o anotara.

— Ótimo. Ligo pra você amanhã. — Ele me deu um abraço apertado, depois um tapinha no ombro do Ren. — A gente se vê.

— Até mais.

Ren se virou para observar Thomas se afastando, e eu aproveitei a oportunidade para enxugar os olhos. Meu rímel tinha se espalhado pelo rosto inteiro.

— Que camisa idiota a dele, não acha? — comentou ele.

— O quê?

— Banido de Amsterdã. Ninguém é banido de Amsterdã. Até parece.

— Não tenho como saber.

— Sinto muito pelo que aconteceu lá dentro. Eu não devia ter deixado você sozinha. — Ele me olhou com mais atenção. — Espera um pouco. Você está chorando?

— Não.

Uma lágrima gigantesca rolou pelo meu rosto. E depois outra.

— Ah, não. — Ele colocou as mãos nos meus ombros e olhou nos meus olhos. — Sinto muito. Muito mesmo. Nunca mais vamos voltar lá.

— Desculpa. Estou me sentindo uma idiota. Aquele cara era muito nojento. — Mas não era só por isso que eu estava chorando. Respirei fundo. — Ren, por que você contou pra Mimi que minha mãe morreu?

Ele arregalou os olhos.

— Não sei. Simplesmente saiu. Ela estava perguntando por que você tinha se mudado pra cá e eu contei. Por quê? Ela disse alguma coisa?

— Sabe, não precisa sentir pena de mim. Eu não preciso que você leia o diário e me leve aos lugares. Posso me virar sozinha. Entendo que você tem sua vida.

— Ei, o quê? Eu não tenho pena de você. Quer dizer, é triste você ter perdido sua mãe e tudo, mas eu saio com você porque gosto. Você é... diferente.

— Diferente?

— Tipo, o que a gente conversou ontem à noite. Nós somos parecidos, sabe?

Enxuguei o rosto com o braço. Porque aquilo ia ajudar muito a não espalhar ainda mais o rímel borrado, sabe?

— Jura?

— Sim, juro. De onde você tirou isso?

— Mimi...

Eu me calei. Aquilo importava? Ela era só uma garota ciumenta. E toda vez que Ren a via, agia como se tivesse ganhado na loteria.

— Mimi o quê?

— Deixa pra lá. Podemos ir até a Piazza della Signoria? Quero ver aquela estátua.

Capítulo 15

FICAMOS QUIETOS DURANTE O PERCURSO DE SCOOTER até a *piazza*. Já passava das onze horas e a cidade estava diferente. Meio vazia. Assim como eu, depois de abrir um berreiro vergonhoso na saída da boate. Ren parou no meio-fio e nós descemos.

— É aqui?

— É aqui. Piazza della Signoria.

Ele me olhava como se eu fosse uma caixa de louça frágil, mas eu *ainda* estava coberta de muco, então talvez fosse justificável.

Entrei pela *piazza*. Um dos lados era tomado por um prédio grande que parecia uma fortaleza com uma torre de relógio, e diante dele havia um chafariz com a estátua de um homem cercado por figuras menores. Algumas pessoas andavam por ali, mas o lugar estava quase vazio.

— Que prédio é aquele? — perguntei.

— O Palazzo Vecchio.

— Alguma coisa velha… Palácio velho?

— *Esattamente.* Você está ficando boa nisso.

— Eu sei. Reconheci a palavra "velho". Agora sou praticamente fluente.

Sorrimos um para o outro. Meus olhos eram como balões cheios de água, mas pelo menos eu não estava mais fungando. Tinha sorte por Ren não ter me abandonado no ponto de táxi mais próximo.

— E então, o que foi mesmo que aconteceu aqui? — perguntou Ren.

— Foi a primeira vez que Howard disse que amava minha mãe. Eles estavam olhando uma estátua. Acho que tem algo a ver com sabina.

— Ah, sim. *O rapto das sabinas*. Acho que fica numa área coberta.

Atravessamos a *piazza*, vendo várias outras estátuas pelo caminho, depois passamos sob uma entrada em arco e chegamos a um grande pátio repleto de esculturas.

Eu a reconheci na hora.

— Ali está ela.

A obra era feita de mármore branco e ficava sobre um pedestal, com três figuras entrelaçadas numa coluna alta. Eu a contornei devagar. Minha mãe estava certa. Ninguém parecia *feliz*, mas todos estavam ligados uns aos outros e se complementavam. Também estavam nus, e músculos e tendões saltavam na escultura. Giambologna não brincava em serviço.

Ren apontou.

— Repara só como a mulher está olhando para o outro homem. Ela não queria ir. E aquele cara no chão está apavorado.

— É. — Cruzei os braços, observando a estátua. — É só impressão minha ou aqui é um lugar estranho para Howard dizer que amava minha mãe?

— Talvez tenha sido espontâneo. Ele se deixou levar pelo luar ou algo assim.

— Mas ele estava estudando história da arte e acabara de contar a ela o episódio retratado pela escultura. Eu ficaria surpresa se não tivesse algum tipo de significado pra ele.

Ren hesitou.

— Por falar em Howard... preciso contar uma coisa.

— O quê?

Ele respirou fundo.

— Eu meio que perguntei sobre a padaria secreta.

Eu me virei de repente.

— Ren! Você falou do diário pra ele?

— Não, claro que não. — Ele tirou o cabelo dos olhos, evitando meu olhar. — Foi quando você estava se arrumando. Inventei que minha mãe tinha encontrado uma padaria secreta quando se mudou pra cá, e depois perguntei se ele sabia onde ficava. Disse que eu ia levar você lá de surpresa hoje, depois da Space.

Ele então me fitou com aqueles olhos grandes e expressivos, e eu suspirei. Era como tentar ficar zangada com um filhote de foca.

— Ele falou onde era?

— Não. Essa é a parte estranha. Ele disse que nunca foi a um lugar assim.

— O quê? E você a descreveu pra ele? — perguntei, de olhos arregalados.

— Sim. Tentei ser vago pra ele não perceber que eu estava me referindo ao encontro com sua mãe, mas ele agiu como se não fizesse a menor ideia.

— Então ele não se lembra de levá-la lá?

Ele balançou a cabeça.

— Não, foi mais que isso. Foi como se nunca tivesse ouvido falar das padarias secretas de Florença.

— *O quê?* Não é o tipo de coisa que alguém esquece.

— Também acho.

— Será que ele estava mentindo?

— Talvez. Mas por que mentiria? — Ele balançou a cabeça de novo. — Passei as últimas horas tentando pensar por que ele se esqueceria da padaria, mas até agora não cheguei a nenhuma conclusão. Sem querer ofender, mas a história dos seus pais é meio misteriosa.

Eu me encostei em uma das colunas, e fui escorregando para o chão, até meu corpo fazer um baque.

— Eu que o diga. Por que acha que estou lendo o diário?

Ele se sentou ao meu lado, depois se aproximou até nossos braços se tocarem.

— Sinto muito.

Suspirei.

— Não tem problema. E você está certo. Tem *alguma coisa* estranha. Sempre achei isso.

— Talvez você devesse perguntar a ele outra coisa do diário. Tipo um teste.

— Por exemplo, sobre *O rapto das sabinas*? — Olhamos para a escultura.

— É. Repara em como ele vai agir quando você perguntar sobre isso.

— Boa ideia. — Eu olhei para o chão. E foi a minha vez de hesitar. — Então... preciso me desculpar por uma coisa que fiz.

— O quê?

— Na Space, eu e Mimi tivemos uma... discussão, e falei que você estava ignorando as ligações dela quando estávamos na Ponte Vecchio.

Ele arregalou os olhos.

— *Cavolo*. Acho que foi por isso que ela me chamou de *disgraziato* e foi embora.

— É. Quer dizer, não tenho certeza do que significa *disgraziato*, mas desculpa. Thomas me falou que você gosta dela há muito tempo, e espero não ter estragado tudo.

— Vou ligar pra ela quando chegar em casa. Vai ficar tudo bem.

Parecia que ele estava tentando convencer a si mesmo. Respirei fundo.

— Ei, olha, se não puder mais sair comigo por aí, vou entender. Pelo visto, isso está complicando as coisas pra você.

— Não. É uma complicação boa. — Ele pegou o celular. — São quase onze e meia. Vamos voltar pro cemitério?

— É. É melhor eu voltar pro diário.

— E pro homem misterioso.

Quando cheguei em casa, o Homem Misterioso estava, por incrível que pareça, tirando uma forma de muffins do forno.

— Você está cozinhando?

— Estou.

— Já é quase meia-noite.

— Sou especialista em desastres culinários na madrugada. Além disso, achei que você podia querer comer alguma coisa quando chegasse, e meus muffins de blueberry são lendários. E por "lendários" quero dizer "comestíveis". Sente-se.

Foi uma ordem. Puxei uma cadeira e me sentei.

— Então, aonde vocês foram hoje?

— Na Space. É uma boate perto do Arno — disparei, após hesitar por um instante.

Ele riu.

— Esse lugar ainda existe?

Ufa. Pelo menos da Space ele se lembrava.

— Sim. Já foi lá?

— Muitas vezes. Sua mãe também ia.

Eu me inclinei para a frente.

— Então vocês, tipo... iam juntos?

— Muitas vezes. Normalmente a gente ia quando deveria estar estudando. Não sei como está agora, mas era o lugar ideal para estudantes estrangeiros. Muitos americanos frequentavam.

Ele serviu alguns muffins num prato e puxou uma cadeira.

— A Space é meio nojenta. Não gostei muito de lá.

— Também nunca gostei muito. De boates. Não sou de dançar.

Então eu devia agradecer a ele por minha falta de talento para a dança.

Parti um muffin ao meio. O vapor subiu para o meu rosto. É agora ou nunca.

— Então, Howard, tenho uma pergunta. Você sabe muito sobre história da arte, não é?

— Sei. — Ele sorriu. — Está aí uma coisa sobre a qual sei bastante. Você sabe que eu dava aula de história da arte quando conheci sua mãe, não sabe?

— Sei. — Olhei outra vez para meu muffin e respirei fundo. — Bom, eu e Ren fizemos um passeio depois da Space, e paramos numa *piazza*. Piazza della Signoria? Enfim, havia uma estátua interessante lá, mas não sabíamos a história.

— Humm. — Ele se levantou e pegou o pote de manteiga na bancada, depois se sentou outra vez. — Tem muitas estátuas lá. Você sabe quem foi o escultor?

— Não. Ficava numa galeria ao ar livre. Tipo com um pátio coberto, onde qualquer um pode simplesmente entrar.

— Ah, sim. Loggia dei Lanzi. Vejamos... lá ficam os leões dos Médici, e o Cellini... Como era a escultura?

— Se bem me lembro, eram dois homens e uma mulher. — Prendi a respiração.

— Uma mulher sendo carregada?

Assenti.

Ele sorriu.

— *O rapto das sabinas*. Essa é muito interessante, porque o artista, Giambologna, nem pensava nela como uma verdadeira obra de arte. Só a fez como uma demonstração artística de que era possível incorporar três figuras numa única escultura. Ele nem se deu ao trabalho de nomeá-la, e no final acabou se tornando seu trabalho mais conhecido.

Ok. Interessante, mas nada a ver com a história que ele contou para minha mãe. Tentei de novo.

— Você sabe se minha mãe chegou a vê-la?

Ele inclinou a cabeça.

— Não sei. Não me lembro de ter conversado com ela sobre Giambologna. Por quê? Ela comentou sobre isso?

Não me lembro. Seu rosto estava imaculado como um pote novinho de Nutella. Ficou claro que Howard não estava mentindo, mas seria possível ter esquecido? Será que ele sofreu algum traumatismo craniano ou tinha algum bloqueio mental que o impedia de lembrar detalhes de seu relacionamento com minha mãe?

De repente, fiquei com uma pulga atrás da orelha. E se ele *não estivesse* esquecendo? Ou negando? E se...? Eu me levantei, esmagando o muffin com a mão.

— Preciso subir.

Saí correndo da sala antes que ele conseguisse perguntar por quê.

As palavras da minha mãe rodopiavam pela minha mente enquanto eu subia a escada: *Sim, X. Eu duvido que alguém vá ler meu diário, mas vou me referir a ele assim só por precaução.*

Logo que entrei no quarto, tranquei a porta e procurei o diário. Acendi o abajur e comecei a folhear as páginas.

Howard: O perfeito cavalheiro sulista (Francesca o chama de <u>gigante</u> sulista), bonito, gentil e o tipo de cara que iria para a guerra por você.

Eu <u>amo</u> estar apaixonada na Itália, mas verdade seja dita: eu me apaixonaria por X em qualquer lugar.

Howard se ofereceu para me levar em casa, e acabei contando sobre Adrienne e a médium.

— Não acredito — murmurei.

Existia um motivo para Howard não saber da padaria secreta ou da importância da estátua de Giambologna, e para minha mãe ter se distraído e o chamado pelo nome verdadeiro.

Ele não era X.

— Addie, atende, atende! — sussurrei.

— Oi, aqui é Addie! É só deixar uma mensagem que eu...

— Aiii!

Joguei o celular na cama e comecei a andar de um lado para outro. Onde ela *estava*? Fui até a janela e fiquei ali parada. Minha mãe tinha se apaixonado por alguém que não era Howard. Ela teve um caso apaixonado e arrebatador, mas acabou grávida *de outra pessoa*. Do Howard. Será que *essa* tinha sido a decisão errada? Ficar grávida do Howard quando na verdade amava outra pessoa? Foi por isso que fugiu da Itália?

Eu me joguei na cadeira, mas me levantei de novo. Ren atenderia! Pulei na cama, pegando meu celular entre as cobertas e ligando para ele.

Ele atendeu no segundo toque.

— Lina?

— Oi. Olha, eu fiz o que você sugeriu. Perguntei da estátua pra ele.

— E o que ele disse?

— Ele sabia tudo sobre ela, a história e tal, mas depois perguntei se minha mãe alguma vez chegou a ver a estátua, e Howard disse que não se lembrava de já ter conversado sobre isso com ela.

— Qual é a dele? Ou tem a pior memória do mundo ou...

— Ou nunca esteve lá — interrompi, impaciente.

— O quê?

— Ren, pensa bem. Talvez ele não conheça a padaria secreta nem saiba da confissão de amor na estátua das sabinas porque *ele não é o X*.

— Ah.

— Certo?

— Ahhh. Bom... *sim*. Ok, conta tudo.

— Acho que foi mais ou menos assim: minha mãe se mudou pra Itália e fez um monte de amigos, entre eles Howard. Aí, depois de uns meses, ela se apaixonou por esse tal de X. Alguma coisa aconteceu, talvez eles brigassem demais ou rolasse muita pressão porque a escola devia ter regras sobre namoros, e eles terminaram. Então minha mãe foi se consolar com um gentil cavalheiro sulista, que provavelmente sempre gostou dela. Ela tentou, mas não conseguiu tirar X da cabeça. Então, um dia descobriu que estava grávida e entrou em pânico, porque ia ter um filho com alguém que não amava.

— Faz todo o sentido!

— Eu sei. E isso explicaria por que ficamos afastadas dele durante todos esses anos. Digo, ele é um cara legal, e a julgar por todas as histórias que ela contou, sem dúvida era um bom amigo, mas não dá pra *fingir* que ama alguém. Seria doloroso demais.

— Coitado do Howard, logo ele, tão ameaçador. — Ren suspirou.

— E foi por isso que ela escreveu "Eu tomei a decisão errada". Talvez esse tenha sido seu maior arrependimento. Ela teve uma filha com alguém que não amava.

— Só que você é essa filha. Acha mesmo que ela teria escrito isso na primeira página do diário?

— Ah. Provavelmente não. — Eu me sentei. — Mas, Ren, é triste demais! Quer dizer, pelo jeito que Howard fala, dá pra ver que ele amava minha mãe. E ela me contou várias histórias de como os dois se divertiam juntos. Só que isso não era suficiente... Ela amava outro!

— É como aquela música antiga "Love Stinks".

— Nunca ouvi falar.

— Não? Toca em um monte de filmes. Fala de quando você se apaixona por alguém e essa pessoa está apaixonada por outro. E é um grande ciclo complicado em que ninguém fica com quem quer.

— Nossa, que deprimente.

— Nem me fala. — Ren hesitou. — Você vai contar pro Howard que sabe? Sobre X?

— Não. Quer dizer, tenho certeza de que em algum momento vamos falar disso, mas só quando eu terminar de ler o diário. Preciso ter certeza de que minha teoria está certa.

5 DE ABRIL

Outra noite de drama. Simone arranjou entradas para uma boate nova perto da Piazza Santa Maria Novella e o nosso grupo, mais alguns outros alunos, se encontrou lá por volta das onze. Fiquei até tarde trabalhando no estúdio, então apareci sozinha, e quando cheguei lá, as duas primeiras pessoas que vi foram Adrienne e Howard. Eles estavam na lateral do prédio. Adrienne estava encostada na parede e Howard se inclinava sobre ela, dizendo alguma coisa baixinho. A cena era tão íntima que por um instante não entendi nada. Nunca tinha visto os dois nem sequer conversando sozinhos. O que estava acontecendo?

Entrei na boate sem que eles me vissem e encontrei o restante do grupo, depois os dois entraram separados, como se nada tivesse acontecido. Então as coisas ficaram muito esquisitas. Em certo ponto da noite, Adrienne chamou Alessio de mentiroso, dizendo que ele tinha quebrado a promessa de ir com ela a uma exposição, e por algum motivo isso irritou Howard. Ele disse que ela era a última pessoa do mundo que podia chamar alguém de mentiroso e, que se tivesse alguma dignidade, contaria a verdade. Adrienne revidou dizendo que aquilo não era da conta dele. Depois Simone se meteu e falou para os dois se acalmarem.

Acho que não sou só eu que tenho segredos.

19 DE ABRIL

X está fora da cidade há uma semana, mas volta amanhã. AMANHÃ. Eu não consigo pensar em outra coisa. Depois da aula, eu disse à Francesca que preciso encontrar o vestido. Aquele vestido incrível que faz qualquer um se apaixonar por você, sabe? (Ou, no meu caso, me deixa maravilhosa para o momento em que vou contar minha grande novidade.)

Francesca era a pessoa perfeita a quem eu poderia pedir para me acompanhar, porque quando o assunto é fazer compras, ela tem a paciência de uma santa. Levamos cinco horas, mas finalmente o encontramos. É um vestido leve, off-white, muito feminino, com um decote em forma de coração que bate acima do joelho. Francesca até me convenceu a cortar o cabelo. Quem diria que cortar alguns centímetros de cabelo inútil poderia valorizar as maçãs do rosto?

E quer saber qual é a grande novidade? Esta semana, Petrucione perguntou se eu estaria interessada em passar o mês de agosto aqui para ajudar no próximo semestre. Vou receber por isso e meu visto de estudante vai ser prorrogado, o que significa que ficarei até o final do verão!

20 DE ABRIL

Acordei cedo, animadíssima para ver X, mas havia uma mensagem no meu celular. Ele decidiu ficar mais tempo na conferência e só vai chegar na segunda. Foi quando tive a brilhante ideia: vou surpreendê-lo em Roma! Mesmo que ele passe o dia inteiro em seminários, pelo menos vamos estar na mesma cidade. Não me importo de turistar o dia inteiro. Os trens expressos levam só uma hora e meia até lá, então, se eu pegar o das quatro da tarde de hoje, já estarei no hotel quando X chegar. Mal posso esperar para ver a cara dele!

21 DE ABRIL

Esta é a terceira tentativa de me sentar para escrever o que aconteceu em Roma. Não acredito que estou escrevendo isso, mas ACABOU.

Não consegui encontrar a conferência de X na internet, então, quando cheguei, liguei para o celular dele e disse que estava na estação de trem com uma ótima notícia. Nesse momento, começaram a anunciar alguma coisa pelos alto-falantes da estação, e quando tudo ficou em silêncio novamente, percebi que havia algo errado. Ele me disse para esperar ali.

Meia hora depois, ele entrou correndo na estação, e ficou bem claro que tinha alguma coisa errada. Perguntei se ele queria se sentar num dos cafés da estação, e pelos vinte minutos seguintes o ouvi falar. Resumo da ópera: ele acha que o trabalho dele ficou estagnado, que precisa de um novo espaço criativo e decidiu sair da escola e procurar outro emprego em Roma. Ah, e a gente terminou.

Tudo acabado.

Fiquei ali sentada com as palavras rodopiando à minha volta. Foi como se minha mente não conseguisse processar o que estava acontecendo. Então entendi tudo. Era o fim. Ele estava terminando comigo.

De repente, não consegui mais ouvir nenhuma desculpa, só a verdade nua e crua. Eu tinha passado nove meses mentindo para meus amigos. Havia me afastado da minha família. Mudara completamente minha vida para ficar perto dele, e o namoro não tinha tanta importância assim para ele. Cheguei a cogitar que seria possível fazê-lo mudar de ideia... Pensei em dizer que eu tinha encontrado um jeito de ficar em Florença por mais tempo, mas mesmo naquele breve instante de negação, eu sabia que era inútil. Quando uma pessoa desiste de um relacionamento, não há nada que você possa fazer para segurá-la.

X ainda estava falando quando me levantei. Eu me despedi dele com uma voz normal, como se não tivesse acabado de ser estilhaçada em um milhão de pedaços, depois fui até o balcão e comprei uma passagem de volta no trem seguinte. Não fiquei em Roma nem uma hora. Nem tive a chance de usar meu vestido.

22 DE ABRIL

Hoje acordei achando que estava num pesadelo, mas assim como nos últimos dias, a realidade esperou que eu me situasse só para me derrubar de novo. Chorei até pegar no sono. Meus olhos ficaram tão inchados que precisei deixar um pano molhado sobre eles por um tempo para ficar mais apresentável para ir à aula. Eu tinha passado o fim de semana inteiro me apegando a um fiapo de esperança de que X estaria na aula hoje, mas é claro que não estava. Será que acabou mesmo? Nunca senti tanta dor. Nunca.

25 DE ABRIL

No fim das contas, Francesca sempre soube. Ontem à noite, depois do jantar, ela me abraçou e disse que X não valia a pena, e que nunca valera. Fiquei muito surpresa. Todo mundo sabia?

2 DE MAIO

Hoje de manhã Petrucione anunciou que X tinha deixado o cargo. Senti um alívio enorme, não por ele ter ido embora oficialmente, mas porque alguém disse o nome dele. Não contei a ninguém sobre o relacionamento, então agora não posso compartilhar meu sofrimento. Me sinto muito sozinha. Conversar com Francesca não ajuda. Se toco no nome de X, ela fala mal dele e acabo me sentindo pior. Florença é o lugar perfeito para se apaixonar, o que significa que é o pior lugar do mundo para ficar de coração partido. Em certos dias, só quero ir para casa. Será que devo passar o verão aqui?

— Mãe — sussurrei.

A tristeza dela se espalhava pelo diário como uma tinta que até então não havia secado. Destroçaram seu coração numa estação de trem em Roma e ela nunca nem sequer *mencionou* isso para mim. Como era possível? Eu conhecia aquela mulher?

Dei outra olhada nos últimos relatos do diário. Sem dúvida, X foi um idiota. O que mais me dava ódio era ele ter dito que precisava de um "novo espaço criativo". Que papo é esse? E era *horrível* ela não ter percebido que ele queria terminar, ainda mais porque, para quem via de fora, era muito óbvio que o relacionamento não iria a lugar nenhum. Ler aquelas últimas frases foi como assistir a um acidente de trem em câmera lenta.

E também havia Howard. Passei o dedo sobre a parte que falava dele e de Adrienne. Claro que ele também fazia algo por baixo dos panos. Será que ele e Adrienne estavam namorando e terminaram pouco depois da minha mãe e X? Será que meus pais estavam interessados em outras pessoas e meio que acabaram ficando juntos? Por isso que não tinha durado? E o que havia de tão especial em X, afinal?

Eu queria continuar lendo, mas minhas pálpebras estavam se fechando. Enfim, desisti, colocando o diário na mesa de cabeceira e apagando a luz.

Capítulo 16

— PRECISO DA SUA AJUDA.

Eu havia acordado com uma ideia brilhante e, embora tivesse esperado até uma hora socialmente aceitável, praticamente precisei arrancar Ren da cama. Acabamos sentados na varanda da casa de doces, e ele parecia só trinta por cento acordado.

— Não podia esperar?

Ele estava com uma calça preta de moletom e uma camiseta desbotada e, como sempre, ficava tirando o cabelo do rosto toda hora. Devia ser só a luz da manhã, mas ele estava bonito. Tipo, mais ninguém no mundo ficaria tão bonito com aquele cabelo desgrenhado e aquela cara de sono.

— O que foi?

Ele me pegou no flagra, e eu desviei o olhar depressa.

— Nada. Só preciso da sua ajuda com uma última coisa.

— Olha, você sabe que estou bastante interessado em desvendar esse mistério por trás da história do Howard e da Hadley, mas posso dormir antes?

— Não! Ren, por que você está tão cansado?

— Fiquei no telefone com Mimi até umas três da manhã.

De repente, o sol pareceu forte demais.

— Ela ficou mesmo com raiva? Por causa do que eu disse ontem à noite?

— Sim. Ficou. — Ele suspirou. — Mas não vamos falar disso. Você precisa de ajuda pra quê?

— Você poderia me dar uma carona até a ABAF?

— A escola onde sua mãe estudou?

— É. Eu liguei pra lá hoje de manhã. Eles se mudaram pra outro lugar há alguns anos, mas quero ver se consigo alguma informação sobre Francesca.

— Francesca, a fiscal da moda?

— Acho que é minha melhor chance de encontrar o X. Afinal, ela sabia sobre eles o tempo todo.

— Ei, calma. Vamos procurar o X? Por quê?

— Porque minha mãe teve toda uma vida que eu desconhecia. E porque eu quero saber o que esse cara tinha de tão especial a ponto de ela não conseguir esquecer e que fez com que ela magoasse Howard.

— Mas, Lina, isso ainda é só uma teoria, né? E se não tiver sido por isso que ela foi embora da Itália?

Soltei um gemido.

— Qual é, Ren... Você não quer saber quem é o misterioso X? Ele terminou com a minha mãe de um jeito horrível. Aquilo acabou com ela. Só quero saber o que ele tinha de mais. Acho que me ajudaria a entender tudo um pouco melhor.

— Humm. — Ele bocejou e encostou a cabeça no meu ombro.

— E então, vai me ajudar?

— Claro que sim. Quando você quer ir?

— O mais rápido possível.

A pele do Ren era quente, e ele tinha aquele cheiro de menininho que acabou de acordar.

— Nossa, você está tão cheirosa — disse ele, repetindo meus pensamentos.

— Não estou, não. Corri nove quilômetros e meio hoje de manhã e ainda não tomei banho.

— Está cheirosa mesmo assim.

Pelo que parecia, eu ainda sentia aquele friozinho na barriga. E o friozinho estava mais gelado do que nunca. Eu me afastei correndo.

Não. Pense. No. Ren.

Corri o mais rápido que pude até o cemitério. Eu tinha muito em que pensar e não precisava complicar as coisas com uma paixonite idiota por um dos melhores amigos que já tivera. Além disso, ele namorava uma top model sueca com crises de agressividade. E não podemos esquecer que eu havia acabado de dar meu número para o cara mais bonito que já conheci.

Quando cheguei em casa, meu coração quase saiu pela boca. Howard estava sentado no balanço da varanda com uma caneca de café e uma cara de *bom moço*. Era cosmicamente injusto que ele tivesse ficado sozinho num cemitério com seus muffins horríveis e sua música antiga. Aquilo me dava vontade de comprar balões ou algo do tipo para ele.

— Bom dia, Lina.

— Bom dia.

Howard me olhou de um jeito estranho. Talvez porque eu estivesse olhando para ele como se ele fosse um passarinho ferido.

— Eu estava na casa do Ren — falei.

— Vocês têm planos pra hoje?

— É, ele vem me buscar daqui a pouco.

— Para quê?

— Humm, acho que só vamos almoçar.

Será que devo convidá-lo? Espera aí. Nós não vamos almoçar.

— Legal. Bom, eu estava pensando que, se vocês dois quiserem, podíamos ver um filme hoje à noite. Uma das cidades vizinhas tem um cinema ao ar livre que passa filmes na língua original, e esta semana estão exibindo um dos meus favoritos.

— Ótima ideia!

Vibrei. Para virar líder de torcida, eu só precisava de pompons e um megafone. *Calminha* aí. *Não foi ontem que partiram o coração dele.*

Ele me lançou um olhar questionador.

— Que bom que você gostou da ideia. Vou convidar Sonia também.

— Claro.

Entrei correndo e, quando olhei para trás, a pena que senti foi tanta que quase transbordou por meus olhos. Ele amava minha mãe. Era pedir demais que ela retribuísse esse amor?

— Você disse "Piazzale Michelangelo", não foi? — gritou Ren pra mim.

— Isso. Disseram para estacionar lá e depois seguir pro sul.

— Ok, é logo ali.

Tinha sido uma viagem rápida de scooter, e eu tomara todo o cuidado para me sentar alguns centímetros afastada, de modo que nossas pernas não se tocassem nem nada do tipo. Pelo menos não toda hora.

— Alguém vai nos receber na ABAF, não vai? — perguntou ele.

— Vai. Eu não expliquei por que estávamos indo, mas disseram que uma pessoa do setor de matrículas estaria na secretaria.

Ele entrou atrás de uma fila de ônibus, e um deles era tão grande que devia fazer bico como navio de cruzeiro. A Piazzale Michelangelo era um redemoinho de turistas. Todos pareciam estar decididos a fazer valer o que tinham gastado.

— Por que tem tanta gente aqui?

— Daqui se tem a melhor vista da cidade. Assim que esse ônibus sair da nossa frente, você vai ver.

O ônibus desacelerou, e Ren o ultrapassou. De repente estávamos diante de uma vista panorâmica de Florença, incluindo a Ponte Vecchio, o Palazzo Vecchio e o Duomo. Tive orgulho de mim mesma. Cinco dias depois de chegar, já reconhecia metade da cidade.

Ren saiu da rua e parou numa vaga mais ou menos do tamanho da minha mala e nos esprememos para sair.

— Pra onde vamos?

Eu entreguei o endereço a ele.

— A mulher da escola falou que é fácil achar.

Só que não. Passamos os trinta minutos seguintes perambulando de um lado para outro pelas mesmas ruas porque todo mundo a quem perguntávamos nos dava instruções completamente diferentes.

— Primeira regra ao lidar com italianos — resmungou Ren. — Eles adoram indicar o caminho. Ainda mais se não tiverem a menor ideia do que estão falando.

Comecei a perceber que Ren só agia como italiano quando estava a fim.

— E gesticulam muito — acrescentei. — Achei que aquele último cara estava orientando o pouso de um avião. Ou talvez guiando uma orquestra.

— Você sabe como fazer um italiano parar de falar, não é?

— Como?

— É só amarrar os braços dele.

— É aqui!

Parei de andar, e Ren esbarrou em mim. Já tínhamos passado por aquele prédio pelo menos cinco vezes, mas só naquele momento notei a minúscula placa dourada acima da porta: ABAF.

— Eles acham que as pessoas vão ler a placa de binóculos?

— Você está mal-humorado.

— Desculpa.

Apertei o botão do interfone e depois de uma campainha alta ouvi a voz de uma mulher.

— *Pronto?*

Ren se aproximou.

— *Buon giorno. Abbiamo un appuntamento.*

— *Prego. Terzo piano.* — A porta se destrancou.

Ren olhou para mim.

— Terceiro andar. Vamos ver quem chega primeiro.

Um empurrou o outro, depois saímos correndo escada acima, chegando a uma grande recepção iluminada. Uma mulher com um vestido justo cor de lavanda deu um pulo atrás da mesa, assustada.

— *Buon giorno.*

— *Buon giorno* — respondi.

Ela olhou para meus tênis e começou a falar inglês.

— Você ligou para falar de uma reunião com o nosso setor de matrículas?

— Eu ganhei — sussurrou Ren.

— Não ganhou, nada. — Recuperei o fôlego e dei um passo à frente. — Oi. Sim, liguei, mas na verdade queria fazer algumas perguntas sobre uma ex-aluna.

— Como é?

— Minha mãe estudou aqui há uns dezessete anos, e estou tentando encontrar uma de suas antigas colegas de turma.

Ela ergueu uma das sobrancelhas.

— Bem, não podemos dar nenhuma informação pessoal.

— Eu só precisava saber o sobrenome dela.

— Como eu falei, não posso ajudá-la.

Aff.

— E quanto ao Signore Petrucione? Ele poderia nos ajudar? — perguntou Ren.

— Signore Petrucione? — Ela cruzou os braços. — Você sabe quem é ele?

Assenti.

— Ele era o diretor quando minha mãe estudava aqui.

Ela nos encarou por um instante, depois se virou e saiu de fininho da sala.

— Nossa. A alegria dela é contagiante — comentou Ren. — Acha que ela vai voltar?

— Espero que sim.

Logo depois a mulher reapareceu, seguida por um senhor de aparência enérgica e muito elegante de terno e gravata e com cabelo branco arrepiado. Quando me viu, teve que olhar de novo.

— *Non è possibile!*

Olhei para Ren.

— Humm, oi. Signore Petrucione?

Ele estava perplexo.

— Sim. E você é...

— Lina. Minha mãe estudou aqui e...

— Você é a filha da Hadley.

— ... Sim.

— Achei que estava vendo coisas. — Ele atravessou a sala, estendendo a mão. — Que surpresa. Violetta, sabe quem é a mãe desta garota?

— Quem? — A mulher estava determinada a não se deixar impressionar.

— Hadley Emerson.

O queixo dela caiu.

— Ah.

— Lina, venha comigo. — Ele olhou para Ren. — E traga seu amigo.

Eu e Ren seguimos Petrucione por um corredor até um pequeno escritório abarrotado de fotos. Ele se sentou e, com um gesto, nos convidou a fazer o mesmo. Tive que tirar uma caixa de negativos da cadeira.

— Lina, sinto muito por sua mãe. Que tragédia. E não só por causa da contribuição dela para o mundo da arte. Ela também era uma pessoa maravilhosa.

— Eu agradeço.

— Quem é esse? — Ele apontou para Ren.

— É meu amigo Lorenzo.

— Prazer em conhecê-lo, Lorenzo.

— Igualmente.

Petrucione se inclinou para a frente, apoiando os cotovelos na mesa.

— Que ótimo você estar visitando Florença. E que prazer recebê-la na ABAF. Violetta disse que você está pedindo informações sobre os colegas de turma da sua mãe.

Respirei fundo.

— Sim. Bem, tenho tentado descobrir um pouco sobre a época que ela passou na escola, e esperava entrar com contato com uma de suas antigas amigas.

— Claro. Quem?

— O nome dela é Francesca. Ela estudava fotogr...

— Francesca Bernardi. Essa foi outra que ficou bastante famosa. Saiu uma matéria sobre ela de página dupla na *Vogue Italia* na primavera passada. — Ele tamborilou dois dedos na própria cabeça. — Eu nunca esqueço um nome. Deixem-me pedir a Violetta que verifique nossos registros de ex-alunos. Já volto.

Petrucione saiu depressa do escritório, deixando a porta entreaberta.

— Quantos anos esse cara tem? — sussurrou Ren. — Sua mãe não disse que ele tinha uns duzentos anos? E isso foi naquela época.

— Sim, disse. Então acho que agora ele tem duzentos e dezessete.

— No mínimo. E ele é superativo. Acho melhor ele maneirar na quantidade de *espressos*.

— Será que devo perguntar sobre o X? Eles mantiveram segredo na escola, mas eu podia tentar descobrir se alguém abandonou o emprego no meio do segundo semestre da minha mãe aqui.

— Pergunta, sim.

Olhei para a parede, e a foto de uma velha olhando direto para a câmera chamou minha atenção. Fui até ela.

— Foi minha mãe que tirou essa foto.

— Sério? Como você sabe?

— Simplesmente sei.

Petrucione voltou saltitando para a sala.

— Ah, estou vendo que você encontrou a foto da sua mãe.

— Em geral eu consigo reconhecer o trabalho dela. — Pela dor que sinto no peito.

— Bem, sem dúvida é um trabalho singular. Hadley tinha um verdadeiro dom para retratos. — Ele me entregou um pedaço de papel, e voltamos a nos sentar. — Anotei o nome todo de Francesca e o telefone da empresa dela. Tenho certeza de que ela ficará muito feliz em conversar com você.

— Obrigada. Isso vai ajudar muito.

— Não tem de quê. — Ele sorriu para mim.

Achei que íamos apenas pegar as informações e ir embora, mas de repente eu não queria mais sair dali.

— Como minha mãe era? Quando estava aqui?

Petrucione sorriu.

— Como um ponto de exclamação humano. Nunca tinha visto ninguém tão empolgada para fazer alguma coisa. Esta escola é muito seletiva, mas mesmo assim às vezes deixamos passar um perdido, sabe, alunos meio desinteressados, mas com um talento natural. Sua mãe não era uma dessas. Ela era muito talentosa. Talentosíssima, na verdade, mas isso era apenas parte da equação. É preciso ser talentoso *e* motivado. Acho que só pela motivação ela poderia ter sido bem-sucedida. — Ele sorriu. — Todos os alunos gostavam dela. Eu me lembro de que era muito popular. Certa vez ela me pregou uma peça. Tirou uma foto abstrata da Ponte Vecchio para um trabalho. Àquela altura, eu já tinha visto um bocado de fotos da Ponte Vecchio e avisara à turma que qualquer um que se atrevesse a usar aquela paisagem como inspiração seria reprovado na hora. Mas ela foi lá e usou, e claro que amei a foto, e só depois ela me disse que se tratava da ponte... — Ele soltou uma risadinha, balançando a cabeça.

Uma sensação quente e pegajosa borbulhou dentro de mim. Eu *amava* ouvir gente que realmente conhecia minha mãe falar dela. Era como segurar sua mão por um breve instante.

"X", Ren fez com os lábios, sem ousar falar em voz alta.

— Ah. — Respirei fundo. — Sr. Petrucione? Tenho mais uma pergunta.

— *Prego.*

— Minha mãe mencionou que houve um... membro do corpo docente, professor ou algo assim, que deixou o cargo no meio do segundo semestre. Sabe quem pode ser?

O clima alegre do escritório evaporou com um *puf*. Petrucione fez uma cara enojada, como se alguém tivesse acabado de lhe oferecer cocô de cachorro para comer.

— Não. Não sei.

Eu e Ren nos entreolhamos.

— Tem certeza?

— Absoluta.

Eu me ajeitei na cadeira.

— Ok. Bem, ele pode não ter ficado aqui por muito tempo. Acho que acabou aceitando um emprego em Roma e...

Ele se levantou, erguendo um dos braços para me interromper.

— Desculpe, mas muitos dos membros do nosso corpo docente vêm e vão. Eu não me lembro. — Ele assentiu para nós. — Foi um grande prazer conhecê-los. Se voltar à cidade um dia, por favor venha nos dar um alô. — A voz dele continuava gentil, mas ele claramente estava encerrando o assunto.

Sem dúvida não queria falar sobre aquilo.

Ele não ia revelar nada sobre X.

— Obrigada pela ajuda — falei, enfim, me levantando.

Quando eu e Ren passamos pela mesa de Violetta, ela se levantou às pressas e nos abriu um sorriso tão grande quanto o Arno.

— Foi uma *grande* honra conhecer você, e fico muito feliz por ter conseguido ajudar. Tenham um dia *maravilhoso*.

— ... Obrigada.

Assim que a porta de vidro se fechou atrás de nós, Ren ergueu uma das sobrancelhas.

— O que foi aquilo?

Capítulo 17

— PETRUCIONE COM CERTEZA SABIA DE QUEM ESTÁVAMOS falando. Você viu a cara que ele fez?

Ren assentiu.

— Impossível não ter reparado nisso. E cinco segundos antes ele tinha comentado que não esquece o nome de ninguém. Só não quis nos contar mesmo.

— Espero que a gente tenha mais sorte com Francesca. — Digitei o número dela e liguei. — Está chamando.

— *Pronto*? — Um homem atendeu.

— Humm, Francesca Bernardi?

Ele respondeu num italiano rápido.

— Humm, Francesca? — repeti.

Ele estalou a língua. Depois o celular voltou a chamar e uma mulher atendeu.

— *Pronto*? — Sua voz era baixa e rouca.

— Alô, Francesca?

— *Sì*?

— Meu nome é Carolina. Você não me conhece, mas conheceu minha mãe, Hadley Emerson.

Silêncio. Fiz uma careta para Ren.

— O que foi? — perguntou ele num sussurro.

— Carolina — disse ela lentamente. — Que surpresa. Sim. Eu conheci sua mãe. Ela era uma grande amiga minha.

Meu coração acelerou.

— Estou tentando descobrir um pouco mais sobre os... estudos dela em Florença. Vocês dividiram apartamento, não é?

— Sim. E nunca existiu mulher mais desorganizada! Achei que eu ia acabar enterrada viva na bagunça dela.

— É... isso era mesmo um problema. Você se importaria de responder a algumas perguntas sobre a época que ela passou em Florença?

— Claro, posso responder, sim, mas por que quer me fazer essas perguntas? Há anos que não falo com ela.

— Bem... — Hesitei. Eu nunca sabia como dar essa notícia. Era como abrir uma represa. Impossível prever a reação das pessoas. — Ela morreu. Há pouco mais de seis meses.

Francesca arquejou.

— *Non ci posso credere.* Como?

— Câncer no pâncreas. Foi de uma hora para outra.

— Ah, pobrezinha. *Era troppo giovane, veramente.* Eu adoraria conversar sobre sua mãe. Depois de terminar o curso ela sumiu da face da Terra. Nenhum de nós conseguiu mais entrar em contato.

— Você...? — Fiz uma careta. — Isso pode parecer estranho, mas você lembra se ela estava namorando alguém?

— Ah, a vida amorosa de Hadley Emerson... Parecia uma novela. Sua mãe estava apaixonada, sim, e acho que metade de Florença caiu de amores por ela. Eu sempre soube quem era o homem certo para ela, todos nós sabíamos, mas aí apareceu aquele Matteo arruinando tudo.

— Matteo? — repeti, com a voz falhando.

Nem precisei insistir, Francesca soltou o nome de uma vez.

Ren ergueu o rosto de repente.

— Sim. O nosso professor — continuou Francesca.

— Professor — sussurrei para Ren.

Bom, aquilo explicava por que mantiveram o namoro em segredo.

— ... Ele bagunçou a cabeça dela. Fiquei furiosa por ter magoado minha amiga... — Ela se calou. — Parece que estou contando velhos segredos.

— Qual era o sobrenome do Matteo?

Ela hesitou.

— Acho que era Rossi. Sim, é isso mesmo, mas eu não deveria ter falado dele. Aquele homem foi uma perda de tempo para todo mundo, sobretudo para sua mãe. — Ela suspirou. — Todos queríamos salvá-la dele. Ele era charmoso. Muito bonito, mas controlador. Achava que podia encontrar um talento e se apossar dele. A demissão do Matteo foi um escândalo.

— Demissão? — *"Espaço criativo" uma ova.*

— Sim, mas são águas passadas. — A voz dela se animou. — Sabe quem seria uma ótima pessoa para conversar sobre isso? Howard Mercer. Ele era outro amigo nosso da faculdade, e hoje trabalha num cemitério pertinho de Florença. Era muito próximo da sua mãe. Quer o número dele?

— Não, não precisa — falei, depressa. — Então, Matteo Rossi. Alguma ideia de onde ele pode estar hoje em dia?

— Nenhuma. E prefiro assim. Mas quantos anos você tem, Carolina? Eu também tenho uma filha.

— Dezesseis.

— *Dezesseis*? Hadley era nova demais para ter uma filha da sua idade. Então, vejamos, isso significa que você nasceu em... — Ela se calou. — *Aspetta.* Dezesseis anos?

— Humm, sim.

A voz dela ficou mais aguda.

— Carolina, você está me ligando porque...

— Preciso ir. Foi bom falar com você. — Desliguei correndo.

Ren estava apoiado em mim, com a orelha a poucos centímetros do celular. Ele deu um passo para trás.

— O que foi isso?

— Ela estava tentando descobrir quem é meu pai. Acho que talvez eles ainda se falem, e não quero que isso chegue ao Howard.

— Como ela disse que X se chama?

Abri um sorriso triunfante.

— Professor Matteo Rossi. Tenho certeza de que vamos encontrá-lo.

Ren e eu corremos até o cyber café mais próximo. Eu esperava encontrar um monte de cappuccinos descolados ou pelo menos uma vitrine cheia de muffins gigantescos polvilhados com açúcar, mas o lugar só tinha uma fileira de computadores antigos e um grupo de pessoas mal-encaradas esperando na fila para apagar spam da caixa de entrada. Que decepção.

— Tem certeza de que não quer usar o meu computador lá em casa? — sugeriu Ren, meio sem jeito.

— Não. Quero encontrar Matteo agora.

Meu celular apitou na bolsa.

Quer ir a uma festa amanhã à noite? É de uma garota que se formou no ano passado. Banda, bar, fogos de artifício...

– Thomas

Eu me preparei para sentir um friozinho ainda maior na barriga, mas nada aconteceu. Na verdade, achei até que esquentou alguns graus. Olhei furtivamente para Ren. *Lina, você precisa se controlar*. Por que hoje eu o estava achando tão bonito? Só porque ele era a única pessoa que eu conhecia disposta a embarcar comigo numa busca insensata pelo ex-namorado da minha mãe?

— Quem é? — perguntou Ren.

— Ninguém.

— Então, Lina… — A boca dele se curvou para baixo numa expressão preocupada e fofa. *Não, nada fofa.* — Está na cara que Petrucione não queria falar do Matteo, e Francesca pelo visto também não gosta muito dele. Acha mesmo uma boa ideia procurar esse cara? E se ele for um babaca?

— Ele com certeza era um babaca, mas, sim, quero conhecê-lo. Ele foi muito importante na vida da minha mãe, e ela devia querer que eu soubesse da existência dele, senão por que teria me enviado o diário? Sinto que encontrá-lo é um grande passo pra entender tudo.

Ele assentiu, ainda parecendo em dúvida.

— Ok, mas "Matteo Rossi" é um nome bem comum. É como procurar um Steve Smith nos Estados Unidos.

— Vamos encontrá-lo — falei, num tom confiante. — Pensa bem, já tivemos muita sorte hoje. Primeiro, encontramos a escola…

— Aquilo foi um milagre.

— … E em segundo lugar, depois que chegamos lá, você se lembrou de mencionar Petrucione. Se não tivesse falado no nome dele, acho que Violetta teria nos colocado pra fora. — Do outro lado do café, uma mulher se levantou do computador. — Ei, olha! Acho que um deles vagou.

Corri em direção ao computador, seguida por Ren, e nos espremêmos na cadeira.

— Quer que eu procure em sites italianos? — perguntou ele.

— Sim. A última coisa que sabemos é que ele se mudou pra Roma, então é provável que ainda esteja lá.

— O que devo procurar?

Tirei o diário da bolsa e comecei a folheá-lo.

— Matteo Rossi Academia de Belas-Artes de Florença? Matteo Rossi fotógrafo Roma? Junta tudo o que sabemos sobre ele.

Ren digitou tudo o que falei, e começou a deslizar o cursor pela tela, parando de vez em quando para ler. Também tentei ler, mas nenhuma das minhas cinco frases em italiano apareceu.

— Nada. Nada. Nada... Alguma coisa? Que tal isto?

— O quê?

Ele clicou num dos resultados da busca.

— Parece um anúncio. Em inglês.

JUNTE SEU DESEJO DE VIAJAR COM A PAIXÃO POR FOTOGRAFIA

Acompanhe o renomado fotógrafo e dono de galeria Matteo Rossi numa jornada por Roma que mudará sua forma de ver o mundo. Com as diversas oficinas de fotografia oferecidas ao longo do ano, Rossi transformará seu hobby em algo mais.

— Ren, você o encontrou! Só pode ser ele.

— Vamos olhar o site.

Ele clicou no link na parte inferior do anúncio, e o site carregou numa lentidão aflitiva.

— Aiii. Está demorando demais — reclamei.

Era como observar a era do gelo em câmera lenta.

— *Pazienza* — disse Ren.

O site enfim carregou. Era monocromático com um grande banner dourado na parte de cima com os dizeres ITÁLIA ATRAVÉS DAS LENTES.

Tirei o mouse da mão do Ren, e rolei a página para ler a enorme quantidade de texto. Todos os parágrafos eram escritos em inglês e italiano, e eram basicamente um monte de blá-blá-blá dizendo que você seria insuportavelmente feliz se pagasse um dinheirão pela oportunidade de venerar Matteo. Não consegui acreditar que o cara era tão irritante.

Ren apontou para um link na parte de baixo.

— Página da biografia. Tenta essa.

Eu cliquei. E esperei. Outra era do gelo começou e terminou. Finalmente, uma foto em preto e branco do rosto do Matteo carregou e eu me aproximei para dar uma olhada.

E foi então que perdi o fôlego.

Capítulo 18

DE REPENTE, O CYBER CAFÉ PARECIA UM DOS SUÉTERES DE lã que minha tia-avó me mandava todo Natal. Quente. Áspero. Asfixiante.

Minhas mãos tremiam, mas consegui clicar na imagem para ampliá-la ainda mais. Pele morena. Olhos escuros. Cabelo cortado curtinho e depois quase melecado de tanto gel, porque do contrário ele teria que passar metade do dia tentando controlá-lo. Eu sabia bem como era isso.

— Ai, meu Deus. Aimeudeusaimeudeusaimeudeus. Acho que vou vomitar. — Tentei me levantar, mas tudo girou. Ren me segurou e me puxou de volta para a cadeira.

— Lina, fica calma. Está tudo bem. — Era como se ele estivesse falando debaixo d'água. — Deve ser só uma coincidência. Quer dizer, você também se parece muito com sua mãe. Todo mundo fala isso.

— Ren, ela nunca disse que ele era meu pai.

— O quê?

Eu me virei.

— Minha mãe nunca falou que Howard era meu pai. O tempo todo falou dele como se fosse apenas o melhor amigo dela.

Ele arregalou os olhos.

— *Davvero*? Então por que você achou que era?

— Por causa da minha avó. Ela disse que Howard era meu pai e que minha mãe não tinha me contado porque queria que eu chegasse lá de coração aberto e desse uma chance pra ele. — Coloquei a mão no peito. Meu coração batia forte, quase quebrando minhas costelas. — É claro que eu não tenho nada a ver com Howard, e Ren, *olha*.

Viramos para a tela outra vez.

— Preciso de uma explicação. Talvez... — Ele se calou.

Não havia o menor espaço para um "talvez".

— E desde que cheguei aqui, as pessoas dizem que eu tenho cara de italiana. Você mesmo falou isso quando nos conhecemos na colina. Ah, meu Deus. Eu sou italiana. Eu sou *italiana*!

— Metade italiana. E, Lina, calma. Ser italiana também não é o fim do...

— Ren, você acha que ele sabe? Acha que Howard sabe?

Ele hesitou, olhando outra vez para a foto.

— Não sei. Deve saber, não é?

— Então por que está me apresentando pras pessoas como filha dele? Ah, não. — Eu me curvei, segurando as pernas. — Na noite em que fomos na casa da Elena, ele estava com convidados em casa e eu ouvi uma das pessoas perguntar se eu era filha "da fotógrafa", e ele disse que sim, mas não que eu também era filha dele.

— Mas ele me disse que é seu pai. Naquela primeira vez que nos falamos. E Sonia diz o mesmo, não é?

— Ou os dois estão mentindo ou acreditam mesmo nisso. — Coloquei as mãos na cabeça. — Ren, e se só minha mãe soubesse? E se esse tiver sido o motivo pra ela ter enviado o diário? Pra eu saber a verdade mesmo que ninguém mais soubesse?

Ren fez uma careta.

— Ela faria isso? É tão...

Cruel? Insensível? Pode escolher.

Balancei a cabeça.

— Não sei mais. Desde que comecei a ler o diário, eu me pergunto se realmente a conhecia. — Olhei outra vez para a tela. — Ontem à noite eu estava pensando que ela e Howard tinham que ficar juntos logo porque nasci em janeiro, mas acho que não estavam com pressa. Ela já devia estar grávida na época em que foi morar com ele.

— E agora?

Respirei fundo.

— Temos que ligar pro Matteo. Preciso conhecê-lo.

— Nossa, Lina, não acho que seja uma boa ideia. Por que não conversamos com Howard antes? Ou pelo menos terminamos de ler o diário?

— Ren, por favor! Acho que era isso que minha mãe queria que eu fizesse. E não vou conseguir encarar Howard assim. Não posso. Esse número na parte de baixo é do Matteo?

Peguei meu celular e tentei ligar, mas minhas mãos tremiam demais.

— Eu ligo. — Ele pegou o aparelho. — Ligo direto pro número da galeria?

— Sim. Vê se está aberta. E onde fica. Como vamos chegar lá? Podemos ir até Roma de scooter?

— Não, vamos de trem. Tem trens indo pra lá o dia inteiro.

Ele se inclinou para a frente, com o celular encostado no ouvido. Estava chamando.

Ren pilotou o mais rápido possível até a estação de trem, enquanto eu me segurava nele como um macaco lunático. Tínhamos visto os horários na internet e achamos um trem expresso que sairia em vinte e seis minutos. Chegamos em vinte e quatro.

— Conseguimos. Conseguimos — comemorei, ofegante.

Ren afundou num banco vazio.

— Eu… nunca… corri… tanto.

Pressionei os dedos contra as costelas. Sentia uma dor horrível na lateral do tórax.

— Quem… diria… que um trem… estaria saindo agora?

Ele levou um segundo para recuperar o fôlego.

— Eles saem o dia inteiro, mas esse aqui é expresso. E precisamos fazer tudo rápido porque meus pais vão me matar se descobrirem que estou levando você a Roma pra encontrar um desconhecido. E Howard vai me jogar num caldeirão de óleo fervente.

— Matteo não é um cara qualquer. E Howard… — Soltei um gemido. — Que horror. Foi rejeitado por minha mãe e agora também vai descobrir que não tem filha nenhuma.

Nesse instante, começaram a falar num volume ensurdecedor pelo sistema de comunicação, e nós dois tapamos os ouvidos enquanto um homem fazia um longo anúncio em italiano. Quando finalmente terminou, ouvimos um apito agudo e o trem saiu lentamente da estação. *Isto está acontecendo. Está mesmo acontecendo.*

— Você está levando o diário, não é? — perguntou Ren.

— Estou. — Eu o tirei da bolsa. — Vou ler no caminho. Quanto tempo até lá?

— Uma hora e meia. Lê rápido.

Ele fechou os olhos e apoiou os pés no banco à frente.

— Ren?

Ele abriu os olhos.

— Sim?

— Juro que normalmente eu sou um tédio.

— Duvido.

9 DE MAIO

O semestre está terminando. Simone e Alessio acabaram mais cedo. Eles conseguiram um emprego juntos num museu em Nápoles, e todos ficamos aliviados porque eles não vão se separar. Com quem brigariam? Adrienne também terminou antes, mas foi embora sem se despedir.

Agora só restaram três do nosso grupo, Francesca, Howard e eu. Passamos tanto tempo juntos que brincamos que ele deveria economizar dinheiro e vir morar conosco. As aulas terminaram, mas tecnicamente faltam duas semanas até entregarmos o projeto final, e já comecei a ajudar Petrucione.

Parece o fim de uma era. No ano passado, vivi alguns dos meus melhores momentos, mas também alguns dos piores. Não tive nenhuma notícia de X desde aquele dia na estação de trem, e agora que o pior já passou, fico me perguntando como nosso relacionamento pode ter significado tanto para mim e tão pouco para ele.

12 DE MAIO

Nas últimas semanas, eu e Howard alugamos um carro e temos arrastado Francesca para passeios pelas cidades nas colinas da Toscana. Nossos papéis são bem definidos: Howard dirige e cuida da música, eu leio um livro de viagens em voz alta e Francesca fica sentada no banco de trás reclamando. Nós nos divertimos tanto, e eu fico muito feliz por tê-los por perto para me distrair. Às vezes até me esqueço de X por um tempo.

13 DE MAIO

Ofereceram a Francesca um emprego como assistente de um grande fotógrafo de moda em Roma. Se ela aceitar (e vai aceitar), começa em menos de um mês. Howard também tem feito entrevistas de emprego. Ele disse que vai fazer o que for preciso para ficar na Itália. Alguém precisa de um zelador com Ph.D. em história da arte? Sempre pensamos parecido com relação a Florença. Enquanto nossos amigos reclamavam dos turistas e dos preços, nós apontávamos para os vitrais coloridos e experimentávamos os sabores mais estranhos de gelato que encontrávamos.

Devo admitir que, apesar de ainda amar Florença com todo o coração, a cidade acabou se tornando um lugar triste para mim. Sempre que saio vejo lugares aonde fui com X, e é como se eu ouvisse ecos das nossas conversas. Passei horas me perguntando por que nosso relacionamento terminou tão de repente. Será que a direção da escola tinha descoberto? Ele havia conhecido outra pessoa? Mas é inútil pensar nisso. Eu poderia passar a vida inteira me fazendo essas perguntas.

14 DE MAIO

Só falta uma semana para terminar o prazo de entrega do meu projeto. Petrucione recomendou algumas escolas de arte para fazer retratos fotográficos e disse que, se eu conseguir aumentar meu portfólio, poderei escolher o curso que quiser. Estou tentando ficar tão animada quanto deveria. Sinto que parte de mim já está pronta para a próxima fase, mas a outra deseja ficar nesta cidade para sempre.

15 DE MAIO

Howard deve estar cansado dos bolos que dou enquanto trabalho no meu portfólio, porque ele me surpreendeu quando eu estava saindo do estúdio e disse que ia me levar para conhecer o Cemitério e Memorial Americano de Florença. Ele tem trabalhado lá como voluntário nos últimos meses (acrescente a Segunda Guerra Mundial a sua longa lista de interesses), e há pouco tempo recomendaram que se candidatasse à vaga de superintendente fixo. O superintendente atual sofreu um derrame este mês, e eles estão com pressa para encontrar um substituto. Não consigo imaginar alguém mais perfeito para o cargo nem um lugar mais perfeito para Howard. Ele disse que é improvável e tentou demonstrar indiferença, mas deu para ver quanto ele quer esse emprego.

18 DE MAIO

O que tem de errado comigo? Tem dias em que sinto que estou seguindo em frente, e em outros fico tão triste e emotiva que é como se estivesse de novo na estação de trem em Roma. Trabalho até tarde na maioria das noites, mas mesmo que não trabalhe, não consigo dormir. Toda vez que fecho os olhos, penso em X. Sei que a esta altura eu já deveria ter superado, mas só queria ter uma última conversa. Num momento de fraqueza, liguei para ele, mas o número não existe mais. Sei que é melhor assim, mas fiquei muito decepcionada.

20 DE MAIO

Howard conseguiu o emprego! Eu e Francesca o levamos à sua pizzaria preferida para comemorar, e quando voltamos para casa, ela subiu correndo, nos deixando parados lá fora. Eu já ia me despedir, mas ele começou a pigarrear e a balbuciar, e do nada me convidou para passar o restante do verão no cemitério. Ele fez parecer muito fácil: termine suas inscrições nas faculdades. Fique no quarto vago. Passe um pouco mais de tempo em Florença. Que convite! Aceitei antes mesmo que ele terminasse de falar.

22 DE MAIO

Hoje foi meu último dia oficial como estudante da ABAF. Planejo tirar o fim de semana de folga. Começo a auxiliar Petrucione na segunda-feira. Eu e Francesca passamos a tarde encaixotando as coisas do apartamento. Nunca achei que diria isso, mas vou sentir saudade do meu colchão fininho e duro e de todos os clientes barulhentos da padaria. Vivi tantas coisas boas aqui!

Francesca foi embora há uma hora. O estágio dela começa em duas semanas, mas antes ela vai viajar pelo país. Eu a ajudei a descer todas as nove malas, depois simplesmente nos abraçamos. Ela diz que nunca chora, mas quando nos afastamos seu delineador estava um pouquinho borrado. Espero que ela cumpra a promessa de visitar a mim e a Howard em breve.

24 DE MAIO

Bem, é oficial. Agora sou uma moradora do Cemitério e Memorial Americano de Florença. Todo o estresse de terminar o ano letivo deve ter me afetado, porque ontem eu estava tão exausta que mal consegui me levantar da cama. O superintendente anterior deixou o lugar mobiliado, então Howard pôde começar a trabalhar logo. O quarto extra é perfeito para mim, e Howard disse que não se incomoda se eu cobrir as paredes com fotos.

26 DE MAIO

O cemitério é deslumbrante, e embora eu devesse passar todo o meu tempo livre me inscrevendo nas faculdades, sempre aproveito alguns momentos para perambular por entre as lápides. O Muro dos desaparecidos é especialmente interessante. Como essas pessoas podiam estar vivas e de repente desaparecer? Hoje de manhã eu estava fotografando o muro e a superintendente-assistente, Sonia, se juntou a mim. Tivemos uma longa conversa. Ela é uma mulher maravilhosa, inteligente, como Howard, e muito dedicada ao trabalho aqui.

30 DE MAIO

Esta semana foi ótima. Depois de terminarmos o trabalho do dia, Howard e eu cozinhamos, assistimos a alguns filmes antigos e fizemos longas caminhadas, e tem sido perfeito. Às vezes Sonia se junta a nós, e jogamos cartas, vemos filmes ou só conversamos. Não sei explicar direito, mas durante anos senti que estava procurando alguma coisa, como se eu não estivesse no lugar certo, no entanto aqui, com Howard, essa sensação evaporou. Não sei se é a cidade, a tranquilidade do cemitério ou o tempo livre para tirar fotos, mas nunca me senti tão à vontade. Este lugar tem mesmo algum poder de curar os males.

31 DE MAIO

Hoje de manhã mostrei a Petrucione algumas fotos que tirei no cemitério. Há um lugar no lado noroeste com uma vista perfeita da propriedade, e tenho tirado fotos ali em diferentes horários. É incrível ver a mudança da luz e da cor ao longo do dia.

Pode parecer óbvio, mas morar num cemitério me faz pensar na morte. Aqui há uma ordem que não existe na vida real, e acho isso estranhamente reconfortante. Talvez essa seja a beleza da morte. Nada mais é complicado. Tudo é fechado e definitivo.

Fechado e definitivo.

— Aiii — falei em voz alta.

Minha mãe estava completamente *errada*. Como algo pode ser definitivo quando você deixa pessoas para trás sem ter revelado seus segredos?

— O que foi? — perguntou Ren. — Alguma novidade?

— Ela foi morar com Howard no cemitério, mas os dois eram só amigos. Ela já devia estar grávida naquela época. — Balancei a cabeça. — Só pode ser do Matteo.

— Posso ler até essa parte?

Entreguei o diário a ele e me recostei, observando a paisagem passar pela janela. Estávamos atravessando uma região rural com muito verde e colinas dignas de um cartão-postal, e era tão lindo e pitoresco que tive vontade de gritar.

Por que minha mãe tinha me contado daquele jeito?

Capítulo 19

QUANDO O TREM PAROU, HAVIA TANTA ADRENALINA CORrendo pelas minhas veias que eu poderia fornecer energia para uma pequena ilha. Não que qualquer um dos outros passageiros se importasse com isso. Eles não estavam com a mínima pressa de guardar suas revistas e seus laptops, e fiquei presa no corredor, me balançando, nervosa.

Ren me cutucou com o ombro.

— Tem certeza de que quer fazer isto?

— Eu preciso.

Ele assentiu.

— Quando sairmos do trem, vamos direto pra calçada. Se conseguirmos ultrapassar a multidão, podemos pegar um táxi e chegar lá em dez minutos.

Dez minutos.

A fila enfim começou a andar e eu e Ren saímos correndo do trem. A estação tinha um pé-direito alto e era ainda mais cheia que a de Florença.

— Pra que lado? — perguntei.

Ele girou em torno de si mesmo.

— Acho que é... pra lá. Isso. Topa correr de novo?

— Vamos nessa.

Ele me levou pela mão até a saída, desviamos das pessoas como se estivéssemos num jogo de videogame. *Dez minutos. Dez minutos.* Minha vida estava prestes a mudar. *De novo.* O que tinha acontecido com os dias normais e entediantes?

Havia um monte de táxis esperando na rua ao lado do ponto, e eu e Ren entramos no primeiro. O motorista tinha um bigode enorme e estava com o perfume vencido.

Ren leu o endereço para ele.

— *Dieci minuti* — respondeu o taxista.

— Dez minutos. — Ren traduziu.

Respira. Respira. Respira. Ele ainda segurava minha mão.

Quer um conselho? A não ser que você não tenha escolha, por exemplo, caso esteja sendo perseguido por um bando de macacos raivosos ou tenha fugido para uma cidade estrangeira para encontrar seu pai misterioso, nunca, jamais entre num táxi em Roma. Jamais.

— Ren, acho que esse cara vai nos matar — sussurrei.

— Por quê? Só porque quase acabamos de bater de frente de novo? Ou porque ele não para de tentar arrumar briga com os outros motoristas?

— *Dove hai imparato a guidare*? — gritou o taxista para o carro ao lado.

Ele se inclinou para fora da janela e fez um gesto que eu nunca tinha visto, mas que entendi na hora.

— Acho que estou vendo toda a minha vida passar como um filme diante dos meus olhos — falei.

— E como é?

— Empolgante.

— A minha também, mas devo admitir que ficou muito mais empolgante há cinco dias, quando você esbarrou comigo na colina.

— Eu não esbarrei com você. Na verdade, estava tentando evitar você.

— Sério? Por quê?

— Achei que ia ser estranho. E foi.

Ele sorriu.

— E olha só pra gente agora. Vivendo juntos nossos últimos minutos.

O motorista passou por cima do meio-fio e colocou o carro em ponto morto antes de parar completamente. Ren e eu nos chocamos contra os bancos da frente.

— Ai! — Esfreguei o rosto. — Eu ainda tenho nariz?

— Tem, mas ele agora é achatado — disse Ren, agachado no carro como um pedaço de papel amassado.

— *Siamo arrivati* — anunciou o taxista num tom agradável. Ele nos olhou pelo retrovisor, depois apontou para o taxímetro. — *Diciassette euro.*

Tirei o dinheiro da bolsa e o entreguei a ele, depois saímos do carro. No segundo em que fechei a porta, o táxi voltou para o trânsito cantando pneus, fazendo pelo menos quatro carros frearem às pressas e contribuindo para o que basicamente era uma grande orquestra de buzinas.

— Esse cara não deveria ter carteira de motorista.

— Isso é bem comum. Na verdade, ele é um dos melhores taxistas que já peguei. Olha, ali está a galeria.

Eu me virei. Estávamos diante de um prédio de pedras cinzentas com letras douradas na porta.

ROSSI GALLERIA E SCUOLA DI FOTOGRAFIA

Rossi. Lina Rossi. Será que esse era meu verdadeiro nome? Droga. Tinha um R italiano. Eu não conseguiria nem pronunciá-lo corretamente.

— Vamos. — Antes que meu nervosismo levasse a melhor, fui até a porta e apertei o botão do interfone.

— *Prego* — disse uma voz masculina pelo fone.

— *Matteo*? — A porta foi destrancada com um clique alto. Olhei para Ren.

— Está pronto?

— Quem se importa comigo? *Você* está pronta?

— Não.

Antes que eu pudesse pensar duas vezes, empurrei a porta e me vi num grande saguão circular. O ambiente tinha ladrilhos brilhantes e um lustre imenso com cerca de dez luzes penduradas, como tentáculos de uma água-viva. Um homem louro de camisa social e gravata estava sentado atrás de uma mesa prateada e curva. Ele era jovem e parecia americano. Claramente não era Matteo.

— *Buon giorno*. Inglês? — disse ele, num tom entediado.

— Sim. — Minha voz ecoou.

— Infelizmente, vocês perderam a aula. Começou há mais de meia hora.

Ren parou ao meu lado.

— Não viemos pra aula. Liguei há duas horas pra marcar uma reunião com Matteo. Meu nome é Lorenzo.

— Lorenzo Ferrara? — Ele nos avaliou por um instante. — Não pensei que vocês fossem tão novos. Infelizmente, o sr. Rossi está lá em cima dando aula. Os horários dele variam, e não posso prometer que terá tempo de falar com vocês depois.

— Bem, vamos esperar mesmo assim — falei, rapidamente.

Sr. Rossi. Até onde eu sabia, ele estava bem acima de mim.

— E qual é seu nome? — perguntou o homem.

— Lina... — Hesitei. Será que Matteo reconheceria meu sobrenome? — Meu nome é Lina Emerson.

Ren olhou para mim, mas simplesmente dei de ombros. O objetivo era contar ao Matteo quem eu era, certo?

— Tudo bem. Não posso prometer nada, mas vou avisar que vocês estão aqui.

O telefone começou a tocar alto e ele atendeu.

— *Buon giorno. Rossi Galleria e Scuola di Fotografia.*

— Vamos dar uma olhada por aqui — sugeri a Ren.

Eu estava muito nervosa. Talvez um passeio pela galeria distraísse minha mente do que estava para acontecer.

— Claro.

Passamos por uma porta em arco e entramos na primeira sala, que era toda de tijolinhos e tinha as quatro paredes cobertas por fotografias emolduradas. Uma foto grande chamou minha atenção. Era a imagem de um prédio antigo coberto de pichações numa cidade grande, como Nova York ou coisa do tipo, e numa das paredes estava escrito: O TEMPO NÃO EXISTE, RELÓGIOS, SIM. No canto direito havia uma grande assinatura rebuscada: M. ROSSI.

— É bem legal — disse Ren.

— É, minha mãe teria adorado o estilo dele.

Correção. Ela *adorava* o estilo dele. Minhas glândulas sudoríparas entraram em superprodução.

Ren seguiu em frente, e eu, na direção oposta. A maioria das fotografias era do Matteo, todas muito boas. Tipo, boas *de verdade*.

— Lina? Pode vir aqui um minuto? — A voz do Ren estava deliberadamente calma, como nas situações em que é preciso avisar que alguém está com uma aranha imensa nas costas sem causar pânico.

— O que foi? — Fui até ele na mesma hora. — O que é?

— Olha.

Levei um segundo para entender o que estava vendo, e depois quase tive um colapso. Era uma foto *minha*. Ou, pelo menos, das minhas costas, e eu até me lembrava de quando minha mãe tirou.

Eu tinha cinco anos e fiz uma pilha de livros para subir e olhar pela janela o cachorro do vizinho. O bicho era do tamanho de um pônei e despertava em mim uma relação intensa de amor e medo. Eu estava com meu vestido preferido. Olhei a descrição. *Carolina*, por Hadley Emerson.

— Como ele conseguiu isso?

De repente, senti tudo girar.

— Ele sabe sobre mim. Não vai ser uma surpresa.

— Tem certeza de que não quer ir embora?

— Não sei. Acha que ele sempre esperou que eu aparecesse?

— Com licença. — Era o homem do saguão. Ele nos olhava como se desconfiasse que fôssemos enfiar uma das enormes fotos do Matteo na minha bolsa. — Vocês têm alguma dúvida?

Mais ou menos um milhão de dúvidas.

— Humm, sim... — Meu olhar desesperado percorreu a sala. — Todas as peças estão... à venda?

— Nem todas. Algumas fazem parte da coleção particular do sr. Rossi.

— Ele tem mais alguma coisa de Hadley Emerson? — Apontei para a foto.

— Humm. — Ele se aproximou e deu uma olhada na *Carolina*. — Posso verificar, mas acho que esta é a única. Você conhece o trabalho de Hadley Emerson?

— Humm, conheço. Mais ou menos.

— Vou olhar no sistema e já informo.

Ele saiu da sala e Ren ergueu as sobrancelhas.

— Ele não é muito observador, né?

— O que vou dizer para Matteo? Devo começar contando quem eu sou?

— Talvez você devesse esperar pra ver se ele a reconhece.

Uma porta se abriu no andar de cima e ouvimos um estrondo de vozes e passos. A aula tinha terminado. Minha respiração acelerou. Aquilo era um erro. Estava acontecendo rápido demais. E se ele não quisesse fazer parte da minha vida? E se quisesse? Ele seria tão horrível quanto o cara do diário?

Segurei o braço do Ren.

— Mudei de ideia. Não quero conhecê-lo. Você estava certo. Precisamos conversar com Howard antes. Pelo menos eu sei que minha mãe confiava nele.

— Tem certeza?

— Tenho. Vamos dar o fora daqui.

Saímos da sala correndo. Mais de dez pessoas atravessavam o saguão, mas as contornamos depressa e quando eu estava quase encostando na maçaneta, ouvir alguém dizer:

— Vocês dois. Esperem aí!

Eu e Ren congelamos. *Ah, não*. Parte de mim queria ir embora, mas outra parte ainda maior queria se virar. Então foi o que fiz. Lentamente.

Um homem de meia-idade estava no alto da escada. Usava uma camisa que parecia cara e calça social, e era mais baixo do que eu tinha imaginado, com uma barba e um bigode cuidadosamente aparados. Ele não tirava aqueles olhos escuros de mim.

— Vem, Lina, vamos embora — disse Ren.

— Carolina? Por favor, venha ao meu escritório.

— Não precisamos ir — sussurrou Ren. — Podemos ir embora. Agora.

Minha pulsação latejava nos ouvidos. Ele não só tinha me chamado de "Carolina", como tinha pronunciado corretamente. Segurei a mão do Ren.

— Por favor, venha comigo.

Ele assentiu e lentamente fomos até a escada.

Capítulo 20

— POR FAVOR, SENTEM-SE. — MATTEO TINHA UM TOM DE voz educado, com um leve sotaque.

Ele foi para trás de uma mesa em forma de meia-lua e apontou para duas cadeiras idênticas a ovos cozidos. Pensando bem, *tudo* no escritório dele parecia outra coisa. Um grande relógio em forma de roda dentada tiquetaqueava alto no canto, e o tapete lembrava um mapa do genoma humano ou coisa do tipo. A sala inteira tinha um aspecto moderno e coloridíssimo que não combinava com o homem diante de nós.

Inquieta, eu me sentei num dos ovos cozidos.

— O que posso fazer por vocês?

Ok. Conto logo? Por onde começo?

— Eu… — Cometi o erro de olhar de relance para Ren, e de repente minha garganta se fechou como se estivesse sendo enforcada.

Ele me olhou de um jeito preocupado.

Matteo inclinou a cabeça.

— Vocês dois falam inglês, certo? Benjamin disse que queriam conversar comigo. Imagino que estejam interessados em alguma informação sobre os cursos.

Ren olhou para minha expressão petrificada, depois tomou a palavra.

— Ah... sim. Informações sobre os cursos. Humm, você tem alguma aula para iniciantes?

— Claro. Dou vários cursos para principiantes ao longo do ano. O próximo começa em setembro, mas acho que as vagas já acabaram. Todas as informações estão disponíveis no meu site. — Ele se recostou. — Gostaria de entrar para a lista de espera?

— Sim, boa ideia.

— Tudo bem. Benjamim vai ajudá-los com isso.

Matteo olhou para mim, e de repente fiquei consciente de todas as minhas terminações nervosas. Ele estava fingindo que não sabia, ou não percebia? Eu me sentia diante de um espelho. Um espelho mais velho, do sexo masculino, mas mesmo assim um espelho. Ele olhou para o meu cabelo por alguns instantes.

— Você tem uma boa câmera para recomendar a um iniciante? — perguntou Ren.

— Sim. Prefiro as Nikons. Roma tem várias lojas boas de fotografia. Posso passar os contatos para vocês com todo o prazer.

— Ótimo.

Matteo assentiu, e houve um longo momento de silêncio.

Ren pigarreou.

— Então... elas devem ser bem caras.

— Existem câmeras de vários preços. — Ele cruzou os braços e olhou para o relógio de roda dentada. — Bem, se vocês me dão licença...

— Você coleciona muitas fotos de outros fotógrafos? — soltei.

Matteo e Ren olharam para mim.

— Não muitas, mas viajo bastante, então faço questão de visitar estúdios e galerias em todos os lugares que vou. Se encontro algo especialmente tocante, compro e exibo na galeria junto com meu trabalho e o dos alunos.

— E quanto à foto de Hadley Emerson? Onde a comprou?

— Aquela foi um presente.

— De quem?

— Da própria.

Ele me encarou. Como se me desafiasse.

Perdi completamente o fôlego.

Ele afastou a cadeira da mesa.

— Lorenzo, por que não vamos até a recepção e pedimos a Benjamin que coloque seu nome na lista de espera? Carolina, antes de você ir, eu gostaria de mostrar a outra foto da Hadley que tenho.

Eu me levantei da cadeira sem jeito, e Ren segurou meu braço.

— Por que ele não está reconhecendo você? — sussurrou.

— Ele está. Sabia meu nome verdadeiro e a pronúncia correta.

Todo mundo errava meu nome. A não ser que já o tivessem ouvido. Descemos com ele, meu coração quase saindo pela boca, e Matteo parou na recepção.

— Benjamin, você poderia ajudar Lorenzo a colocar o nome na lista de espera do próximo curso para iniciantes?

— Claro.

— Carolina, a foto está na sala ao lado. Lorenzo, vamos esperar você lá.

Nós nos entreolhamos. *Ok?*, murmurou ele.

Ok.

Ok, ok, ok.

— Por aqui.

Matteo foi para a sala ao lado, e eu o segui, com a mente confusa como uma TV com sinal ruim. O que estava acontecendo? Ele queria conversar em particular?

Ele foi até a parede mais distante e apontou para a foto de uma jovem com o rosto meio sombreado. Sem dúvida minha mãe.

— Está vendo?

— Sim. — Respirei fundo, mantendo os olhos na foto para criar coragem.

— Matteo, eu estou aqui porque sou...

— Eu sei quem você é.

Ergui o rosto depressa. Ele me olhava como se eu fosse um chiclete grudado na sola do seu sapato.

— Você é sua mãe de calça jeans e All Star. A verdadeira pergunta é: o que está fazendo aqui?

— O que estou... fazendo aqui? — Dei um passo para trás, tentando pegar o diário na bolsa. — Eu li sobre você no diário da minha mãe.

— E daí?

— Ela... estava apaixonada por você.

Ele soltou uma risada amarga.

— *Apaixonada*. Ela era uma criança boba, que caiu de amores pelo instrutor. Não conhecia a vida fora daquela cidadezinha de onde veio e quando chegou aqui achou que sua vida viraria um conto de fadas. Mas, as fantasias da Hadley não importam, o que importa é que eu era professor dela, só isso. E seja lá o que estiver passando por sua cabeça agora, é melhor esquecer logo, Carolina. — Ele cuspiu meu nome como se fosse um pedaço de fruta podre.

Uma onda de calor se espalhou pelo meu corpo.

— Não foi *só isso*. Vocês namoraram. Você escondeu o relacionamento de todo mundo e depois terminou tudo quando ela veio visitá-lo em Roma.

Ele balançou a cabeça devagar.

— Não. Isso é mentira. Ela criou uma fantasia de que tínhamos um relacionamento e foi tão longe que chegou a acreditar em si mesma. — Os lábios dele se curvaram num sorriso horrível. — Sua mãe era desequilibrada. Uma mentirosa.

— Não era, não. — Minha voz ecoou pela sala. — Ela não fantasiou essas coisas. Não inventou o relacionamento de vocês.

— Ah, é mesmo? — Matteo ergueu a voz. — Pergunte a qualquer um que estava lá. Alguém nos viu juntos? Você já falou com alguém que tenha confirmado essa história?

— Francesca Bernardi.

Ele revirou os olhos.

— Francesca. Era a melhor amiga da sua mãe. Claro que acreditava nela, mas alguma vez ela nos viu juntos? Francesca tem algo mais em que se basear além do conto de fadas ridículo da sua mãe?

Será que tinha? Um carrossel de pensamentos começou a rodopiar pela minha cabeça. Francesca *parecia* ter certeza...

— Imaginei. Mas como você se deu ao trabalho de vir aqui, vou contar exatamente o que aconteceu. Sua mãe estava tendo dificuldades com o trabalho do curso e perguntou se eu poderia ajudá-la fora da escola. A princípio, fiquei contente em ajudar, mas depois ela começou a me ligar em horários estranhos. Durante a aula, ficava me encarando e deixava coisas na minha mesa para mim. Às vezes eram versos; outras, fotos dela mesma. — Ele balançou a cabeça. — A princípio, achei que era só uma paixonite, inofensiva, mas aquilo foi ficando mais intenso. Certa noite, Hadley foi até meu apartamento e disse que tinha se apaixonado por mim, que sua vida não teria sentido se não ficássemos juntos. Tentei ser gentil. Disse que, como professor, eu não poderia me relacionar com uma aluna. Disse que ela seria mais feliz com alguém da idade dela. Como aquele Howard Mercer.

Howard. Estremeci, mas Matteo não notou, ele estava com o olhar distante, como se visse a cena acontecer numa grande tela de TV.

— E foi aí que ela surtou. Começou a gritar, dizendo que iria procurar o diretor da escola para contar que eu tinha abusado dela. Eu falei que ninguém acreditaria. E então ela pegou um diário, imagino que seja esse aí mesmo, e me disse que estava tudo registrado. O que ela escreveu aí é uma fantasia, uma visão, do que ela queria que acontecesse entre nós. Ela disse que escreveria um final infeliz e mostraria para todo mundo como prova. No dia seguinte, tive uma conversa com o diretor, e concordamos que, embora eu não tivesse cometido nenhum erro, era melhor me demitir. Mais tarde, fiquei sabendo que ela começou a dormir com qualquer um que aparecesse. Imagino que você seja fruto disso. — Ele olhou no fundo dos meus olhos, e eu senti um calafrio. — Eu não queria nada com sua mãe e não quero nada com você.

— Você é um *mentiroso*. — Minha voz falhava. — E covarde. Olha pra mim. Eu sou a sua cara.

Ele balançou a cabeça lentamente, com um sorriso triste.

— Não, Carolina. Você é a cara *dela*. E do pobre homem que ela atraiu para uma de suas fantasias patéticas. — Num movimento rápido, ele deu um passo à frente, tirando o diário das minhas mãos.

— Ei! — Tentei recuperá-lo, mas ele se virou, me bloqueando com o ombro.

— Ah, sim. O famoso diário. — Começou a folheá-lo. — Parece que ela me chamava de X. Inteligente, não? "A única parte difícil de estar apaixonada por X é não contar a ninguém"... "Às vezes parece que meu tempo é dividido em duas categorias: o tempo com X e o tempo esperando para estar com X"... — Ele se virou, passando as páginas lentamente. — Carolina, você tem cara de ser uma garota inteligente. Pensa bem, isso parece real? Acha que sua mãe teve um relacionamento que conseguiu manter totalmente em segredo?

— Ela não inventou nada disso.

Matteo olhou para a primeira página do diário e mostrou para mim. "Eu tomei a decisão errada."

— Está vendo? Mesmo em meio à loucura, ela sabia que forjar o diário era errado. Ela era muito talentosa, mas *folle*. Detesto dizer isso, Carolina, mas a ciência provou que as partes do cérebro responsáveis pela criatividade e pela loucura são as mesmas. Pelo menos você tem o conforto de saber que não foi culpa dela. Sua mãe era um gênio, mas a mente dela era fraca.

De repente, tudo ficou vermelho, de tanta raiva em ebulição. Sem pensar direito, parti para cima dele, arrancando o diário de suas mãos e correndo para o saguão.

— Lina? — Ren desviou o olhar da mesa. Ele segurava uma prancheta. — Você está bem?

Abri a porta e saí, seguida por Ren. Eu me virei e corri pela rua, com as pernas pesadas como sacos de areia. *A mente dela era fraca.*

Finalmente, Ren me alcançou, agarrando meu braço.

— Lina, o que aconteceu? O que aconteceu lá dentro?

Uma onda de enjoo me dominou e corri para a beira da calçada, com ânsia de vômito. Enfim, a sensação passou e me abaixei, sentindo o calçamento duro sob os joelhos.

Ren se ajoelhou ao meu lado.

— Lina, o que aconteceu?

Eu me virei, encostei o rosto no peito dele e de repente comecei a chorar. Não apenas chorar. Eu *soluçava*. Um choro explosivo e descontrolado. O peso dos últimos dez meses caíra sobre mim e eu não podia fazer nada.

Eu chorei, chorei e chorei. Lágrimas quentes e barulhentas escorriam, e eu não me importava que os outros vissem. O tipo de coisa que eu nunca tinha feito na frente de ninguém.

— Lina, está tudo bem — dizia Ren, me abraçando. — Vai ficar tudo bem.

Mas, não, não ia. Nunca mais. Minha mãe estava morta. E eu sentia tanta saudade dela que às vezes me perguntava como conseguia respirar. Howard não era meu pai. E Matteo… Não sei por quanto tempo chorei, mas finalmente senti ter chegado ao fundo do poço, e meus últimos soluços me fizeram estremecer.

Abri os olhos. Nós dois ainda estávamos ajoelhados no chão. Abracei Ren, enfiando o rosto no seu pescoço, a pele dele quente e pegajosa. Eu me afastei. Sua camisa tinha uma enorme mancha molhada, e ele estava aflito.

Ren não merecia ter que lidar com isso.

— Desculpa — falei com a voz rouca.

— O que aconteceu?

Enxuguei o rosto, depois o puxei e ficamos de pé.

— Matteo disse que minha mãe inventou tudo aquilo. Que era obcecada por ele e que escreveu um diário falso pra arruinar a vida dele na escola.

— *Che bastardo.* Nem é uma história tão boa assim. — Ele olhou para mim com mais atenção. — Espera. Você não acreditou nele, né?

Hesitei por um instante, depois balancei a cabeça com vigor, fazendo meu cabelo grudar nas bochechas.

— Não. No começo fiquei assustada, mas ela não era assim. Nunca teria magoado alguém que amava.

Ele soltou um suspiro.

— Você me deu um susto.

— Só não consigo acreditar que ela amava alguém como *ele*. Ele é horrível. E Howard é tão... — Ergui o rosto.

O rosto do Ren estava a quinze centímetros do meu, e de repente nos encaramos e parei de pensar em Matteo e Howard.

Capítulo 21

NÃO FOI UM BEIJINHO QUALQUER. NÃO FOI AQUELE PRImeiro beijo sem jeito ou um selinho roubado no cinema pelo seu namoradinho da escola. Foi um beijo com direito a braços enrolados no pescoço, dedos entrelaçados no cabelo em meio a lágrimas salgadas e uma pergunta pairando no ar: por que não fizemos isso antes? Ren envolveu minha cintura e por cinco segundos tudo foi perfeito, mas depois…

Ele me afastou.

Ele.

Me.

Afastou.

Desejei que um buraco se abrisse no chão e me sugasse para dentro, naquele segundo.

Ele não conseguia olhar para mim.

Sério, por que o chão ainda não tinha me engolido?

— Ren… não sei o que aconteceu. — Ele tinha retribuído o beijo, não tinha? *Não tinha?*

Ele olhava para baixo.

— Não, não é isso. Tudo bem. Só acho que não é o momento certo, sabe?

MOMENTO. Meu rosto queimava. Ele não só tinha me afastado como estava sendo *legal* comigo. *Lina, dá um jeito nisso.* As palavras começaram a disparar da minha boca.

— Você está certo. Totalmente certo. Eu me deixei levar depois do que aconteceu lá... Fiquei muito emotiva, acho que acabei confundindo as coisas e... — Fechei os olhos com força. — Somos só amigos. Eu sei disso. E nunca, jamais, jamais mesmo, pensei em você como algo além disso.

Será que conta como mentira se você estiver negando algo que só admitiu para si mesma há um minuto? Além disso, exagerei nos "jamais", mas queria que ele acreditasse em mim.

Ren ergueu o rosto, me encarando com a expressão mais indecifrável do planeta. Então se distraiu de novo.

— Tudo bem. Não esquenta com isso.

Por que, por que, por que eu fiz aquilo? Eu me encostei numa das portas do táxi, Ren se sentou na outra, olhando pela janela como se estivesse tentando decorar as ruas ou algo do tipo. Tive a impressão de que ele seria capaz de se jogar pela janela a qualquer momento só para me evitar.

Eu não merecia uma segunda chance? Voltar vinte minutos no tempo, para o momento em que ainda não havia perdido a cabeça e beijado meu melhor amigo que tinha namorada e claramente *não me* queria? Até o instante em que eu ainda não havia notado quanto amava seu cabelo desgrenhado e seu senso de humor ou o fato de que, embora o conhecesse havia menos de uma semana, eu me sentia à vontade o bastante para dividir aquela história maluca com ele?

Ai, meu Deus. Eu estava tão apaixonada que chegava a doer.

Pressionei os dedos no peito. *Você conhece Ren há cinco dias. Não pode estar apaixonada por ele.* Muito racional.

E nem um pouco verdade.

Claro que eu estava apaixonada. Ren era autêntico e eu me sentia confortável para ser eu mesma quando estava com ele. Tudo isso seria perfeito se ele sentisse o mesmo, mas não era o caso. Olhei para Ren e uma onda de dor percorreu meu corpo. Será que ele nunca mais ia falar comigo?

O taxista nos olhava pelo retrovisor.

— *Tutto bene?*

— *Si* — respondeu Ren.

Enfim, o carro deu uma guinada para a estação de trem e Ren entregou ao motorista algumas notas, depois praticamente se jogou para fora do táxi. Infeliz, fui atrás dele.

Ainda tínhamos que voltar para Florença. Uma viagem de trem inteira, e depois, o percurso de scooter, e... *Ah, não*. Depois eu estaria no cemitério. Com Howard. Eu não podia me permitir pensar tão à frente, ou começaria a surtar.

Ren diminuiu o passo por um instante para que eu pudesse alcançá-lo.

— Nosso trem sai em quarenta e cinco minutos.

Quarenta e cinco minutos. Ou seja, uma eternidade.

— Quer se sentar?

Ele balançou a cabeça.

— Vou comprar algo pra comer. — *Sozinho*.

Ele não falou isso, mas nem precisava.

Assenti, apática, depois fui até as cadeiras mais próximas e me afundei numa delas. Qual era o meu *problema*? Primeiro, não dá para chorar em cima de uma pessoa e em seguida beijá-la. Em segundo lugar, não se beija um cara que tem namorada. Uma namorada deslumbrante. Mesmo que desconfie que ele também esteja a fim de você.

Será que eu entendi tudo tão errado assim? Ele estava sendo atencioso só porque eu era uma boa amiga? E todas aquelas vezes em que tinha segurado minha mão ou dito que gostava de mim porque eu era diferente? Não significaram nada?

E quanto a Matteo? Meu pai era, sem exagero, a pior pessoa que eu já conhecera. Eu tinha certeza de que minha mãe me mantivera longe dele de propósito, mas por que ela enviara todas as pistas para que eu o encontrasse?

Eu precisava me distrair. Tirei o diário da bolsa, mas, quando o abri, as palavras se moveram ligeiras pela página feito insetos. Eu não ia conseguir me concentrar enquanto estivesse me sentindo daquele jeito.

Dez excruciantes minutos depois, Ren apareceu com uma grande garrafa de água e um saco plástico para mim.

— Sanduíche. De *prosciutto*.

— O que é isso?

— Presunto fatiado bem fininho. Você vai adorar.

Enquanto ele se sentava ao meu lado, abri o sanduíche e dei uma mordida. Claro que amei, mas não era nada comparado ao que eu sentia por Ren.

E, sim. Eu tinha acabado de comparar o único cara por quem já me apaixonara a um sanduíche de presunto.

Ren se recostou na cadeira, esticando as pernas para a frente e cruzando os braços. Tentei encará-lo, mas ele estava concentrado nos próprios pés.

Finalmente, suspirei.

— Ren, não sei o que dizer. Desculpa por ter colocado você nessa situação. Não foi justo.

— Não se preocupa com isso.

— Eu sei que você tem namorada e...

— Lina, sério. Relaxa. Está tudo bem.

Não *parecia* estar nada bem, e eu sentia um ciclone bem no meio do peito. Também me recostei à cadeira e fechei os olhos, mandando mensagens telepáticas para ele. *Desculpa por ter arrastado você até Roma. Desculpa por ter te beijado. Desculpa por ter estragado tudo.*

* * *

Trinta e cinco minutos sem conversar.

Não, trinta e um, considerando aquela conversa horrível, e depois fui ao banheiro e fiquei uns dois minutos diante do espelho me odiando. Meus olhos estavam inchados. Eu *estava* acabada. Perdera Ren e estava prestes a perder Howard também. Não havia escolha. Eu precisava ter certeza de que Howard sabia que não era meu pai, por mais que eu quisesse que ele fosse.

— O trem chegou — avisou Ren, se levantando.

Ele foi até a plataforma e eu o segui. *Mais uma hora e meia*. Eu aguentaria, não é?

O trem estava cheio, e levamos um bom tempo para encontrar lugar. Finalmente achamos dois assentos vagos diante de uma senhora gordinha que colocara um monte de sacolas plásticas no espaço que nos separava. Um homem ocupou o lugar ao lado dela, e Ren assentiu para eles, ocupando o assento junto à janela e fechando os olhos de novo.

Tirei o diário da bolsa e o limpei na calça jeans, tentando me livrar de qualquer germe do Matteo que ainda estivesse ali. Estava na hora de mergulhar outra vez na história. Eu precisava parar de pensar em Ren.

3 DE JUNHO

Esta noite, Howard me falou, com seu jeito delicado, que sempre soube de X. Aquilo fez eu me sentir ridícula. Eu achava que éramos muito sorrateiros, mas no final das contas todo mundo sabia. Eu me vi contando a ele sobre o relacionamento, até as partes ruins. E não eram poucas. O problema era que, quando as coisas iam bem com X, iam TÃO bem que eu me esquecia de todo o resto. Foi um grande alívio falar disso, e depois eu e Howard fomos para a varanda e conversamos sobre outras coisas até as estrelas aparecerem. Eu não me sentia tão tranquila assim havia muito tempo.

5 DE JUNHO

Hoje faço vinte e dois anos. Acordei sem nenhuma expectativa, mas Howard estava me esperando com um presente: um anel de ouro fininho que ele comprou numa loja de antiguidades em Florença há quase um ano. Ele disse que não sabia por que fizera isso; simplesmente tinha adorado o anel.

O que eu mais amo no anel é que ele tem uma história. O homem que o vendeu contou que pertencera a uma tia dele que se apaixonara por alguém, mas fora forçada pela família a ir para um convento. O homem que ela amava lhe dera o anel e ela o usou em segredo por toda a vida. Howard disse que o vendedor inventou uma história para acrescentar mais valor à peça, mas é lindo e, por incrível que pareça, cabe perfeitamente no meu dedo. Eu estava exausta, então em vez de sair para jantar hoje, como tínhamos planejado, ficamos em casa para ver filmes antigos. Mal consegui terminar o primeiro.

6 DE JUNHO

Hoje à noite, eu e Howard estávamos sentados no balanço da varanda, e eu estava com os pés no colo dele. Então ele me fez uma pergunta: "Se você pudesse fotografar qualquer coisa no mundo, o que escolheria?" Antes que eu sequer conseguisse pensar no assunto, disparei "esperança". Eu sei, é brega, não é? Mas estou falando da esperança no sentido de <u>tranquilidade</u>, daqueles momentos em que você simplesmente sabe que vai dar tudo certo. É a descrição perfeita deste tempo que estou passando aqui. Parece que apertei o botão "soneca" e estou fazendo uma pausa antes de ter que encarar seja lá o que venha a seguir. Sei que meu período aqui está chegando ao fim lentamente, mas não quero que acabe.

7 DE JUNHO

Quero registrar cada minuto do que aconteceu hoje. Howard me acordou antes das cinco da manhã dizendo que queria me mostrar uma coisa. Meio dormindo e de pijama, caminhamos pela parte de trás do cemitério. Ainda estava cinza lá fora e pareceu que tínhamos andado por horas. Então vi aonde estávamos indo. À frente, ao longe, havia uma pequena torre redonda. Parecia antiga e ficava completamente isolada, como algo esperando para ser descoberto.

Quando chegamos lá, Howard me levou até a entrada. Havia uma pequena porta de madeira que devia ter sido posta ali para impedir invasões, mas tinha se quebrado com o tempo e as intempéries. Ele a tirou do caminho, e nós dois nos abaixamos para passar e subimos pela escada em espiral até o topo da torre. Subimos tanto que foi possível ver tudo a nossa volta — a copa das árvores do cemitério e a estrada que leva a Florença. Perguntei o que estávamos fazendo ali, e ele me disse para esperar. E foi o que fizemos. Ficamos ali em silêncio enquanto o sol nascia nos tons de rosa e dourado mais maravilhosos. Todos os campos foram inundados de cor. Senti uma dor repentina. Eu estivera cercada pelo frio e pela escuridão, mas de repente, bem devagar, não estava mais.

Depois que já tinha amanhecido completamente, eu me virei. Howard estava me observando, e foi como se de repente eu o visse pela primeira vez. Eu me aproximei dele e nos beijamos como se já tivéssemos feito isso um milhão de vezes. Como se fosse a coisa mais óbvia do mundo. Quando nos afastamos, não dissemos nada. Eu só peguei a mão dele e voltamos para casa.

8 DE JUNHO

Continuo pensando em como era estar com X. Quando eu tinha a atenção dele era como se um refletor brilhasse sobre mim e tudo no mundo estivesse certo. No instante em que ele desviava o olhar, no entanto, eu me sentia sozinha e com frio. Tentei encontrar o equivalente para "inconstante" em italiano, e o mais perto que cheguei foi "*volubile*". Significa "desviar, rodopiar, retorcer". Eu me sentia atraída por aquela sensação de redemoinho que X provocava em mim, mas aquilo me deixava sem chão. Eu achava que queria fantasia e paixão, mas no fim das contas o que realmente quero é alguém que me acorde cedo para eu não perder o nascer do sol. O que realmente quero é Howard. E agora eu tenho.

10 DE JUNHO

Francesca veio nos fazer uma visita ontem. Talvez eu não esteja mais acostumada com ela, mas nas últimas três semanas ela conseguiu se transformar numa versão exagerada de si mesma. Seus saltos agulha estavam um pouco mais altos, suas roupas, ainda mais elegantes, e ela fumava uma quantidade recorde de cigarros.

Depois do jantar, ficamos conversando. Achei que eu e Howard estávamos escondendo muito bem essa coisa nova entre nós, mas assim que ele foi dormir, Francesca disse: "Então rolou." Tentei me fazer de desentendida, mas ela disse: "Por favor, Hadley. Não me trate como criança. Não sei por que você acha que precisa manter todos os seus relacionamentos em segredo. No segundo em que entrei aqui percebi que tinha acontecido alguma coisa entre vocês. Agora me conte os detalhes. *Subito*!"

Contei sobre as últimas semanas, sobre como tinham sido tranquilas e regeneradoras. E depois falei sobre a manhã na torre e de como tudo fora perfeito nos últimos dias. Quando terminei, ela soltou um suspiro dramático. "É como uma *favola*, Hadley. Um conto de fadas. Você se apaixonou de verdade. Mas e agora? O que vai fazer? Não vai voltar para os Estados Unidos?" Claro que eu não tinha respostas. Havia deixado meu portfólio em várias faculdades e deveria receber um retorno da maioria delas no fim do verão. Ontem, por impulso, perguntei a Petrucione se ele consideraria me contratar como professora-assistente, mas ele me silenciou com um olhar e disse que eu era talentosa demais para perder mais tempo.

Foi quando Francesca me contou. A princípio, ela só disse: "Ele entrou em contato comigo." Eu perguntei quem, mas pelo jeito que meu coração batia, sabia de quem ela estava falando. "Ele me encontrou trabalhando num set em Roma. Deu parabéns pelo meu estágio como pretexto, mas eu sabia o verdadeiro motivo. Ele queria encontrar você." Por um instante, não consegui pensar em nada para dizer. (Ele estava tentando *me* encontrar?) "Ele disse que você mudou de número e que seu e-mail do instituto está inativo, agora que você saiu de lá." Eu não imaginei que estivesse inacessível. Mais ou menos um milhão de pensamentos rodopiavam pela minha cabeça e Francesca me observava atentamente. "Eu não dei seu contato, mas peguei o dele. Hadley, eu acho que seria um erro, mas não quero brincar de Deus. Se você quiser, eu tenho o número novo dele... Ele disse que mudou de ideia. Que quer lhe dizer uma coisa." Então ela me entregou um cartão de visitas. O nome dele estava gravado em letras grandes e seu novo telefone e e-mail estavam escritos como uma trilha de migalhas.

Naquela noite, eu mal consegui dormir, e não por estar em conflito, mas por ter muita certeza. X podia aparecer num cavalo branco com uma dúzia de rosas e uma desculpa perfeita, e mesmo assim eu não o aceitaria. Eu quero Howard.

— Como está o diário?

Ergui o rosto. A expressão do Ren estava mais relaxada do que na estação, e do meu coração brotaram pequenas asas. *Estou perdoada?* Tentei encará-lo, mas ele desviou o olhar de novo.

— Está bom, e eu estava completamente errada sobre uma coisa.

— O quê?

— Howard não foi só um consolo. Ela se apaixonou por ele. — Virei o diário para mostrar a página a ele. — O que isso significa?

Depois do trecho contando sobre a visita de Francesca, havia uma página inteira rabiscada com as palavras "*sono incinta*".

— *Sono incinta.* Significa: "Estou grávida."

— Foi o que imaginei.

Olhei a página com tristeza. Sei que pensar isso seria aniquilar a mim mesma, mas quase desejei que ela não estivesse grávida. Seu conto de fadas tinha acabado de desmoronar.

Capítulo 22

11 DE JUNHO

Sono incinta. Sono incinta. Sono incinta. Será que eu me sentiria diferente se as palavras estivessem na minha língua? ESTOU GRÁVIDA. Pronto. Mal consigo pensar. Hoje vomitei o café da manhã, como aconteceu em todos os outros dias da última semana, e enquanto dava descarga, um pensamento horrível me ocorreu. Tentei tirá-lo da cabeça, mas... eu precisava saber. Minha menstruação sempre foi meio irregular, mas estava mais irregular do que o normal? Fui até a farmácia, mas esqueci meu dicionário inglês-italiano e tive que fazer uma pantomima horrível para explicar o que queria, e então corri para casa para fazer o teste e... deu positivo. Voltei para comprar mais dois testes. Positivo. E positivo.

Todos deram positivo.

13 DE JUNHO

Mal saí do quarto nos últimos dois dias. Francesca foi embora ontem, e agora toda vez que Howard bate à porta finjo estar dormindo. Sei que preciso sair daqui. Howard me ama. E eu o amo. Mas isso não importa mais, porque estou grávida de outra pessoa. Sei que preciso contar a X, mas tenho vontade de morrer quando penso nisso. O que ele vai dizer? Segundo Francesca, ele está procurando por mim, mas tenho certeza de que não está procurando por isso. E o momento não poderia ser pior. É um sinal de que Matteo e eu temos que ficar juntos? Mas e quanto a este tempo com Howard? Há três dias escrevi que ele era o homem certo para mim. E agora isso.

Quero muito contar a Howard, mas o que dizer? Liguei para minha mãe e desliguei duas vezes. Eu começo a discar o telefone de Matteo, mas paro logo nos primeiros números. Estou me dando um prazo até amanhã à noite para decidir o que fazer. Não consigo nem pensar.

14 DE JUNHO

Liguei para Matteo. Ele está trabalhando em Veneza e vou encontrá-lo. Não posso contar por telefone.

15 DE JUNHO

Estou no trem. Howard fez questão de me dar uma carona até aqui, e embora eu não tenha contado por que estou indo, acho que ele sabe. Lágrimas desciam sem parar pelo meu rosto e a última coisa que ele disse foi: "Está tudo bem. Por favor, seja feliz."

Assim que o trem saiu, comecei a chorar tanto que todo mundo em volta olhou. Eu já repassei isso várias vezes na minha cabeça e tudo aponta para Matteo. Eu vou ter um filho dele. Preciso tirar Howard da cabeça. Eu escolhi Matteo. O destino escolheu Matteo. Nosso bebê escolheu Matteo. Tem que ser ele.

15 DE JUNHO – MAIS TARDE

Talvez Veneza seja o pior lugar do mundo para uma mulher grávida. Claro que é linda. Cento e dezessete ilhas interligadas por barcos e táxis aquáticos e aqueles gondoleiros de camiseta listrada conduzindo turistas por preços absurdos. A Cidade Flutuante. O cheiro é horrível, e a água batendo em tudo me dá a impressão de que posso cair a qualquer momento. Assim que o trem chegou, sequei as lágrimas e me forcei a comer um pedaço de *foccacia*. Faltava uma hora para eu e Matteo nos encontrarmos. Uma hora até ele saber. Eu li que Veneza está afundando, uns quatro centímetros a cada século. E se eu afundar junto com ela?

16 DE JUNHO

Marcamos um encontro na Piazza San Marco. Assim que me localizei, saí da estação de trem e fui direto para lá. Estava cedo, então fiquei andando e observando a Basílica de São Marcos. A construção é muito diferente do Duomo de Florença. Tem estilo bizantino, com muitos arcos e um mosaico chamativo na fachada. Parte da *piazza* estava inundada e havia turistas dobrando a calça e caminhando pela água.

Às cinco horas da tarde, percebi que não tínhamos combinado o ponto exato onde nos encontraríamos, então andei até o centro da *piazza*. Havia pombos por todos os lados e eu não parava de ver crianças. Um menininho com cabelo e olhos escuros passou correndo por mim, gritando alguma coisa, e meu primeiro pensamento foi: que inteligente, ele fala muito bem italiano. Será que meu filho vai falar uma língua que mal entendo?

Então vi Matteo. (Por que continuar a chamá-lo de X?) Ele vinha na minha direção. Vestia um terno e segurava o paletó numa das mãos e um buquê de rosas amarelas na outra. Eu só o observei por um instante, sentindo tudo o que aquele momento significava. Então, antes que pudesse dizer alguma coisa, ele me abraçou e afundou o rosto no meu cabelo. Ele só dizia, sem parar "que saudade, que saudade" e, ao sentir seus braços quentes e sólidos, fechei os olhos e soltei o ar pela primeira vez desde que descobri que estava grávida. Ele não é perfeito, mas é meu.

17 DE JUNHO

Ainda não contei a ele. Estou esperando tudo voltar a ser natural entre nós. Ele tem sido muito gentil comigo, e passamos a maior parte do tempo andando pelas ruas de Veneza. Ele alugou um pequeno apartamento com vista para um canal, e mais ou menos a cada meia hora um gondoleiro passa lá embaixo, em geral cantando para os passageiros. Matteo contou que viu que tinha cometido um erro no segundo em que meu trem saiu da estação em Roma. Disse que me via em todo lugar, e que certa vez seguiu uma mulher parecida comigo por meio quarteirão até perceber que não podia ser eu. Disse que não conseguia se concentrar e começou a passar horas estudando as fotos que tinha tirado quando estava comigo. Falou que eu inspirara alguns de seus melhores trabalhos.

Ele me convidou para ficar no apartamento com ele, mas fiz uma reserva num hotel barato. É administrado por uma senhora, e só tem três quartos, que compartilham o mesmo banheiro. Há paninhos de renda cobrindo tudo e me sinto na casa de uma parente idosa. Faz mais de três dias que não tiro nenhuma foto, o que deve ser um recorde para mim. Minha mente está cheia demais. Amanhã vou contar sobre o bebê. Amanhã.

18 DE JUNHO

Preciso escrever isto. É horrível e brutal, mas foi o que aconteceu e não posso omitir.

Levei Matteo para jantar num restaurantezinho lindo perto do hotel. Ambiente à luz de velas e silencioso. Absolutamente tudo naquele momento estava perfeito, só que, quando chegou a hora de contar a ele, não consegui fazer com que as palavras saíssem. Quando chegou a conta, perguntei se ele queria ir para o hotel comigo.

Meu quarto estava bagunçado, com roupas e equipamentos de fotografia por todos os lados, mas pelo menos era tranquilo e reservado, e quando entramos, eu disse a ele para se sentar. Ele se sentou na cama e me puxou para que eu me sentasse a seu lado. Disse que estava pensando numa coisa havia muito tempo e achava que estava na hora de darmos o próximo passo.

Meu coração acelerou. Ele ia me pedir em casamento? Então olhei para minha mão e entrei em pânico. Eu ainda estava com o anel de Howard. Será que teria que tirar? É possível dizer sim para alguém mesmo usando o anel que ganhou de outra pessoa? Porém, em vez de me mostrar um diamante, Matteo me explicou o que era basicamente um plano de negócios. Disse que estava cansado de não ganhar quase nada trabalhando para escolas e que queria começar algo só seu, fazendo retiros para fotógrafos de língua inglesa que quisessem passar um tempo na Itália. Ele já tem dois tours marcados e acha que eu seria o complemento perfeito. Eu poderia ajudar a organizar as viagens e acomodações, e quando tivesse um pouco mais de experiência, também ensinar fotografia. Então me abraçou e disse que tinha sido idiota de me perder de vista. Era hora de fazermos as coisas juntos.

Até aquele momento, eu não deixara que ele me beijasse, e assim que sua boca encostou na minha, só consegui pensar em Howard. Foi quando percebi que nunca daria certo com Matteo. Grávida ou não, eu amo Howard. É impossível ter um relacionamento amando outra pessoa. Então me afastei dele e falei as duas palavras que tinha ido dizer.

As palavras penderam pesadas no ar. E aí ele se levantou como se a cama tivesse queimado sua pele. "Como assim grávida? Como isso aconteceu? Nós terminamos há dois meses." Expliquei que devia ter acontecido pouco antes de ele ir embora e que eu só descobrira no começo da semana.

Foi quando ele surtou. Começou a gritar, me chamar de mentirosa e dizer que era impossível aquele bebê ser dele. Disse que eu tinha engravidado de outro, provavelmente de Howard, e que agora estava tentando passar a responsabilidade para ele. Começou a pegar todas as minhas coisas e jogar pelo quarto, minha câmera, fotos, roupas, tudo. Tentei acalmá-lo, mas ele jogou uma garrafa de vidro na parede e, quando se virou e olhou para mim, senti muito medo.

Então menti. Disse que ele estava certo, que o bebê não era dele, que era de Howard, e que eu nunca mais queria vê-lo. Falei o que achei que ele quisesse ouvir, mas aquilo o deixou ainda mais furioso. Ele disse que acabaria com nós dois e que Howard iria se arrepender de ter se aproximado de mim. Finalmente, ele me empurrou para passar, abriu a porta com um chute e foi embora.

O anel. A negação. A mentira.

Eu finalmente estava tendo uma visão clara da vida da minha mãe, como se até aquele momento tivesse olhado por uma janela embaçada e não percebesse. Eu não tinha *noção* de que ela passara por tanto sofrimento. Para ser franca, ela era muito alegre. Tipo a vez em que nosso vizinho de cima deixou a banheira aberta e, quando nosso apartamento inundou, estragando várias coisas, minha mãe se limitou a pegar um esfregão e começou a falar de como era maravilhoso estarmos nos livrando de algumas coisas para começar de novo.

Será que aquela postura otimista e grata com a qual eu crescera tinha sido apenas uma campanha de relações públicas bem elaborada? Será que minha mãe tinha medo de que eu descobrisse que a gravidez a forçara a desistir?

Fechei o diário. Tinha quase certeza de que, se continuasse lendo, teria outro colapso, e dessa vez achava que nem Ren conseguiria me acalmar. E, além do mais, era inútil continuar. Não importava o que minha mãe tinha feito depois: voltado a Florença de balão, escrito HADLEY AMA HOWARD em letras enormes na Piazza del Duomo, mandado um punhado de cartas do amor por todos aqueles pombos de Veneza — nada disso daria certo. Ponto final. Ela passaria o restante da vida a quase dez mil quilômetros de distância apenas com um fino anel de ouro para se lembrar do que tinha perdido.

Ah, com o anel e comigo. Também conhecida como o suvenir mais inconveniente do mundo.

Eu me recostei e fechei os olhos, sentindo os leves movimentos que o trem fazia de um lado para outro ao seguir pelos trilhos. Eu estava a uns cento e cinquenta quilômetros de um homem cuja vida seria virada de cabeça para baixo e a quinze centímetros de outro que não queria nada comigo.

Eu realmente queria estar em qualquer outro lugar.

Eram quatro da tarde quando nosso trem chegou a Florença. Ren tinha cochilado de novo e seu celular não parava de vibrar no banco ao seu lado, como se fosse um inseto gigantesco. Até que eu me inclinei e dei uma olhada. Mensagem da Mimi. *Ai*. Será que ele ia contar que eu o beijara? Se contasse, era melhor eu caprichar nos golpes de luta. Ia precisar.

Ren abriu os olhos.

— Chegamos?

— Chegamos. Seu celular estava tocando.

— Obrigado.

Ele leu as mensagens com o cabelo caindo nos olhos. Enquanto todos os outros recolhiam suas coisas, agarrei o diário. Aquele tinha sido um dos dias mais longos da minha vida, e eu me sentia num grande casulo de tristeza. Não acreditava que ainda tinha que voltar para o cemitério e contar a Howard o que sabia.

* * *

A viagem de volta ao cemitério foi silenciosa. Brutalmente silenciosa. Todos que ultrapassávamos pareciam estar no meio de uma conversa animada, o que tornava ainda mais doloroso o vazio entre nós dois. Eu estava arrasada, mas também furiosa. Sim, eu tinha feito besteira, mas isso significava que não podíamos mais ser amigos? E por que eu tinha que conhecer Matteo e perder Ren no mesmo dia? A maioria das pessoas tinha o luxo de passar pelos dramas da vida ao longo dos anos, então porque comigo estava sendo tudo de uma vez?

Quando finalmente paramos no cemitério, um grande grupo saía de um ônibus no estacionamento, e todos nos encararam como se fôssemos parte da atração. Howard saiu do centro de visitantes e acenou para nós.

Ao vê-lo, me senti congelar por dentro e depois quebrar em pedacinhos, mas consegui acenar também. E até sorrir. O que ele ia dizer?

— Pra casa? — perguntou Ren.

— Sim.

Segundos depois paramos na entrada da casa e ele desligou a scooter.

Desci da garupa e lhe entreguei meu capacete.

— Obrigada por me ajudar, Ren. Não foi ótimo, mas pelo menos agora eu tenho algumas respostas.

— Foi um prazer. — Em silêncio, trocamos um breve olhar e logo depois ele baixou os olhos, religando a scooter. — Espero que dê tudo certo com Howard. Vai ficar tudo bem. Ele gosta muito de você.

Seu tom de voz era de *despedida*, e senti um nó na garganta.

— Quer correr amanhã?

Ele não respondeu, e fez um círculo com a scooter, ficando de frente para a entrada e assentindo de leve para mim.

— *Ciao*, Lina.

E foi embora.

Capítulo 23

— ENTÃO, EXPLICA DE NOVO. HOWARD NÃO É SEU PAI, mas acha que é?

— Sim, ou pelo menos eu *acho* que ele acha que é meu pai.

— Você *acha* que ele acha que é seu pai?

— Sim. Isso, ou ele está mentindo. Mas eu apostaria na primeira opção, porque em geral as pessoas não ficam animadas pra acolher adolescentes que mal conhecem, mesmo que tenham amado muito a mãe deles.

— Mas Howard não é seu pai? Então é esse tal de Matteo?

— *Sim.* — Eu me joguei na cama. Já estávamos tendo a mesma conversa havia vinte minutos. — Addie, não sei mais como explicar isso a você.

— Me dá um segundo. Essa história não é a história mais simples do mundo.

— Eu sei. Desculpa. — Cobri os olhos. — E ainda não contei a pior parte.

— Pior do que conhecer seu pai babaca?

— É. — Respirei fundo. — Eu beijei Ren.

— Você beijou Ren? Seu amigo?

— É.

— Ok... Bem, o que tem de ruim nisso?

— Ele não retribuiu o beijo.

— Não acredito. Por quê?

— Ele é comprometido, a gente tinha acabado de conhecer Matteo e eu estava no meio de um colapso nervoso, então foi tipo o momento mais inconveniente pra perceber o que realmente sinto por ele. Eu meio que pulei em cima do garoto e ele... — Estremeci. — ... me afastou.

— Ele *afastou você*?

— É. E ainda estávamos em Roma, então tivemos que voltar de trem pra Florença e ele não abriu a boca durante todo o trajeto. Então, resumindo, estou completamente sozinha na Itália, preciso contar pro Howard que ele não é meu pai e agora não tenho nem um amigo.

— Ai, Lina. E pensar que há dez minutos eu tinha inveja de você. — Addie suspirou. — E quanto ao tal Fulano? O modelo de cuecas?

— Thomas? — *Droga. A mensagem dele.* — Ele enviou uma mensagem mais cedo me chamando pra sair. Parece que vai ter uma superfesta de uma garota que se formou na escola.

— Você vai?

— Provavelmente, não. Quer dizer, não sei o que vai acontecer depois que eu contar pra Howard. Ele pode muito bem me mandar embora.

— Ele não vai mandar você embora. Isso é ridículo.

— Eu sei. — Suspirei. — Mas duvido que vá ficar contente. Digo, isso é muito estranho. Pra ser sincera, eu queria que ele fosse meu pai.

Palavras que nunca imaginei que diria.

Addie ficou quieta por um instante.

— Quando você vai contar?

— Não sei. Ele ainda está trabalhando, mas quer ir ao cinema hoje à noite. Se eu criar coragem, vou contar assim que ele chegar em casa.

Ela suspirou.

— Ok, o plano é o seguinte. Vou lá pra cima agora perguntar aos meus pais se você pode voltar a morar aqui. Não, vou *dizer* que você precisa vir morar aqui. E não se preocupa. Eles vão aceitar.

Passei a hora seguinte andando de um lado para outro no quarto. Peguei o diário algumas vezes para examinar as páginas que ainda não tinha lido, mas toda vez que tentava abri-lo acabava largando-o como se fosse uma batata quente. Tudo terminaria quando eu lesse o último texto que minha mãe escreveu. Eu nunca mais ouviria nada novo dela. E saberia exatamente o quanto tinha sofrido.

Toda hora eu ia até a janela para ver se Howard estava chegando, mas ele e o grupo de turistas atravessavam o terreno como lesmas. Será que precisavam parar em *todas* as estátuas? E por que aquele canto do cemitério era mais interessante do que esse? Quando terminassem de aprender sobre a Segunda Guerra Mundial, a Terceira já teria acabado. Finalmente, quando achei que não aguentaria esperar por Howard nem mais um segundo, ele conduziu o grupo de volta ao estacionamento do centro de visitantes e esperou que todos embarcassem no ônibus.

— Está pronta? — sussurrei para mim mesma.

Claro que não estava.

Howard entrou no centro de visitantes, e depois ele e Sonia saíram e começaram a andar em direção à casa.

Ah, não. Eu não podia conversar com ele na frente da Sonia. Teria que guardar aquela informação a noite toda? Quando eles chegaram à entrada, desci dois degraus de cada vez e os encontrei na varanda.

— Aí está você — disse Howard. — Como foi seu dia?

Horrível.

— Foi... ok.

Ele usava uma camisa social azul-clara com as mangas arregaçadas e seu nariz estava queimado de sol. Algo que nunca tinha me acontecido. Porque, afinal de contas, eu era *italiana*.

— Tentei ligar para seu celular mais cedo, mas você não atendeu. Se quisermos chegar a tempo para o filme, precisamos ir agora.

— Agora?

— Sim. Ren vai?

— Não. Ele... não pode ir. — Como eu ia sair daquela?

Sonia sorriu.

— Vão exibir um filme muito antigo hoje, um clássico com a Audrey Hepburn. Já ouviu falar de *A princesa e o plebeu*? Ele se passa em Roma.

— Não, nunca. — *E será que daria para todo mundo parar de falar de Roma?*

Em circunstâncias normais, acho que eu teria gostado de *A princesa e o plebeu*. É um filme em preto e branco sobre uma princesa europeia que viaja pelo mundo. Só que sua agenda e sua equipe eram rígidas demais, então certa noite, em Roma, ela sai escondida pela janela do quarto para se divertir. O único problema é que, por ter tomado um sedativo mais cedo naquela noite, a princesa acaba apagando no banco de um parque e um repórter americano a resgata. Eles exploram a cidade e se apaixonam, mas não acabam juntos, porque a vida dela é cercada de muitas exigências.

Eu sei. Deprimente.

Não prestei muita atenção porque não conseguia parar de olhar para Howard. Sua risada era alta e toda hora ele se aproximava para dizer os nomes dos lugares que Audrey e seu paquera estavam visitando. Até me comprou um saco gigantesco de doces, e, embora eu tenha comido tudo, mal senti o gosto. Acho que foram as duas horas mais longas da minha vida.

Na volta, Sonia insistiu para que eu me sentasse na frente.

— Então, o que achou do filme?

— Bonito, mas triste.

Howard olhou para Sonia.

— Você ainda vai se encontrar com Alberto hoje?

— Ai, vou.

— Por que ai?

— Você sabe por quê. Faz anos que jurei nunca mais ir a um encontro às cegas.

— Não pense nisso como um encontro às cegas. Pense que vai sair para beber com alguém que eu admiro muito.

— Se não fosse seu amigo, eu teria recusado. — Ela soltou um suspiro. — Mas, enfim, qual é a pior coisa que pode acontecer? Eu sempre disse que um encontro horrível em Florença é melhor do que um encontro bom em qualquer outro lugar.

De repente, percebi que não sabia absolutamente nada sobre ela.

— Sonia, como você veio parar em Florença?

— Vim passar férias de verão depois da faculdade e me apaixonei por uma pessoa. Não durou, mas eu acabei me estabelecendo aqui.

Soltei um gemido interno. Talvez essa fosse apenas parte da experiência de ir à Itália. Venha para a Itália. Apaixone-se. Veja tudo desmoronar. Os sites de viagem deveriam divulgar essas informações.

Sonia me encarou pelo espelho.

— Sabe, as pessoas vêm para a Itália por vários motivos, mas, quando ficam aqui, é só por dois.

— Quais?

— Amor e gelato.

— Amém — disse Howard.

Olhei pela janela e concentrei toda a minha atenção em impedir que as lágrimas escorressem dos meus olhos. Só gelato não bastaria. Eu também queria o amor.

Quando chegamos ao cemitério, Howard deixou Sonia em casa, depois deu a volta a caminho da nossa. Os faróis lançavam um brilho sinistro sobre as lápides, e a combinação de açúcar ingerido e nervosismo estava me deixando muito enjoada.

Enfim estávamos a sós. Era a hora de contar para ele. Respirei fundo. Começaria a falar em três... dois... dois... dois...

Howard quebrou o silêncio.

— Eu queria dizer outra vez quanto é importante para mim ter você aqui. Sei que não tem sido fácil, mas agradeço muito por você estar tentando, mesmo que seja só pelo verão. Eu acho você incrível. De verdade. Estou orgulhoso de você por embarcar nessa aventura e explorar Florença. Você é uma aventureira, igualzinha à sua mãe.

Então ele sorriu para mim, como se eu fosse a filha que ele sempre esperara ter, e o que restava da minha coragem derreteu como um cubo de gelo no calor.

Eu não podia contar a ele. Não naquela noite.

Talvez nunca.

Quando entramos, dei uma desculpa esfarrapada, dizendo que estava com dor de cabeça de novo, fui para o meu quarto e me joguei na cama. Nos últimos dias eu andava me jogando muito na cama. Mas o que fazer? Eu não podia contar a Howard, mas também não podia *não* contar.

Seria assim tão ruim se eu só ficasse até o fim do verão e depois voltasse para casa sem contar? Mas e quando o Dia dos Pais chegasse e ele esperasse um cartão meu? Ou quando eu fosse me casar e ele achasse que deveria entrar comigo na igreja? E aí?

Meu celular começou a tocar, saltei da cama e atravessei o quarto em dois pulos. *Por favor, que seja Ren. Por favor, que seja Ren, por favor que seja...*

Thomas.

— Alô?

— Oi, Lina. Sou eu, Thomas.

— Oi.

Eu me vi de relance no espelho. Parecia um baiacu depois de um colapso nervoso.

— Recebeu minha mensagem?

— Sim. Desculpa não ter respondido. Hoje foi uma... loucura.

— Não tem problema. O que acha da festa? Quer ir comigo?

A voz dele soava tão descomplicada e britânica. E ele estava falando de uma *festa*. Quem se importa com festas num momento como esse? Passei a mão pelo cabelo.

— O que é exatamente?

— Aniversário de dezoito anos de uma das garotas que acabou de se formar. Ela mora numa casa muito legal, quase tão grande quanto a da Elena. Todo mundo vai estar lá.

"Todo mundo" tipo Ren e Mimi? Fechei os olhos.

— Obrigada pelo convite, mas acho que não vou poder.

— Ah, como assim? Você *precisa* comemorar comigo. Passei na prova de direção ontem, e meu pai falou que eu podia pegar a BMW dele. Olha, seria uma pena se você perdesse essa festa. Os pais dela contrataram uma banda indie que eu já ouço há mais de um ano.

Apoiei o celular entre o ouvido e o ombro e esfreguei os olhos. Depois de tudo o que acontecera naquele dia, uma festa parecia ridiculamente normal. Além disso, era estranho sair com alguém estando apaixonada por outra pessoa. Mas o que fazer quando a pessoa em questão não quer nada com você? Pelo menos Thomas ainda *falava* comigo.

— Vou pensar.

Thomas suspirou.

— Tudo bem. Pode pensar. Eu passaria aí às nove. E é uma ocasião mais formal, então você precisa se arrumar. Prometo que você vai se divertir.

— Formal. Entendi. Ligo pra você amanhã.

Desligamos e joguei o celular na cama, depois fui até a janela e olhei lá para fora. Era uma noite clara e a lua piscava para mim como um olho gigante. Como se tivesse visto o desenrolar de toda aquela história complicada e agora estivesse rindo por último.

Lua idiota. Coloquei as duas mãos na janela e tentei fechar, quase me pendurando, mas ela nem se moveu.

Tudo bem.

Capítulo 24

NA MANHÃ SEGUINTE, ACORDEI UM POUCO ANTES DO amanhecer. Eu tinha apagado na cama sem nem trocar de roupa, e havia um prato de espaguete na cômoda, com o molho de tomate aglomerado em partículas oleosas. Parecia que Howard tinha levado o jantar para mim.

Uma luz cinzenta e nebulosa atravessava a janela, eu me levantei e fui até a mala sem fazer barulho, procurando por roupas de corrida limpas. Depois peguei o diário e andei em silêncio pela casa, saindo pelos fundos.

Fui até o portão. Àquela hora nem os passarinhos tinham despertado ainda, e o orvalho cobria tudo como uma grande e leve teia de aranha. Minha mãe estava certa. O cemitério ficava diferente dependendo da hora do dia. Antes do amanhecer ele era desbotado, como se o cinza tivesse se misturado ao restante das cores.

Saí do quintal e comecei a correr, passando pelo lugar em que conhecera Ren. *Esquece. O. Ren.* Era meu novo mantra. Talvez o imprimisse num adesivo de para-choque.

Tirei aquilo da cabeça e respirei fundo, dando passadas moderadas. O ar estava frio e tinha um cheiro puro, como o de sabão em pó com fragrância de "ar de montanha", e correr trazia um grande alívio. Pelo menos não era só minha mente que estava acelerada.

Um quilômetro. Depois dois. Eu seguia uma trilha estreita feita na grama por alguém que tornara aquela rota um hábito, mas não fazia ideia se o destino era o mesmo que o meu. Até onde eu sabia, estava indo na direção errada. Talvez ela não existisse mais e então... BAM. A torre. Ela surgiu sobre a colina como um cogumelo selvagem. Parei de correr e fiquei olhando para a construção por um minuto. Era como encontrar algo mágico, como um pote de ouro ou uma casa de biscoito no meio da Toscana.

Nem pensar em casas de biscoito.

Comecei a correr de novo, sentindo meu coração acelerar ainda mais conforme me aproximava da silhueta escura. Era um cilindro perfeito, cinzento e antigo, com menos de dez metros. Parecia o tipo de lugar onde as pessoas se apaixonavam havia anos.

Corri direto até a base, depois coloquei a mão na parede, deslizando-a pela pedra enquanto rodeava a torre até a entrada. A porta de madeira que Howard tirara do caminho para minha mãe não existia mais, deixando um vão arqueado aberto, tão baixo que precisei me curvar para passar. O interior estava vazio, com exceção de algumas teias de aranha frouxas e uma pilha de folhas que deviam ter durado mais que a árvore da qual vieram. Uma escada em espiral em mau estado subia pelo centro da torre, deixando um fraco círculo de luz entrar no ambiente.

Respirei fundo e fui até ela, esperando que todas as minhas respostas estivessem lá em cima.

Tive que subir com cuidado; metade dos degraus parecia estar só esperando uma desculpa para desmoronar, e também precisar dar um pulo acrobático sobre o espaço onde um dia fora o último degrau, até que finalmente cheguei. O topo da torre era uma plataforma aberta, com a circunferência protegida por uma mureta de um metro. Fui até a beira. Ainda estava bastante escuro e cinzento ali, mas a vista era deslumbrante. Como num cartão-postal. À minha esquerda, fileiras de vinhas estendiam-se em finas cordas prateadas. Ao redor delas, o campo fértil da Toscana, com uma ou outra casa isolada como navios em meio a um mar de colinas.

Suspirei. Não era de surpreender que aquele tivesse sido o lugar onde minha mãe finalmente notara Howard. Mesmo que ainda não tivesse se apaixonado por seu senso de humor e seu maravilhoso gosto por gelato, ela teria olhado a vista e se apaixonado perdidamente. Era o tipo de lugar que faria um estouro de boiada parecer romântico.

Coloquei o diário no chão e contornei a plataforma lentamente, observando cada centímetro. Queria *muito* encontrar algum sinal da minha mãe, uma pedra na qual tivessem arranhado H+H ou algumas páginas perdidas do diário que ela tivesse enterrado em algum lugar ou coisa assim, mas só encontrei duas aranhas que me lançaram um olhar sério e impassível de guardas reais britânicos.

Desisti da minha pequena caça ao tesouro e voltei para o centro da plataforma, envolvendo meu corpo com os braços. Eu precisava que uma pergunta fosse respondida, e tinha a sensação de que aquele era o melhor lugar para fazê-la.

— Mãe, por que você me mandou para a Itália? — Minha voz interrompeu a tranquilidade de tudo ao redor, mas fechei os olhos com força para ouvir.

Nada.

Tentei de novo.

— Por que me mandou ficar com Howard?

Nada ainda. Então o vento soprou mais forte e bateu na grama e nas árvores, e de repente toda a solidão e o vazio que eu carregava comigo cresceram tanto que me engoliram. Pressionei a palma das mãos contra os olhos, sentindo a dor percorrer todo o meu corpo. E se minha mãe, minha avó e a psicóloga estivessem erradas? E se eu fosse continuar sofrendo assim pelo resto da vida? E se a cada segundo de cada dia eu sentisse menos o que tinha e mais o que perdera?

Eu desabei no chão, sentindo ondas grandes e irregulares de dor. Minha mãe me dissera várias vezes que minha vida seria maravilhosa. Que tinha orgulho de mim. Que queria estar presente, não só para os grandes momentos, mas para os mais simples. E aí disse que encontraria um jeito de ficar perto de mim. Mas ela continuava morta. E cada vez mais distante. Toda aquela perda se estendia diante de mim como um horizonte interminável, assustador e vazio. Eu estava percorrendo a Itália na tentativa de solucionar o mistério do diário, tentando entender tudo o que ela fizera, mas na verdade só estava procurando por ela. E não ia encontrá-la. Nunca mais.

— Eu não vou conseguir — falei em voz alta, cobrindo o rosto com as mãos. — Não posso ficar aqui sem você.

Foi quando levei um tapa. Bem, talvez não tenha sido bem um tapa, foi mais um empurrãozinho, mas de repente me levantei porque uma palavra abria caminho pela minha mente.

Olha.

Protegi os olhos com a mão. O sol nascia sobre as colinas, aquecendo as nuvens e incendiando-as em tons incríveis de cor-de-rosa e dourado. Tudo ao meu redor estava iluminado, lindo e, repentinamente, muito claro.

Eu não ia deixar de sentir saudades dela. Nunca. Dali em diante a vida seria assim, e por mais pesado que isso fosse, seria algo do qual eu jamais me livraria, mas não significava que eu não conseguiria me reerguer. Nem que não seria feliz. Eu ainda não conseguia imaginar muito bem, mas talvez chegasse um dia em que o buraco dentro de mim não doesse tanto e eu pudesse pensar nela, me lembrar dela, e ainda assim ficar tudo bem. Esse dia parecia a anos-luz de distância, mas naquele momento eu estava numa torre no meio da Toscana, e o nascer do sol doía de tão lindo.

E isso era importante.

Peguei o diário. Estava na hora de terminar.

19 DE JUNHO

Every new beginning comes from some other beginning's end. Eu tinha a letra dessa música escrita num pedaço de papel sobre minha mesa havia quase um ano, e só hoje fez sentido para mim. Todo novo começo vem de um fim. Passei a tarde inteira perambulando pelas ruas, pensando, e algumas coisas ficaram claras.

Primeiro, preciso ir embora da Itália. Em setembro passado, conheci uma americana que estava presa num casamento horrível porque a lei italiana diz que os filhos devem ficar com o pai. Duvido que Matteo vá querer algo com o bebê, mas não posso correr esse risco.

E, segundo, não posso contar a Howard o que sinto. Ele acha que já escolhi outra pessoa e precisa continuar pensando isso. Senão, vai deixar para trás a vida que planejou por uma chance de começar algo comigo. Eu quero muito isso, mas não o bastante para deixar que ele abra mão de seu sonho de viver e trabalhar em meio a tanta beleza. É o que ele merece.

Então é isso. Por amar Howard, preciso deixá-lo. E, para proteger meu bebê, tenho que afastá-la o máximo possível de seu pai. (Sim, eu acho que é uma menina.)

Se eu pudesse voltar para um único momento, apenas um, eu retornaria à torre, com um mundo inteiro de possibilidades diante de mim. E embora meu coração doa mais do que jamais imaginei que fosse possível, eu não trocaria aquele nascer do sol nem este bebê por nada. Este é um novo capítulo. Minha vida. E vou recebê-lo de braços abertos. Qualquer outra coisa seria um desperdício.

Fim. O resto do diário estava em branco. Voltei devagar para a primeira página e li mais uma vez a primeira frase.

Eu tomei a decisão errada.

Sonia se enganou. Minha mãe não tinha enviado o diário ao cemitério para mim, e sim para Howard. Ela queria que ele soubesse o que realmente aconteceu, que ele soubesse que ela o amou esse tempo todo. E então, embora ela não pudesse voltar atrás e mudar a história deles, fizera o melhor que pôde.

Tinha me trazido até aqui.

Capítulo 25

EU PRATICAMENTE VOEI DE VOLTA PARA O CEMITÉRIO. Estava muito nervosa, mas também me sentia mais leve. Não importava qual seria a reação do Howard, ia ficar tudo bem. E ele merecia ler a história da minha mãe. Naquele exato instante.

A luz do dia tinha transformado por completo o cemitério, dando brilho à atmosfera desbotada, e saí correndo, cortando caminho pelas lápides e ignorando a dor nas costelas. Eu precisava encontrar Howard antes que ele começasse a trabalhar.

Ele estava sentado na varanda com uma caneca de café e, quando me viu, se levantou, assustado.

— Você não está sendo perseguida de novo, não é?

Balancei a cabeça e parei, tentando recuperar o fôlego.

— Ah, que bom. — Ele voltou a se sentar. — Você sempre corre assim? Achei que gostava mais de corrida de longa distância.

Balancei a cabeça outra vez e respirei fundo.

— Howard, preciso perguntar uma coisa.

— O quê?

— Você sabe que não é meu pai?

Por alguns longos segundos, minhas palavras pairaram no ar entre nós como bolhas de sabão cintilantes. Então ele sorriu.

— Defina "pai".

Minhas pernas cederam e fui cambaleando em direção à varanda.

— Ei, ei. Você está bem? — Ele estendeu a mão para me equilibrar.

— Só preciso me sentar. — Eu desabei no degrau da varanda ao lado dele. — E você sabe o que quero dizer com "pai". Estou falando do homem que forneceu metade do meu DNA.

Ele esticou as pernas.

— Bem, nesse caso, não. Eu não sou seu pai, mas se usar outra definição, como "um homem que quer estar na sua vida e ajudar a criar você", então, sim. Sou.

Soltei um gemido.

— Howard, isso é muito bonito e tal, mas explica melhor. Porque passei as últimas vinte e quatro horas muito confusa e com medo de magoar você, mas você sempre soube?

— Desculpe. Não imaginei que você sabia. — Ele me olhou por um instante, depois soltou um suspiro. — Tudo bem. Quer ouvir uma história?

— Quero.

Ele se acomodou, como se estivesse prestes a contar uma história pela milésima vez.

— Quando eu tinha vinte e cinco anos, conheci uma mulher que mudou tudo para mim. Ela era inteligente e alegre e sempre que eu estava com ela sentia que podia fazer qualquer coisa.

— Você está falando da minha mãe, não é?

— Me deixe terminar. Então, conheci essa mulher e me apaixonei perdidamente por ela. Eu nunca tinha sentido aquilo por ninguém, era como se eu sempre tivesse procurado por ela sem saber. Eu sabia que tinha que fazer tudo o que pudesse para que ela sentisse o mesmo, então comecei sendo seu amigo. Fiz uma aula de italiano que não precisava só para passar mais tempo com ela…

— O curso para iniciantes?

— Shh. Lina, escute. Fizemos italiano juntos, eu assistia às outras aulas dela, e até consegui entrar em seu círculo de amigos, mas toda vez que tentava criar coragem para dizer o que sentia, eu virava uma gelatina.

— Gelatina? — falei, incrédula.

— Sim. Gelatina...

— Eu sei o que é gelatina!

Pelo visto ser um "cara legal" não significava ser também um "bom contador de histórias".

— O que quero dizer é que eu gostava tanto dela que tremia de nervoso. E então descobri que era tarde demais. Enquanto eu ficava gaguejando, carregando os livros dela e fingindo que gostava de dançar, outro homem entrou em cena e a levou embora.

— Matteo Rossi.

Ele hesitou.

— Como sabe o nome dele?

— Depois eu conto.

Ele pareceu confuso.

— Enfim. Eu disse a mim mesmo que, se esse outro cara fosse gente boa, gostasse mesmo dela e a fizesse feliz, eu deixaria pra lá. Mas eu conhecia o Matteo. Infelizmente, sua mãe ficou cega por ele por um bom tempo. Até chegamos a ter um breve relacionamento, mas ela o escolheu. Você foi concebida assim, enquanto eles estavam juntos, mas quando ficou doente, sua mãe pediu que eu aparecesse. Então foi o que fiz. Porque eu a amava. — Ele me cutucou. — E até que estou começando a gostar de você.

Soltei outro gemido.

— Ok, bela história, mas você entendeu uma parte errado. E por que você e minha avó disseram que eu era sua filha?

— Agora percebo que foi um erro, e peço desculpas. Eu não planejava dizer isso a princípio. Sua avó e eu começamos a nos comunicar depois da morte da Hadley, e após algumas semanas, percebi que ela presumia que eu era seu pai. Eu sabia a verdade, mas tive medo de que, se contasse, ela não deixasse mais você vir, e sua mãe tinha me feito prometer que a traria. Além disso, achei que seria melhor para você. Achei que, se acreditasse que eu era seu pai, seria mais provável que me desse uma chance.

— Só que eu me comportei de um jeito horrível.

— Não. Pela sua situação, você foi ótima.

— Mentiroso.

Ele sorriu.

— Acho que eu simplesmente não sabia mais o que fazer. Seu avô já estava passando por um momento difícil, e eu não sabia qual era a situação com a família da Addie. Tive medo de que você não tivesse para onde ir. Então, quando sua avó perguntou se podia contar que eu era seu pai, eu disse que sim. — Ele balançou a cabeça. — Eu planejava dizer a verdade mais cedo ou mais tarde, mas depois daquela noite na pizzaria achei melhor esperar você se acomodar antes. Só que você não parece do tipo que se acomoda. Eu deveria ter imaginado que você ia perceber.

— Você é tipo duas vezes mais alto que eu. E é louro. E não temos nada a ver um com o outro.

— Verdade. — Ele hesitou. — Então agora é minha vez. Há quanto tempo você sabe?

— Há um dia, mais ou menos.

— Como descobriu?

Eu peguei o diário na escada e entreguei a ele.

— Aqui.

— Seu diário?

— Não, é da minha mãe. É o diário que ela escreveu quando estava morando aqui.

— Esse é o diário *dela*? Eu notei que eram parecidos, mas achei que fosse só coincidência. — Ele o virou.

— Ela escreveu sobre todas as coisas que aconteceram entre ela e Matteo. Só que durante a maior parte ela o chamou de X. Então, a princípio achei que estava lendo sobre você, mas aí você não sabia sobre a padaria secreta.

— Espere um instante. A padaria secreta? O lugar sobre o qual Ren perguntou?

— É. Ele queria me surpreender e tentou descobrir onde era.

— Então Ren também sabe de tudo?

— Sabe. Na verdade, ele me ajudou a encontrar Matteo. — Eu desviei o olhar. — Nós, hum, o conhecemos.

Parece que ele se ergueu uns quinze centímetros no ar.

— Você o *conheceu*?

Mantive os olhos fixos no chão.

— Aham.

— Onde?

— Em Roma.

Ele estava me olhando como se eu tivesse acabado de dizer que era metade humana e metade avestruz.

— Quando você foi a Roma?

— Ontem.

— *Ontem*?

— É, pegamos o trem expresso. Primeiro Ren veio me buscar. Depois fomos à ABAF e eu liguei para Francesca...

— Francesca Bernardi? Como você sabia da existência dela?

— O diário. Ela me disse o sobrenome do Matteo, nós o encontramos na internet e fomos à galeria dele e foi... Bem, foi um desastre.

Howard estava boquiaberto.

— Por favor, diga que você está brincando.

Balancei a cabeça.

— Desculpa. Mas não estou.

Ele esfregou o queixo.

— Ok. Então vocês encontraram Matteo. E depois? Ele sabia quem você era?

— Ele inventou uma história, dizendo que minha mãe era louca e tinha forjado o diário. Foi ridículo. Quer dizer, nós somos idênticos, e ele ficou me dizendo que nunca teve nada com ela. Acabamos indo embora.

Howard bufou.

— Sua mãe me mataria. Eu aqui pensando que você e Ren só tinham saído para tomar gelato e dançar, mas você estava procurando seu pai em outra cidade?

— Sim, mas não vou mais fazer isso — falei, às pressas. — Foi a primeira e última vez. A não ser que você esteja escondendo mais alguma coisa de mim.

— Nada. Todas as minhas cartas estão na mesa.

— Ok, que bom.

— Mas onde conseguiu o diário? Você o encontrou depois que sua mãe faleceu?

— Não. Sonia me entregou.

— *Sonia*? Minha Sonia?

— É. Minha mãe o enviou pelo correio em setembro e, quando foi entregue, Sonia ficou com medo de que você ficasse triste, então o guardou por alguns dias. Só que aí você contou que eu viria morar aqui e ela presumiu que minha mãe tinha enviado o diário pra mim, mas não. Era para você.

Howard segurava o caderno com cuidado, como se fosse um passarinho que não queria deixar voar.

— Você deveria ler.

— Se importa se eu começar agora?

— Por favor.

Ele virou a capa lentamente, parando ao ver a primeira frase.

— Ah.

— É. Vou deixar você sozinho.

Capítulo 26

DUAS HORAS DEPOIS, HOWARD APARECEU NA PORTA DO quarto segurando o diário.

— Terminei.

— Foi rápido.

— Quer se sentar na varanda de novo?

— Claro.

Desci a escada com ele e nos sentamos no balanço da varanda. Os olhos do Howard estavam vermelhos.

— Foi difícil ler tudo aquilo. Quer dizer, ela me contou algumas partes, mas eu não sabia a história inteira. Foram tantos mal-entendidos. Relações perdidas. — Ele olhou para o cemitério. — Sua mãe entendeu algumas coisas de um jeito errado. Para começar, eu não saía com Adrienne.

— Não?

— Não. Matteo é que saía.

Lancei um olhar vazio para ele.

— Sua mãe não era a única aluna com quem Matteo se envolveu.

— Aaaahh. — Outra peça do quebra-cabeça se encaixou. — Então foi por isso que você contou a história do touro e do padeiro pra ela? Estava tentando fazer com que ela prestasse mais atenção, porque estava levando um belo chifre do Matteo?

Ele fez uma careta.

— Foi, mas claro que não deu muito certo. Ela não fazia a menor ideia do que eu estava tentando dizer.

— É, foi muito misterioso. Você inventou aquela história?

— Não, a história existe mesmo. Acho muito improvável que seja verdade, mas é uma das lendas contadas na cidade. Adoro esse tipo de coisa. — Ele balançou a cabeça. — Enfim, eu sabia que sua mãe estava envolvida com Matteo. Ela guardava segredo porque temia que lhe causasse problemas na escola, mas *ele* guardava segredo porque era um cretino. Eu sabia que ele tivera casos com algumas alunas e que, pelo que pude notar, não valia nada. Eu tinha minhas suspeitas, e um dia o peguei com Adrienne na boate. Naquela noite, quando sua mãe me viu com ela do lado de fora, eu estava tirando a história a limpo. Queria que Adrienne contasse tudo a sua mãe.

— Por que você não contou?

Ele balançou a cabeça.

— Só Hadley não percebia que eu estava apaixonado por ela, e ia parecer que era intriga minha. Além de tudo era quase certo que Matteo ia negar e que eu perderia a confiança da sua mãe. Depois que eles terminaram, não vi mais motivos para contar. Além disso, fui meio covarde. Foi culpa minha eles terem terminado.

— Por quê?

— Sua mãe estava se isolando e começou a fazer críticas muito duras a si mesma e ao próprio trabalho. Então, numa semana, quando Matteo viajou para uma conferência, liguei para ele e disse que se não ficasse longe dela, eu contaria à direção da escola sobre o envolvimento deles.

— E foi então que ele terminou com ela?

— Sim, mas contei à escola mesmo assim, e ele acabou sendo demitido. Hadley ficou tão arrasada que foi como se tivesse perdido toda a cor. Passei semanas me perguntando se tinha feito a coisa certa. — Ele empurrou o balanço. — Mas aí ela pareceu melhorar. Eu a convenci a passar o verão aqui comigo, e ficamos juntos por um tempo. E então a perdi de novo.

— Por minha causa.

Ele balançou a cabeça, apontando para o cemitério.

— Ela deveria ter me contado. Eu teria desistido disto aqui num piscar de olhos.

— Foi exatamente por isso que ela não contou.

— Eu sei. — Ele suspirou. — Eu só queria que ela tivesse me deixado tomar essa decisão. Um dia com Hadley valia mais que uma vida inteira na Itália.

— Eu sei.

Eu o analisei por um instante. Ele a amava. Amava *de verdade*. E sentia a falta dela havia mais tempo que eu. Isso me fazia querer abraçá-lo.

Desviei o olhar, piscando para conter as lágrimas. Eu esperava que minhas lágrimas secassem um dia. Eu poderia ser a garota propaganda da Kleenex ou coisa parecida.

— Você tentou pedir pra ela voltar?

— Não. Na minha cabeça, ela tinha escolhido Matteo. Se eu soubesse por que, teria sido outra história. Só anos depois descobri que eles não estavam juntos e há pouco tempo descobri sobre você. Eu me preocupava muito com ela, mas toda vez que pensava em entrar em contato, era como se algo me impedisse. Talvez orgulho.

— Ou talvez você só não quisesse se magoar de novo. Ela partiu seu coração.

Ele soltou uma risadinha.

— Partiu mesmo. E, claro, depois de um tempo eu consegui seguir em frente. Mas ter você aqui... Bem, tem sido como reviver aquela época.

Ficamos quietos por um instante. O sol já estava alto, luminoso e quente, e meu cabelo estava praticamente fritando.

Ele balançou a cabeça.

— Nunca imaginei que essa conversa seria assim, mas estou feliz pelo rumo que as coisas tomaram. E agora não precisamos nos preocupar com Matteo. Sua mãe teve o cuidado de mantê-la afastada dele, sobretudo depois que ficou famosa. Ela sempre quis trazer você para a Itália, mas tinha medo. Acho que agora que está com quase dezoito anos ela deve ter ficado mais tranquila em relação ao Matteo.

— Provavelmente ela não imaginou que eu o procuraria.

— Nunca. Acho que ela subestimou você. — Ele riu. — E eu também. Não acredito que você foi a Roma.

— Foi uma idiotice.

— Bem, isso está na cara, mas também foi muito corajoso.

— Ren foi comigo. Ele me ajudou muito. — Senti minha expressão entristecer. *Ren*.

— O que foi?

— Ren não está mais... falando comigo. Ficou chateado comigo.

Howard franziu a testa.

— Vocês brigaram?

— Mais ou menos.

— Não importa o que seja, tenho certeza de que vocês vão resolver. Ele gosta muito de você. Dá para notar.

— Talvez.

Ficamos ali sentados por um tempo, balançando para a frente e para trás, quando de repente um pensamento me ocorreu.

— Howard, você estava tentando me dizer alguma coisa quando contou aquela história esquisita sobre a mulher que deu à luz um javali?

Ele riu.

— O *porcellino*. É melhor eu parar de fazer isso. Parece que não funciona muito bem.

— Não.

— Tudo bem. Sim, eu estava tentando dizer uma coisa. Quando fomos ver a estátua, percebi que era o símbolo perfeito. Embora a nossa situação seja estranha, e sejamos meio diferentes, quero muito fazer parte da sua vida. Talvez não sejamos uma família comum, mas, se você quiser, serei sua família mesmo assim.

Olhei para ele e mil sentimentos tomaram conta de mim até eu ficar tão cheia quanto um balão. Minha mãe estava certa. Ninguém jamais chegaria perto de substituí-la, mas se eu tivesse que escolher uma pessoa no mundo, seria Howard. Ela só estava um pouco à minha frente.

— O que você me diz, Carolina?

Hesitei. Não queria tomar nenhuma decisão por impulso, mas sabia que, naquele dia, era o que parecia certo. E teria que ser o bastante.

— Ok. — Assenti. — Eu topo se você topar.

Ele abriu um de seus sorrisos tortos para mim, depois se recostou no balanço.

— Que bom. Bem, agora que esclarecemos isso, o que aconteceu com Ren?

Capítulo 27

HOWARD INSISTIU DIZENDO QUE EU NÃO PODIA DESISTIR. Se quisesse ir até o fim, precisava ter certeza de que não houvera nenhum problema sério de comunicação entre mim e Ren.

Foi assim mesmo que ele falou. Problema sério de comunicação.

Enfiei meus últimos farrapos de dignidade no fundo do armário e liguei para ele. Duas vezes. Minhas duas chamadas caíram direto na caixa postal e eu usei todas as minhas forças para não deixar uma mensagem.

Depois, Howard me ajudou a descobrir o número da casa dos Ferrara, então eu tentei de novo.

— *Ciao*, Lina! — cantarolou Odette.

Ficou claro que ela não tinha noção de como estavam as coisas entre a gente.

— Oi, Odette. Ren está em casa?

— Sim, só um instante. — Ela baixou o telefone. Depois houve alguns sons abafados. A voz dela finalmente voltou.

— Lina?

— Sim?

— Ren não pode falar agora.

Fiz uma careta.

— Será que você poderia perguntar uma coisa a ele por mim?

— O quê?

— Eu posso ir até aí? Preciso falar com ele.

Houve um momento de silêncio.

— Ren? Por que você está balançan… — Então ela deve ter colocado a mão sobre o fone, porque não consegui entender mais nada.

Foi humilhante demais. O que restara da minha dignidade ardeu até queimar.

Quando ela voltou a falar comigo, parecia confusa.

— Desculpe, Lina. Ele disse que está ocupado. Está se arrumando pra ir à festa da Valentina.

Eu me animei.

— Tem certeza de que ele vai? É da garota que se formou no ano passado, não é?

— Sim. Acho que é pra comemorar o aniversário de dezoito anos dela.

Pelo menos eu o veria cara a cara. Respirei fundo. Era melhor do que nada.

— Obrigada, Odette.

— Por nada.

Desliguei e enviei uma mensagem rápida a Thomas. Depois fui até o centro de visitantes. Eu precisava de um favor.

Quando entrei correndo no centro de visitantes, Howard e Sonia ergueram o rosto, assustados. Ambos estavam examinando uma pilha de papéis e Howard usava uns óculos de leitura minúsculos que nem um velhinho que o deixavam com cara de lenhador míope. Soltei uma risadinha.

Ele levou a mão ao peito.

— Lina! Um dia desses você acaba me fazendo sofrer um ataque do coração.

— Seus óculos são tão…

— Tão o quê?

Ele se levantou e comecei a rir de novo.

— É só... esquece. Olha, preciso de ajuda. Vou a uma festa hoje à noite e preciso estar linda. Acho que é minha melhor chance de recuperar Ren. Tenho que encontrar o vestido.

Ele tirou os óculos.

— Aquele vestido incrível que faz qualquer um se apaixonar por você?

— Sim! Exatamente. Como o que minha mãe teve. Só que espero usá-lo e que realmente funcione.

— O vestido? — perguntou Sonia, olhando de um para outro. — Desculpem, não estou entendendo.

Howard se virou para ela.

— Sonia, teremos que fechar o cemitério mais cedo. Encontrar um vestido novo deve ser fácil, mas *o vestido*? Vai levar algum tempo. — Howard piscou para mim. — E, por falar nisso, eu me lembro de ter visto o vestido da sua mãe. Acho que dei de cara com uma parede.

Sonia balançou a cabeça.

— Ainda estou meio confusa sobre o que vocês estão falando, mas você sabe que não podemos fechar o cemitério. É contra as regras.

— Tudo bem, não fechamos. Vamos abandoná-lo por algumas horas enquanto nós três fazemos uma viagem emergencial de compras a Florença.

Comecei a pular.

— Obrigada! Seria maravilhoso!

Sonia ainda não tinha se convencido.

— Howard, eu vou ficar aqui para o caso de algum visitante aparecer.

Ele balançou a cabeça.

— Não, você tem que vir com a gente. Sou completamente inútil quando o assunto são compras. Meu armário é como uma tumba. Precisamos de uma opinião feminina.

Ela estremeceu.

— Seu gosto é mesmo horroroso. Lembra quando fiz você jogar fora aquela calça de veludo cotelê? Estava crescendo *pelo* nela.

Juntei as mãos e pisquei os olhos, implorando.

— Por favor, Sonia. Eu nem sei onde ficam as lojas de vestidos, e vou precisar de toda a ajuda possível. Preciso ficar maravilhosa hoje à noite. Você me ajuda?

Ela olhou de mim para Howard, depois balançou a cabeça.

— Acho que vocês estão loucos, mas tudo bem. Vocês me pegam lá em casa?

— Sim!

Eu e Howard demos um high five, então esperei do lado de fora enquanto ele fechava o centro de visitantes e depois corremos até a casa.

A caminho de Florença, Howard e eu contamos a Sonia o nosso status de somos-parentes-mas-não-somos-parentes.

Ela ficou chocada.

— Estão me dizendo que vocês não são pai e filha?

— Tecnicamente, não — falei.

— E, Howard, você sempre soube?

— Sim.

Ela balançou a cabeça, depois começou a se abanar com a carteira.

— Só na Itália.

Howard olhou para ela.

— E, Sonia, no futuro, por favor, não entregue nenhuma das minhas correspondências a outra pessoa. Embora nesse caso acho que tenha funcionado bem.

— Juro por tudo que é mais sagrado. Nunca mais vou fazer nada parecido. — Ela se virou para mim. — A que horas Ren vem pegar você?

— Às nove, mas eu não vou com Ren. Vou com Thomas.

— Ah. Mas achei que você e Ren... — Ela se calou.

— Achou que eu e Ren o quê?

Howard olhou para Sonia, depois me encarou pelo retrovisor.

— Sabe quando dizemos que uma pessoa "está de coração aberto"? Bem, em italiano se diz "*avere il cuore in mano*". Você oferece seu coração na palma da mão. Toda vez que Ren olha para você, eu penso nessa expressão. Ele é louco por você.

— Não é, não.

Sonia entrou na conversa.

— Claro que é. E você não pode culpá-lo. Olhe só pra você. O coitado não consegue se controlar.

— Ele tem namorada.

— Tem? — perguntou Howard.

Assenti.

— Bem, o que você sente por ele?

Ambos olharam para mim, e eu consegui ficar quieta por três segundos antes de explodir como um vulcão.

— Tudo bem. Eu estou apaixonada por Ren. Estou completamente apaixonada por ele. Além da Addie, ele é a única pessoa que faz com que eu me sinta normal, e é superengraçado, estranho e tem um espaço entre os dentes da frente que eu amo. Só que nada disso importa, porque ele tem namorada, e ontem eu devo ter sofrido um lapso momentâneo de sanidade, porque dei um beijo nele e ele surtou. Além disso, a namorada dele parece que saiu da capa de uma revista de moda e sempre que Ren *me* vê, eu estou suando ou chorando. Então agora vou me arrumar para a festa na esperança de chamar a atenção dele o suficiente pra ele ao menos falar comigo. Quem sabe assim eu tenho ao menos uma oportunidade de dizer o que sinto e tentar salvar no mínimo a nossa amizade. Então pronto. É *isso* o que eu sinto por Ren.

Tanto Howard quanto Sonia pareciam perplexos.

Eu me recostei no banco.

— É por isso que preciso do vestido perfeito.

Ficamos em silêncio por um segundo, então Sonia se virou para Howard.

— Temos limite de orçamento?

— Não.

— Então vire à esquerda. Sei aonde precisamos ir.

Howard nos levou direto para uma loja de vestidos perto do centro da cidade, e depois de deixarmos o carro, nós três corremos três quarteirões do estacionamento até a loja. Quando entramos de repente, a mulher atrás do balcão ergueu o rosto, assustada.

— *Cos'è successo*?

— *Stiamo cercando il vestito più bello nel mondo.* — Ele se virou para mim. — Ela quer *o vestido.*

A mulher nos avaliou por um instante, depois bateu palmas.

— Adalina! Sara! *Venite qui.*

Duas moças vieram dos fundos da loja, e depois de ter a mesma conversa com Howard, pegaram suas fitas métricas e começaram a medir minha cintura, minha bunda, meu busto e... sim. Foi bem constrangedor.

Finalmente, elas começaram a pegar vestidos por toda a loja, depois me empurraram para um provador e me enfiaram lá dentro com os vestidos. Tirei a roupa de corrida e vesti o primeiro. Era um rosa algodão-doce e me lembrava da vez que eu vomitara numa roda-gigante. O segundo era um amarelo coberto de penas e tinha uma semelhança suspeita com a fantasia do personagem Garibaldo, de Vila Sésamo. O terceiro não era horrível, mas as alças eram tão grandes que sobravam quase três centímetros nos meus ombros, e a festa era naquela noite, então não dava tempo de ajustar. Eu me olhei no espelho, muito séria. *Não entra em pânico.* Mas meu cabelo entrou mesmo assim. Ou talvez fosse o normal dele.

— Como está aí? — perguntou Sonia, lá de fora.

— Nada ainda.

— Experimente este.

Ela jogou outro por cima da porta. Branco e armado. Fiquei igual a um marshmallow a caminho de um casamento.

— Ah, não — resmunguei. — Esses aqui não servem. E se eu não conseguir encontrar nenhum?

— Eu trouxe você aqui por um bom motivo. Vou ver se a filha mais velha da vendedora está aqui. Ela é uma fada madrinha para escolher vestidos. Já volto.

Eu me aproximei do espelho e me olhei de novo. Eu estava imperdoável, pior ainda, ridícula. Ren jamais voltaria para mim se eu estivesse parecendo uma guloseima que tinha sido assada na fogueira de um acampamento de escoteiras.

— Lina?

Sonia bateu na porta, que então se abriu e ela e outra mulher entraram.

A mulher tinha uns quarenta anos e um coque preso com um lápis. Ela parecia levar a profissão muito a sério. Com um gesto, mandou que eu desse uma voltinha.

— Não. *Tutto sbagliato*.

— *D'accordo* — disse Sonia. — Ela disse que esse está errado.

— Pode pedir a ela para achar um certo?

— Não se preocupe. Ela tem talento para isso. Deixa com ela.

A mulher deu um passo à frente e segurou meu queixo. Em seguida virou meu rosto de um lado para o outro, analisando meus traços, depois deu um passo para trás e me mandou dar outra volta. Enfim, assentiu e ergueu uma das mãos.

— *Ho il vestito perfetto.* Espere.

Quando ela voltou, segurava um vestido nude-rosado com renda bordada em todo o torso e uma saia curta e solta. Eu segurei aquela peça diante de mim.

— Este? — perguntei.

— Sim. Este — disse ela, decidida.

E saiu do provador, fechando a porta.

Tirei o vestido de marshmallow e vesti o novo. O tecido era macio e sedoso e deslizou com facilidade sobre o peito e os quadris, parando no ponto exato.

Nem tive que me olhar no espelho para saber que era o certo.

Quando Thomas chegou no carro do pai, uma BMW prateada conversível, eu tinha conseguido me transformar por completo. Sonia me ajudara a arrumar o cabelo, deixando os cachos suaves e com menos cara de Medusa, também me emprestou sapatos altos e brinquinhos de diamante. Eu tinha passado maquiagem e perfume e ensaiado meu discurso para Ren várias vezes. *Ren, preciso dizer uma coisa.* Quando me olhei no espelho, quase não acreditei. Eu parecia muito italiana.

— Ele chegou! — gritou Howard lá de baixo.

— Estou indo!

Respirei fundo para me acalmar, depois cambaleei escada abaixo. Os saltos da Sonia eram deslumbrantes, mas *muito* altos. Por um milagre, cheguei ao primeiro andar sem executar nenhum movimento involuntário de ginástica artística, e quando ergui o rosto, Howard me observava com os olhos cheios d'água.

— Você está linda. Não quero saber como é a namorada do Ren. Ela não tem a menor chance.

— Isso seria bom, mas se ele voltar a falar comigo já ficarei feliz.

— Aposto que ele vai escolher você.

Bateram à porta e Howard atravessou a sala para abrir.

— Olá. Thomas?

— Sim. Prazer em conhecê-lo.

Fui até a porta batendo os saltos.

— Uau! Lina, você está… — O queixo do Thomas caiu, mas aí ele percebeu que Howard o olhava como se ele fosse um cervo durante a temporada de caça, e pigarreou às pressas. — Desculpa. Que vestido lindo. Você está muito bonita.

— Você também.

Terno cinza bem ajustado. Cabelo desgrenhado de propósito. Eu praticamente consegui ouvir Addie entrando em combustão espontânea.

— Pronta pra ir? — perguntou ele.

— Pronta. — Eu me aproximei do Howard e o abracei. — Até que horas posso ficar na festa?

— Até a hora que quiser. Bem, dentro do limite razoável. — Ele piscou para mim. — Vai dar certo.

— Obrigada.

Fui com Thomas para o carro e ele abriu a porta para mim.

— Você está deslumbrante.

— Obrigada.

— O que seu pai quis dizer com "vai dar certo"?

— Humm, não sei.

Olhei para meu celular pela milionésima vez. Tinha passado a tarde inteira esperando que Ren ligasse. E durante a tarde inteira ele *não ligou*.

Thomas se sentou no banco do motorista e enfiou a chave na ignição.

— É um carro bonito, não é?

— Muito bonito.

— Meu pai também tem uma Lamborghini. Ele disse que se eu passar um ano sem receber nenhuma multa, vai me deixar usá-la.

— Pena que não é hoje.

— Concordo. — Ele saiu com cuidado da entrada para carros e seguiu pelo caminho. — Sabia que na Itália só dá pra tirar carteira depois dos dezoito anos? Acho que sou o único da escola que pode dirigir.

— Ren vai tirar a dele ano que vem.

— Mas ele ainda está no penúltimo ano.

— Ele faz dezoito em março.

— Ah.

Ele pegou a estrada e acelerou, deixando a música alta demais para conversar.

Tenho certeza de que percorrer a região rural italiana num carro de luxo conversível com um jovem britânico que parecia um agente secreto deve ser uma experiência mágica, mas não para mim. Eu estava ocupada demais repassando mentalmente o que dizer ao Ren. E tentando afastar a mão do agente secreto.

— O pai da Valentina trabalha com o meu, só que o cargo dele é ainda mais alto. Já fui a várias festas na casa deles e são sempre uma loucura. Teve um ano em que deram um grande jantar japonês e havia mulheres deitadas sobre as mesas de comida. Você tinha que comer o sushi direto do corpo delas.

— Eca. Sério?

— É, foi incrível.

Ele colocou a mão no meu joelho, de novo, e fiz questão de mudar de posição para obrigá-lo a tirá-la de lá. De novo. Olhei para ele e suspirei. Qualquer outra garota trocaria todo o gelato de Florença por uma chance de estar sentada ali. Mas elas não eram eu. E não conheciam Ren.

Quando finalmente chegamos à festa, fiquei chocada. Não porque a casa parecesse o castelo do Drácula — claro que parecia! —, mas por causa da quantidade de gente. Carros e táxis disputavam espaço para entrar enquanto uma multidão de convidados extasiados ziguezagueava até a porta da frente. Levamos dez minutos e precisei descruzar e cruzar as pernas mais três vezes só para alcançarmos o manobrista.

Quando chegou a nossa vez, Thomas jogou as chaves para o cara e me ajudou a sair do carro como se ele fosse alguém importante. Um tapete vermelho cobria os grandes degraus de pedra que levavam à porta e um monte de gente entrava. Eu tinha ficado com um pouco de medo de estar arrumada demais, mas todo mundo parecia estar indo a uma première de festival de cinema. Sem dúvida era uma ocasião para o vestido.

— Este lugar é muito maior do que eu tinha imaginado — falei, segurando o braço do Thomas antes que perdesse o equilíbrio na escada.

— Eu avisei. Vai ser incrível.

— Todos os seus amigos moram em casas como esta?

— Só os que dão festas.

A entrada tinha uma longa escadaria curvada e um lustre extravagante feito de vidro colorido. Um homem com uma grande pilha de papéis nos parou.

— Nome, por favor. — Seu sotaque era tão forte quanto seus bíceps.

— Thomas Heath. — Ele se virou e sorriu para mim. — E minha acompanhante.

O homem folheou os papéis, marcando o nome do Thomas.

— *Benvenuti.*

— Tudo bem se eu checar sua lista rapidinho? — perguntei. — Queria saber se meu amigo está aqui.

— Não. — Ele franziu a testa para mim, cobrindo a lista com a mão. — É *privato.*

Eu não estava numa festa no Pentágono nem nada do tipo.

— Eu só preciso dar uma olhadi…

— Vamos.

Thomas segurou minha mão e me puxou para longe da lista e para dentro da casa. Todo mundo se espremia numa sala enorme e rebuscada demais, com pé-direito alto e mais uns cinco lustres. Tivemos que abrir caminho para entrar, tropeçando em todos os vestidos chiques e esbarrando nos homens que suavam de paletó.

Toda a mobília havia sido afastada para os cantos da sala, e um palco improvisado fora montado num dos cantos. Já havia um monte de instrumentos em cima dele, mas nas caixas de som tocava música num volume que poderia matar passarinhos. Estava *tão* lotado! Como encontrar o Ren?

— Lina! Thomas! — Elena saiu da multidão e agarrou meu braço. Ela estava com um vestido cinza curto e um rabo de cavalo alto. — Uau, Lina, você está *bella*. Essa cor ficou ótima em você.

— Obrigada, Elena. Você viu Ren?

— Ren? Não. Nem sei se ele vem. Acho que Mimi o mataria.

— Por quê?

Thomas começou a rir.

— Gente, olhem. Lá está Selma.

Ele apontou para uma mulher alta de meia-idade que tinha subido no palco e mexia nos fios. Ela usava uma tiara e um minivestido rosa-shocking, que dava a sensação de que a qualquer momento seus peitos pulariam para fora.

— Uiii — disse Elena, balançando a cabeça. — É a mãe da Valentina. Ela foi modelo nos anos 1990 e exibe fotos sexy dela mesma pela casa. Acho que eu preferiria morrer a ver minha mãe com um decote desses todos os dias.

— Sua mãe com um decote *biônico* desses — acrescentou Thomas. — É melhor tentarmos arrumar um bom lugar perto da banda. Valentina disse que vão começar a tocar às dez.

Elena balançou a cabeça.

— Estou esperando Marco.

— Marco, hein?

Elena franziu a testa para ele.

— *Dai*. É que eu disse que esperaria. Não significa nada.

— Aham.

— Elena, se você vir Ren, pode dizer que preciso muito falar com ele? — pedi.

— Claro, sem problemas. — Ela olhou para Thomas e depois se aproximou. — Uau! Thomas está *incredibile*. — Ela pronunciou do jeito italiano. — Bela escolha. Ele é *troppo sexy*. Tenho certeza de que todas as garotas que já esbarraram com ele tentaram conquistá-lo. Você foi a felizarda. Que pena que Ren terminou com Mimi por sua causa, mas entendo perfeitamente por que você está aqui com Thomas.

Oitocentos pontos de exclamação surgiram na minha cabeça.

— Ren terminou com Mimi? Quando? Hoje?

Ela franziu as sobrancelhas.

— Não sei. Talvez tenha sido ontem, mas Mimi disse que está feliz. Sem querer ofender, mas Ren é muito estranho às vezes. Ele sempre diz tudo o que vem à cabeça.

— É, mas é isso que é legal nele.

Ela deu uma olhada para Thomas.

— É, talvez. Vejo vocês mais tarde. Vou lá pra frente.

— Tchau. Diga a Ren onde estou se você o vir, ok?

— Você está bem? — perguntou Thomas depois que Elena foi embora.

— Estou, claro.

Talvez melhor do que bem. Ren tinha terminado com Mimi por *minha* causa? Então o que fora tudo aquilo em Roma? Minha missão de encontrar Ren tinha se tornado ainda mais urgente.

— Vamos pegar uma bebida e ir para perto do palco — sugeriu Thomas.

— Claro.

As duas horas seguintes se passaram inacreditavelmente devagar. A banda era espanhola, e a cada duas músicas o baterista se empolgava e jogava as baquetas para a plateia, de onde tinham que ser resgatadas antes da música seguinte.

Thomas sumia toda hora para buscar mais bebidas e Ren ainda *não tinha aparecido*. Onde ele estava? E se ele *não* estivesse na festa? Será que toda aquela coisa de encontrar o vestido na verdade era uma maldição? Se fosse, eu preferia ter ido de roupa de corrida.

Finalmente, pedi licença.

— Thomas, vou ao banheiro. Já volto.

Ele fez um sinal de ok distraído e eu abri caminho pela multidão, dando uma olhada na festa. Pelo que pude ver, Ren não estava no salão principal. Nem na escada da frente nem na entrada. Onde ele tinha se enfiado? Então decidi ir mesmo ao banheiro, mas havia uma fila enorme, e eu não parava de esticar o pescoço para procurar.

Quando chegou minha vez, tranquei a porta ao entrar, depois me olhei no espelho e suspirei. Meu vestido ainda era lindo, mas eu estava suada e sabia que meu cabelo tramava um motim. Fiz um rabo de cavalo, depois verifiquei meu celular de novo. Nada. Onde ele estava?

Thomas estava me esperando na porta do banheiro.

— Aí está você. Precisamos correr. Todo mundo tem que ir lá pra fora. É uma grande surpresa.

Desisti dos sapatos, tirando-os e carregando-os enquanto seguíamos a multidão em direção às portas dos fundos. Quando saímos, tomei um susto. O jardim era do tamanho de um campo de futebol americano, e havia vários cobertores brancos com as bordas iluminadas por pequenas velas. Toda aquela cena era enjoativamente romântica. Metade das pessoas ali se deixaria levar e começaria a declarar seu amor eterno umas pelas outras.

— Thomas, você não viu Ren enquanto eu estava no banheiro, viu?

— Não, não, não. — Ele parou no pé da escada, colocando as mãos nos meus ombros. — Vamos fazer um pacto. Chega de falar do Ren. Eu só quero falar de você. — Ele sorriu. — E de mim. Vamos.

Ele me puxou, e eu tropecei um pouco enquanto atravessávamos o gramado.

— Aonde estamos indo?

— Já falei, é surpresa.

Andamos até um cobertor vazio no limite do jardim e Thomas se sentou, afrouxando a gravata e tirando o paletó. Sua camisa e seu cabelo estavam amarrotados e desejei pela milésima vez que Addie estivesse ali para aproveitar toda aquela beleza. O que eu estava fazendo era um desperdício.

— Agora, deita aqui — disse ele.

— O quê?

— Deita. — Ele deu um tapinha no cobertor.

— Thomas…

— Relaxa. Não vou fazer nada. Deita aqui só um segundo. Prometo que vou ficar bem aqui.

Eu olhei para ele por um momento, depois me deitei no cobertor, ajeitando o vestido à minha volta.

— E agora?

— Fecha os olhos. Vou dizer quando deve abri-los.

Olhei para ele e soltei o ar, sem fechar completamente os olhos. Ele precisava ser tão gato? Aquilo estava complicando muito a minha vida.

Ele começou a contar devagar.

— Vinte… dezenove… dezoito… — Quando chegou ao "um", eu estava deitada ali havia meio século, e abri os olhos sob o som de um aplauso coletivo no gramado.

A nossa volta, erguiam-se lanternas brancas de papel iluminadas por velas. Havia *centenas* delas.

Thomas sorriu ao ver minha expressão perplexa.

— Valentina me falou que eles iam fazer isso. Legal, não é?

— Muito legal.

Observamos em silêncio por um tempo, as lanternas rodopiavam em direção às estrelas como graciosas águas-vivas. A noite estava linda e mágica e *aiii*… Eu estava tão triste que poderia até chorar. Ali estava eu, na *Itália*, testemunhando uma cena saída de um conto de fadas, e só conseguia pensar em Ren. Será que eu ia ficar igual a Howard? Com o coração partido para sempre? Eu teria que comprar um skate e começar a fazer muffins de blueberry no meio da noite?

— Eu disse que você ia gostar. Também vão soltar fogos mais tarde.

Thomas se apoiou em um dos cotovelos, aproximando o rosto do meu. Lanternas se refletiam em seus olhos, e por um segundo esqueci por que não estava a fim dele. Então me lembrei.

— Thomas, preciso dizer uma coisa.

— Shh. Você pode dizer depois.

Antes que eu pudesse reagir, ele rolou para cima de mim, pressionando a boca contra a minha e me imprensando no chão. Por um segundo, foi como o Natal, meu aniversário e as férias de verão ao mesmo tempo, aquilo estava *errado*. Eu me contorci para me livrar dele e me sentei.

— Thomas, não posso fazer isso.

— Por quê?

Ele também se sentou, com uma expressão confusa. Devia ser a primeira vez que alguém o rejeitava. Coitadinho.

Balancei a cabeça.

— Você é incrível. E lindo. Mas simplesmente não posso.

— Por causa do Ren?

— É.

— Por que veio comigo se gosta dele?

— Desculpa. Foi horrível da minha parte. E eu deveria ter falado antes.

Ele se levantou e pegou o paletó, limpando a grama que grudara na calça.

— Por sorte, seu namoradinho está bem ali.

— O quê?

Eu me virei. Ren estava a poucos metros de distância, de costas pra mim. Eu me levantei às pressas.

— A gente se vê — disse Thomas.

— Thomas, desculpa mesmo! — gritei, mas ele já estava voltando para a casa.

Eu respirei fundo, peguei os sapatos e meio que corri até Ren. Ele vestia um terno azul-marinho e parecia que alguém precisara segurá-lo para cortar seu cabelo.

Toquei suas costas.

— Ren?

Ele se virou e senti os cacos do meu coração partido virarem pó. Ele estava tão lindo! Mas *tão* lindo!

— Oi. — Nem mesmo um leve tom de surpresa.

— Eu estava torcendo muito pra encontrar você aqui. Podemos conversar?

De repente, Mimi surgiu do meio de um grupo de garotas perto dali. Ela usava um vestido preto justo com fendas nas costelas e delineador preto. Parecia um tigre. Eu nunca vira nada tão aterrorizante.

Ela deu o braço ao Ren.

— Oi, Lina. Como está Thomas?

— Ele está bem — falei, em voz baixa.

— Ren, vamos voltar lá pra dentro. Acho que a banda vai recomeçar.

— Ren, posso falar com você um minuto? — pedi.

Ele estava com o olhar distante.

— Estou meio ocupado.

— Por favor! Vai levar só um minuto. Só preciso falar uma coisa com você.

— Ele está ocupado — disse Mimi, apertando o braço do Ren com mais força.

Ele olhou para a mão dela, depois para mim.

— Ok. Um minuto.

— Sério, Ren? — reclamou Mimi.

— Só vai levar um segundo. Já volto.

Ela se virou e saiu rebolando. A garota sabia rebolar.

— O que foi? — perguntou Ren calmamente.

— Podemos andar um pouco?

Quando chegamos a um canto do jardim, as lanternas já haviam se tornado pequenos pontos no céu, e eu tinha cem por cento de certeza de que Ren não havia esquecido o que acontecera em Roma. Ele ia se arrastando atrás de mim como um robô bem-vestido e eu me sentia cada vez pior. Será que ia dar certo?

O jardim tinha vários níveis, e descemos alguns degraus, passando por um casal que dava uns amassos encostado numa árvore e um grupo de garotos cavalgando bastões de críquete como se fossem jóqueis. Com certeza daríamos boas gargalhadas ao ver aquelas cenas. Quer dizer, se estivéssemos numa boa.

Chegamos a um banco de pedra branca, e Ren se sentou. Eu me sentei ao lado dele.

— Que festa incrível — falei.

Ele apenas deu de ombros.

Bem, ele não ia facilitar as coisas para mim.

— Acho que vou falar logo. — Minha voz estava falhando. — Eu nunca conheci ninguém como você, Ren. Você é inteligente, engraçado e muito fácil de conviver, e é a única pessoa que conheci depois da morte da minha mãe com quem sinto que não preciso agir de um jeito artificial. E eu sinto muito, *muito mesmo*, pelo que aconteceu em Roma. Aquele beijo não foi justo porque você tem namorada... ou *tinha* namorada... — Eu olhei para ele, esperando um esclarecimento, mas ele não disse nada. — Enfim. Até aquele momento, eu não sabia o que sentia, mas deveria ter falado, em vez de ter pulado em cima de você. Bom, o que estou tentando dizer é que gosto muito de você. Muito, mas se não sentir o mesmo por mim, tudo bem, porque você é muito importante pra mim, e espero que a gente ainda possa ser amigo.

De repente, uma segunda rodada de aplausos começou no gramado e houve um chiado seguido pelo estouro de fogos de artifício vermelhos explodindo no céu.

Teria sido o momento perfeito para Ren me tomar nos braços e declarar seu amor eterno.

Só que ele não fez isso.

Eu me ajeitei, desconfortável. Soltaram mais fogos de artifício, mas Ren nem olhou para cima.

— Seria muito bom se você dissesse alguma coisa.

Ele balançou a cabeça.

— Eu não sei o que você quer que eu diga. Por que não me contou antes? E em Roma, por que disse que nunca tinha pensado em mim como mais que um amigo?

Droga. Eu não deveria ter falado aquilo.

— Acho que foi por orgulho. Estava na cara que você não queria me beijar, e eu fiquei morrendo de vergonha. Só estava tentando consertar as coisas.

Ele ergueu o rosto.

— Bem, você está errada. Eu queria muito beijar você, mas parei porque tive medo de que você não quisesse fazer aquilo de verdade. Conhecer Matteo foi uma loucura, e eu não queria que acontecesse nada porque você estava passando por altos e baixos na sua vida emocional. E depois você disse que *não* queria ter me beijado.

— Mas eu queria. É isso o que eu estou…

Ele me interrompeu.

— Eu gostei da Mimi por muito tempo. Por uns dois anos. Eu pensava nela o tempo todo, e quando as coisas finalmente começaram a acontecer entre nós, me achei o cara mais sortudo do mundo. Só que aí conheci você e de repente comecei a evitar as ligações dela e tentar pensar em jeitos de te convencer a sair comigo. Então, na noite em que fomos à Space, eu liguei pra ela e terminei o namoro. Eu não sabia se ia dar certo entre a gente, mas queria muito ter uma chance.

Ele balançou a cabeça.

— Aí fomos a Roma. E tudo aquilo aconteceu. E hoje... — Ele se levantou. — Por que você acha que pode ficar dando em cima do Thomas e depois vir dizer que gosta de mim?

Um tipo completamente diferente de fogos de artifício explodiu na minha mente.

— Por que você acha que pode ficar dando em cima da Mimi e depois dizer que está a fim de mim? Era você quem tinha namorada esse tempo todo.

— Você está certa. *Tinha* namorada. Mas terminei. E não era eu que estava rolando no chão com outra pessoa. O que eu sou pra você? Seu plano B?

Eu me levantei de repente.

— Se você estava mesmo prestando atenção, deve ter notado que eu tirei Thomas de cima de mim e disse que gostava de você, mas esquece. Não me importo mais.

— Nem eu. Vou voltar pra festa. E é melhor você voltar pro seu acompanhante.

Ele se virou e foi embora.

— *Stronzo!* — gritei.

Um fogo de artifício em forma de coração explodiu acima da cabeça dele.

Capítulo 28

HOWARD LEVOU QUASE UMA HORA PARA ENCONTRAR A casa de Valentina. Primeiro porque eu não sabia quem ela era, e depois porque eu não encontrei ninguém que soubesse o endereço. Selma e seu decote biônico tinham desaparecido, e não consegui achar Elena, Marco ou qualquer outra pessoa que eu conhecesse. Enfim, consegui fazer o cara da porta me dizer onde eu estava, mas ele não falava inglês muito bem e continuava protegendo a prancheta como se eu estivesse tentando enrolá-lo para entrar de penetra. No fim, entreguei meu celular a ele, que deu o endereço a Howard.

Quando o carro dele parou na entrada, toda a raiva se esvaíra de mim e eu estava animada como um macarrão mole. Eu me sentia amarrotada. Não, *esfarrapada*. E quando entrei no carro Howard nem me perguntou como tinha sido. Ele viu na minha cara.

Já em casa, joguei o vestido no chão, coloquei uma camiseta e uma calça de pijama e desci. Eu estava prestes a cair no choro, mas não suportava a ideia de chorar sozinha no quarto. De novo. Eu tinha cruzado o limite do patético.

— Tem gelato e chá — disse Howard quando entrei na cozinha. — O que você prefere?

— Gelato.

— Excelente escolha. Por que não vai se sentar na sala? Eu levo uma tigela para você.

— Obrigada.

Eu me sentei de pernas cruzadas no sofá, apoiando a cabeça na parede. Tinha passado a noite inteira procurando Ren, e ele me viu justo no momento em que Thomas me beijara. Que azar. Será que o destino estava contra nós? E eu o tinha mesmo chamado de *stronzo*? Eu nem sabia o que aquilo significava.

Howard chegou com duas tigelas.

— Peguei dois sabores para você: morango e coco. Desculpe por não termos *stracciatella*. Dá pra ver que esse seria o sabor perfeito para uma noite como essa.

— Tudo bem.

Peguei a tigela, equilibrando-a no joelho.

— Noite difícil?

— Acho que não vai dar certo com Ren. — Meus olhos se encheram de lágrimas. — Nem mesmo a amizade.

— A conversa de vocês não foi boa?

— Não. Na verdade, começamos a gritar um com o outro, e eu o xinguei em italiano. Ou pelo menos acho que era um xingamento.

— Qual foi?

— *Stronzo*.

Ele se sentou na poltrona diante de mim, assentindo gravemente.

— Podemos nos recuperar de um *stronzo*. E, lembre-se, ainda não acabou. Durante anos achei que as coisas estavam completamente terminadas com sua mãe, mas voltamos a nos falar antes de ela receber o diagnóstico.

— É mesmo?

— Sim. Ela me mandou um e-mail e nos correspondemos por quase um ano. Foi como se tivéssemos retomado bem do ponto onde tínhamos parado. Não conversávamos sobre nada pesado, eram só provocações divertidas.

— Vocês se encontraram?

— Não. Ela devia saber que, se eu a visse de novo, ia sequestrá-la. Sem nem perguntar nada.

— Como as sabinas. — Tentei tomar uma colherada de gelato, mas só o senti deslizar pela língua e larguei a colher na tigela. — Vocês dois basicamente têm a história mais triste que eu já conheci.

— Eu não diria isso. Houve muita coisa boa.

Suspirei.

— Então, como eu esqueço Ren?

— Sou a pior pessoa a quem você deve perguntar isso. Eu me apaixonei e nunca mais fui capaz de esquecer essa paixão. Mas, se quer saber, vale a pena. "Uma vida sem amor é como um ano sem verão."

— Profundo, mas estou pronta para o verão terminar.

Ele sorriu.

— Dê tempo ao tempo. Vai ficar tudo bem.

Eu e Howard ficamos acordados até muito tarde. Quando olhei o celular, tinha uma mensagem de duas palavras da Addie (ELES TOPARAM!!!), e eu e Howard passamos mais de uma hora discutindo os prós e os contras de ficar em Florença. Ele até pegou um caderno pautado e fez duas colunas: MOTIVOS PARA FICAR e MOTIVOS PARA IR EMBORA. Eu não acrescentei Ren à lista porque não conseguia decidir em qual coluna ele se encaixava. Vê-lo todos os dias com o coração partido? Ou ficar com o coração partido e nunca mais vê-lo? As duas opções eram bem tristes.

Finalmente, fui para a cama, onde passei a noite me revirando. No fim das contas, existe uma razão para a expressão "cair de amores". Porque quando isso acontece, quando acontece de verdade, é mesmo uma queda. Não há o que fazer, você simplesmente se joga de cabeça e torce para ter alguém para segurá-lo. Senão, vai acabar se machucando feio. Pode acreditar em mim, eu sei.

Devo ter pegado no sono em algum momento, porque lá pelas quatro da manhã acordei em pânico. Alguma coisa tinha me *acertado*? Eu me levantei com o coração disparado. A janela tinha ficado escancarada como sempre, e um céu salpicado de estrelas cintilava sobre a copa das árvores do cemitério. A paisagem estava calma e imóvel como um lago. Nem uma única ondulação.

— Foi só um sonho — falei, com a voz supercalma e controlada.

A voz era a única parte de mim que não estava surtando pela possibilidade de algo frio ter encostado na minha perna.

Não que fizesse o menor sentido.

Balancei a cabeça, puxando as cobertas para voltar a dormir como uma pessoa racional, mas gritei e pulei uns quinze centímetros, porque havia moedas em todo canto. Tipo, *todo canto* mesmo.

Estavam espalhadas pela minha cama e pelo tapete, e algumas até haviam caído sobre o vestido, que continuava amarrotado no chão, largado no montinho de roupa mais triste do mundo. Corri para acender o abajur e me abaixei para olhar, tomando o cuidado de não tocar em nenhuma delas. Quase todas eram de um ou dois centavos, cor de cobre, mas algumas eram de vinte ou de cinquenta centavos. Havia até uma moeda de dois euros.

Estava chovendo dinheiro no meu quarto.

— O que está acontecendo? — falei, em voz alta.

Nesse momento, outra moeda voou pela janela aberta, me atingindo em cheio no rosto, o que me fez ficar na posição de proteção que eu tinha aprendido nas simulações para terremoto da escola. Mas quando me joguei no chão, eu não estava mais assustada. Sabia exatamente o que estava acontecendo.

Alguém estava jogando moedas pela minha janela. E isso só podia significar duas coisas: ou que um funcionário do governo italiano estava tentando me avisar que eu tinha ganhado na loteria ou que Ren estava tentando me acordar. De um jeito ou de outro, minha noite acabara de ficar muito melhor.

Eu me levantei e corri para a janela.

Ren estava a dois metros da minha casa, com o braço pronto para arremessar outra moeda.

— Cuidado!

Eu me joguei no chão outra vez.

— Desculpa.

Levantei devagar. O paletó e a gravata do Ren estavam largados na grama, e ele segurava um saco de papel branco na outra mão. Fiquei tão feliz por vê-lo que tive vontade de socá-lo.

Eu sei. Sentimentos conflitantes.

— Oi — disse ele.

— Oi.

Ficamos nos encarando. Parte de mim queria arremessar o vestido nele e outra parte queria soltar meu cabelo de Medusa para que Ren subisse por ele até o quarto. Acho que tudo ia depender do motivo que o levara até ali.

Ren também parecia enfrentar um conflito interno. Ele ficou lá embaixo por um instante, inquieto.

— Você se incomoda de descer?

Esperei exatamente nove décimos de segundo, depois passei uma das pernas sobre o parapeito e baixei o corpo devagar. Alguns dos tijolos eram irregulares, e eu os usei como apoio para descer pela parede da casa.

— Cuidado — sussurrou Ren, estendendo os braços para me pegar.

Tive que pular no final da descida e bati nele, que acabou caindo de forma constrangedora, e nos embolamos no chão. Nós dois nos levantamos depressa, e Ren deu um passo para trás, me olhando com uma expressão que eu não conseguia entender.

— Você podia ter usado a escada — disse ele.

— Escadas são para *stronzos*.

Ele abriu um sorriso.

— Você foi embora da festa.

— Fui.

De repente, uma luz se acendeu no quarto do Howard.

— Howard! — sussurrou Ren para mim.

Ren parecia um pé-grande que tinha sido surpreendido na floresta. Nunca superaria aquela primeira conversa entre ele e Howard.

— Vem.

Peguei a mão dele e corremos para a cerca dos fundos, tentando, sem sucesso, não tropeçar em cada obstáculo que encontrávamos. Eu esperava que nunca precisássemos levar uma vida de crimes, porque tinha certeza de que seríamos os piores fugitivos do mundo.

— Com certeza ele ouviu a gente — ofegou Ren quando chegamos ao muro.

— Acho que voltou a dormir. Olha. A luz do quarto está apagada de novo.

Mentirinha. O mais provável era que Howard tivesse entendido o que estava acontecendo, sem se incomodar com minha fuga em plena madrugada. Ele era mesmo o máximo. Eu me virei para olhar Ren, mas estava tão nervosa que não conseguia encará-lo. O mesmo parecia estar acontecendo com ele.

— Então, o que você queria falar comigo?

Ele chutou a grama.

— Eu, humm, não falei mais cedo, mas você estava maravilhosa hoje. Era sua versão do vestido, não era?

— Era. — Eu também baixei o rosto. — Mas acho que não funcionou.

— Não, funcionou sim. Pode acreditar. Sabe, lá... na festa. — Ele soltou um suspiro. — Fiquei morrendo de raiva quando vi você com Thomas.

Assenti, fazendo o máximo para ignorar a faísca de esperança no meu peito. *E*...

— Eu realmente preciso me desculpar. Fiquei muito triste em Roma quando você disse que nunca, jamais, jamais, jamais *mesmo*, tinha pensado em mim como nada além de um amigo...

— Eu só falei "jamais" duas vezes — protestei.

— Tudo bem. Nunca, *jamais, jamais mesmo*. Foi como levar um tapa na cara. E quando Thomas está envolvido, me comporto que nem um idiota. Ele é tipo um popstar britânico. Como competir?

Soltei um gemido.

— Popstar britânico?

— É. Mas o sotaque é falso. Na verdade, ele cresceu perto de Boston, e quando fica muito bêbado, esquece toda a pompa inglesa e fica parecendo um daqueles caras que vemos gritando nos jogos dos Red Sox com letras pintadas na barriga cheia de cerveja.

— Isso é horrível. — Respirei fundo. — Sinto muito por ter falado que nunca, jamais, jamais mesmo...

— Jamais — acrescentou Ren.

— ... jamais tinha pensado em você como nada além de um amigo. Não era verdade. — Pigarreei. — Jamais. Além disso, você não é um *stronzo*.

Ren abriu um sorrisinho esperançoso que na mesma hora me contagiou e me fez sorrir também.

— Onde você aprendeu essa palavra, afinal?

— Com Mimi.

Ele balançou a cabeça.

— Então você falou sério lá? Quando disse que não estava com Thomas?

Assenti.

— E você não está mais com Mimi?

— Não. Estou cem por cento solteiro.

— Humm — falei, e meu sorriso se abriu ainda mais.

Ficamos nos encarando por um bom tempo, e tenho certeza de que todas as quatro mil lápides se inclinaram para ouvir o que ia acontecer em seguida. Então... íamos só ficar ali parados nos *olhando*? E quanto àquela louca paixão italiana que estava rolando entre a gente?

Ele deu um passinho para a frente.

— Você terminou de ler o diário?

— Terminei.

— E aí?

Soltei um suspiro.

— Acho que eles eram perfeitos um pro outro, mas outras coisas atrapalharam. E Howard sempre soube que não era meu pai. Ele só queria muito fazer parte da minha vida.

— Howard é inteligente e ameaçador.

Ele me ofereceu o saco de papel branco que estava carregando todo aquele tempo.

— O que é isso?

— Um pedido oficial de desculpas. Depois que saí da festa, fui a Florença e comecei a dirigir sem rumo e perguntar às pessoas onde podia encontrar uma padaria secreta. Até que umas mulheres que estavam saindo de uma boate me explicaram aonde ir. Fica na Via del Canto Rivolto. E é incrível.

Abri o saco e um maravilhoso cheiro quente e amanteigado subiu. Um doce em forma de semicírculo estava enrolado num papel branco.

— O que é isso?

— *Cornetto con Nutella*. Comprei dois, mas comi um no caminho. E depois usei o troco pra acordar você.

Fiz uma reverência e enfiei a mão dentro do saco, depois dei uma grande mordida no *cornetto*. Era quente, cremoso e tinha o sabor de tudo de mais perfeito que podia acontecer com uma pessoa. Verões na Itália. Primeiros amores. Chocolate. Dei outra mordida considerável.

— Ren?

— Sim?

— Da próxima vez, por favor, não coma o outro *cornetto*.

Ele riu.

— Eu nem sabia se você ia querer falar comigo, mas apostava que se trouxesse algo pra comer eu teria uma chance. Da próxima vez que deixar você sozinha no escuro como um completo idiota, vou comprar uma dúzia.

— Uma dúzia no mínimo. — Respirei fundo. Agora que tinha Nutella correndo nas minhas veias, eu me sentia invencível. — E só pra sua informação, eu estava falando sério na casa da Valentina. É de você que eu gosto. Talvez seja até amor.

— Talvez seja até amor, hein? Bem, isso é uma boa notícia, porque talvez eu também ame você.

Sorrimos um para o outro e uma sensação quente e maliciosa atravessou meu corpo. Vi que Ren estava sentindo a mesma coisa, porque de repente estávamos tão próximos que eu conseguia contar os cílios dele. *Me beija, me beija, me beija.*

Ele estreitou os olhos.

— Acho que você está com o rosto sujo de Nutella.

Soltei um gemido.

— Ren, será que você pode me beijar de uma…

Mas não cheguei a terminar a frase, porque ele se aproximou e nos beijamos. Tipo, nos beijamos mesmo. E, no fim das contas, acho que passei a vida inteira esperando para ser beijada por Lorenzo Ferrara num cemitério americano no meio da Itália. Essa é a mais pura verdade.

Eventualmente nos afastamos. Sabe-se lá como, acabamos deitados de barriga para cima na grama e ficamos ali olhando as estrelas com aqueles sorrisos enormes, típicos das manhãs de Natal, sorrisos que deveriam ser cafonas, mas que na verdade eram só incríveis.

— Por favor, podemos contar este como o nosso primeiro beijo oficial?

— O primeiro de muitos — disse ele. — Mas, se não tiver problema pra você, eu não vou esquecer aquele de Roma também. Até eu ter interrompido tudo de forma tão brusca, aquele beijo foi basicamente a melhor coisa que já tinha me acontecido.

— Pra mim também — falei.

Ele ficou de lado, se apoiando num dos cotovelos.

— Então... Eu ando querendo perguntar uma coisa.

— O quê?

Ele tirou o cabelo dos olhos.

— Já pensou como seria ficar aqui na Itália? De vez? Agora que você tem um namorado e tal?

Namorado. As estrelas piscaram em êxtase.

Eu também me apoiei num dos cotovelos.

— Eu estava meio que pensando nisso mais cedo. Addie mandou uma mensagem dizendo que posso morar com ela e a família no próximo ano, e Howard e eu passamos um tempão conversando sobre isso.

— E?

Respirei fundo.

— Eu vou ficar, Lorenzo.

Ele ofegou.

— Você enrolou o *R*? Juro que você acabou de enrolar o *R*. Fala de novo.

Sorri.

— Lo-ren-zo. Eu sou metade italiana, não é? Preciso conseguir enrolar o *R*. E, qual é? Eu digo que vou ficar em Florença e você se anima só porque consigo pronunciar seu nome direito?

— Nunca me senti tão animado na vida.

Sorrimos um para o outro. Então me aproximei e o beijei de novo. Porque agora isso era uma coisa nossa.

— Então está me dizendo que não só gosta de mim, talvez até me ame, como também que vai ficar aqui de vez?

— Foi exatamente o que eu disse.

— Esta é oficialmente *la notte più bella della mia vita*.

— Tenho certeza de que eu concordaria com você se entendesse o que significa.

— Logo logo você vai estar falando italiano. — Ele entrelaçou os dedos nos meus. — Então agora que não vamos ficar perseguindo os ex-namorados da sua mãe, o que vamos fazer?

Eu dei de ombros.

— Nos apaixonar?

— Se for isso eu já queimei a largada. — Ele estendeu o indicador, encostando-o ao meu e formando um pequeno telhadinho. — Ei, acabei de pensar numa coisa.

— No quê?

— Quando estamos juntos, formamos um italiano inteiro.

Sorri, olhando para nossos dedos e sentindo meu coração se encher de amor tão depressa que tive que fechar os olhos para conter as lágrimas.

Ele se aproximou de mim.

— Ei, o que foi? Você está chorando?

Balancei a cabeça, abrindo os olhos devagar e sorrindo para ele.

— Não, não é nada.

Mas era alguma coisa. Eu não queria estragar o momento explicando a Ren, mas de repente eu via aquele momento de fora e não queria que ele nunca, jamais (jamais) terminasse. Eu sujara meu rosto de Nutella, e meu primeiro amor verdadeiro estava deitado ao meu lado, e a qualquer minuto as estrelas desapareceriam para dar lugar a um novo dia, e pela primeira vez em muito tempo, eu mal podia esperar para ver o que esse dia traria.

E aquilo era importante.

Agradecimentos

Antes de *Amor & gelato*, eu tinha apenas uma vaga noção de quantas pessoas são necessárias para fazer um livro. No fim das contas, é muita gente. Montes. Pilhas. Bandos. Então aqui está minha melhor tentativa de representar esse número.

Meu primeiro agradecimento tem que ir para meus pais, e em especial para minha mãe, Keri DiSera Evans, por me dar a Itália. Aqueles dois anos ampliaram meu mundo enormemente e foram pura magia. Obrigada por nunca se conformar com o *status quo*. Você é minha heroína.

Obrigada a meu pai inspirador, Richard Paul Evans, que não apenas me levou ao abismo da carreira literária, como também me empurrou lá de cima. Só posso sonhar em escrever tantos livros ou tocar tantas vidas quanto você. Obrigada por não me deixar desistir. (Obrigada, obrigada, obrigada.) Estou fazendo de tudo para recompensá-lo com netos superengraçados.

Um obrigada especial a você, meu filho, Samuel Lawrence Welch. Recebi a notícia de que *Amor & gelato* seria um livro de verdade poucos minutos depois de você soprar a velinha do seu primeiro bolo de aniversário, e ainda não consigo acreditar que tenho a oportunidade de viver meus dois sonhos ao mesmo tempo. Obrigada por fazer com que eu arranjasse tempo para brincar de carrinho e ler livros bobos. E você está certo: lápis deveriam ser usados para desenhar trenzinhos, não para escrever finais. Eles podem esperar. (Agora, para o Sam adulto: você precisava de um sinal de que pode realizar seu maior e mais assustador sonho? Este é seu sinal. Vá em frente, Sammy Bean.)

Obrigada a minha eterna amiga/parente/fada madrinha Laurie Liss. Eu tive muita sorte de ter você na minha vida e me sinto ainda mais sortuda por tê-la como agente. Eu simplesmente não poderia amá-la mais do que já amo. Obrigada por acreditar em mim.

Obrigada, obrigada a todo mundo da Simon Pulse, e em especial a minhas brilhantes editoras Fiona Simpson e Nicole Ellul. Esta história não teria acontecido sem vocês. Obrigada por se animarem com Lina e Ren e me mostrarem o que estava e o que não estava dando certo (do jeito mais delicado possível) e por me ajudarem a encontrar minha voz. Sinceramente, não tenho como agradecer por me ajudarem a escrever um livro que amo. Então apenas obrigada.

Obrigada aos meus amigos da Escola Americana Internacional de Florença, em particular a Ioiana Luncheon, a garota de carne e osso que foi criada no cemitério americano de Florença. Obviamente pensei muito em você e nas suas corridas pelo cemitério ao longo dos anos. Obrigada pela ajuda com as traduções e a verificação dos fatos. Você foi maravilhosa. (E também peço desculpas ao atual administrador do cemitério americano de Florença. Fiquei um pouquinho empolgada demais com minha visita e não tive a intenção de causar problemas nem atrapalhar o jantar da sua família. Toda vez que penso nisso, sinto vontade de morrer.)

Um agradecimento de coração ao garoto de quatorze anos que me chamou para sair enquanto eu estava trabalhando no livro na Millcreek Library. Eu estava com dificuldade para escrever naquele dia e você mudou tudo. Além do mais, perdoo você por gritar "Ela é VEEELHA!" para seus amigos. Tenho certeza de que você não fez por mal.

Deixei o melhor para o final, obrigada a você, David Thomas Welch, meu marido. Você é extremamente talentoso, gentil e forte e me apoiou muito. Obrigada por acreditar que eu ia conseguir mesmo quando eu não acreditava. Obrigada por todo o peso extra que carregou para me permitir realizar meu sonho. Obrigada por escutar todas as direções malucas que a história poderia ter tomado e por permitir que Lina e Ren morassem na nossa casa como se fossem pessoas de verdade. (E eles são, não é?) Mas, sobretudo, obrigada por me escolher. Em dezembro faz treze anos que sentei no seu carro e criei coragem para dizer: "Humm, oi. Você quer ficar mais um pouco?" Fico muito feliz por você ter aceitado.